Froissart
et le temps

D1484062

À Jeff Rider,
très amicalement,

Michel Zi

MOYEN AGE

Collection dirigée par Philippe Contamine

Michel Zink

Froissart
et le temps

Presses Universitaires de France

ISBN 2 13 049328 9

Dépôt légal – 1ʳᵉ édition : 1998, mai

Avertissement

Les manuscrits des *Chroniques* de Froissart sont très nombreux. Le premier livre a fait l'objet de plusieurs rédactions successives et indépendantes. Il n'existe donc pas d'édition critique des *Chroniques* d'après tous les manuscrits : la tâche est impossible. Pour les trois premiers livres, on citera généralement ici l'édition de la Société de l'Histoire de France, sans se priver de faire appel à d'autres versions (par exemple, pour le livre I, celle, relativement ancienne, du manuscrit d'Amiens et celle, tardive, du manuscrit de Rome, toutes deux très bien éditées par George T. Diller). Le quatrième livre, non encore édité à ce jour par la Société de l'Histoire de France, sera cité d'après l'édition du baron Kervyn de Lettenhove, dont les variantes seront aussi utilisées à l'occasion pour les trois premiers. On donnera en outre, chaque fois que ce sera possible, la référence des citations dans la vieille édition de Buchon, qui reste aujourd'hui encore l'édition intégrale des *Chronique* la plus répandue et la plus commode à utiliser.

La parution prochaine d'une grande partie des *Chroniques* dans la collection Lettres gothiques (Le Livre de Poche) par les soins de Peter F. Ainsworth et de George T. Diller en facilitera beaucoup la lecture.

Les autres œuvres de Froissart, conservées dans un très petit nombre de manuscrits, ont, à l'exception de quelques poèmes, fait l'objet d'éditions très sûres.

Qu'Agathe Sauvageot, qui a préparé le manuscrit de ce livre avec tant de soin, et Agata Sobczyk, qui l'a relu avec tant de sagacité, trouvent ici l'expression de ma reconnaissance.

Un homme qui se raconte

Le titre de ce livre est « Froissart et le temps ». Son titre attendu serait « Froissart et son temps » : voilà qui coulerait de source. Jean Froissart est avant tout connu comme historien des événements de son temps. Ses immenses *Chroniques* sont une des sources principales pour l'histoire du XIVᵉ siècle et de la première moitié de la guerre de Cent Ans. Elles couvrent les trois quarts de ce siècle (1325-1400). Elles sont exceptionnellement vivantes et détaillées. Elles offrent un reflet de leur époque et sont en même temps loquaces sur la vie, la situation et les activités de leur auteur. Peu d'œuvres permettent aussi bien qu'elles d'étudier un auteur et son temps.

Ce n'est pourtant pas ce que nous allons faire. Nous ne faisons pas ici œuvre d'historien. Nous ne prétendons pas étudier la réalité du XIVᵉ siècle à travers les *Chroniques* de Froissart, mesurer leur degré de véracité ou compter leurs erreurs. Nous ne prétendons pas davantage éclairer plus qu'on ne l'a fait jusqu'ici la vie et la carrière de Froissart. Ce que nous allons tenter est véritablement une réflexion sur « Froissart et le temps », une analyse de la perception et de l'expression du temps dans son œuvre, et dans son œuvre tout entière : non seulement dans ses *Chroniques*, mais aussi dans son abondante œuvre poétique et dans *Méliador*, ce grand roman arthurien en vers qu'il a composé alors qu'on n'en écrivait plus depuis un siècle. Car Froissart, loin d'être seulement un chroniqueur, a pratiqué presque toutes les formes qu'offrait la littérature de son temps.

Ce projet appelle des questions. Pourquoi étudier la perception et l'expression du temps dans une œuvre littéraire ? Pourquoi dans une œuvre du Moyen Age, et particulièrement du XIVᵉ siècle ? Pourquoi précisément chez Froissart ? Pourquoi dans toute l'œuvre de Froissart, alors qu'elle est très hétérogène ?

Commençons par Froissart. Laissons-nous guider par lui pour chercher la réponse à ces questions. Laissons-nous emporter par ce qu'il nous raconte. Car Froissart est un homme qui se raconte. Les deux sens de la formule sont également vrais. Il parle de lui, et il est difficile de parler de lui sous une autre forme que celle d'un récit. Pourquoi son récit appelle-t-il le récit ? Poser cette question, c'est encore poser celle de sa relation avec le temps, et c'est la poser en fonction de l'écriture. Homme du récit, et qui ne se laisse aborder que par le récit, Froissart est homme du temps, et qui ne se laisse aborder que par le temps, s'il est vrai que le temps est récit[1]. Chroniqueur qui raconte et poète qui se raconte – mais il se dérobe sans cesse à cette dichotomie trop simple, car aussi bien il se raconte dans ses *Chroniques* et raconte dans ses poèmes –, il ne cesse de confronter « le temps du monde » et « le temps de l'âme ».

Parler de Froissart, c'est donc être constamment soumis à la tentation de raconter et de le raconter. C'est ce qu'ont fait la plupart de ceux qui lui ont consacré des monographies, au moins les plus anciens d'entre eux : Shears, Mary Darmesteter, Julia Bastin[2]. C'est ce que faisait déjà le baron Kervyn de Lettenhov dans un volume entier en tête de son édition[3]. C'est ce que fait encore Georg Jäger[4]. C'est ce que je ferai, au moins brièvement. Céder dans un premier mouvement à la tentation de le raconter, c'est accepter cette appréhension du temps sous la forme du récit à laquelle il nous est impossible d'échapper. C'est une facilité, mais une facilité qui, si nous la pensons en même temps que nous y cédons, nous met sur la voie qui sera la nôtre. Raconter Froissart ? Bien plutôt l'écouter se raconter, pour mesurer comment le même auteur, confronté par la variété de son œuvre à la fois au temps de l'histoire, au temps de la vie, au temps intérieur, traite ces diverses épiphanies du

1. Paul Ricœur, *Temps et récit*, Paris, Le Seuil, 3 vol., 1983-1985.
2. F. S. Shears, *Froissart Chronicler and Poet*, Londres, George Routledge & Sons, 1930 ; Mary Darmesteter, *Froissart*, Paris, Hachette, 1894 ; Julia Bastin, *Froissart chroniqueur, romancier et poète*, Bruxelles, Office de Publicité, 2ᵉ éd. 1948.
3. Jean Froissart, *Œuvres*, éd. Kervyn de Lettenhove, Bruxelles, Académie Royale de Belgique, 28 volumes, 1867-1877.
4. Georg Jäger, *Aspekte des Krieges und der Chevalerie im XIV. Jahrhundert. Untersuchungen zu Jean Froissarts Chroniques*, Berne, Lang, 1981.

temps en fonction des sensibilités et des modes d'expression littéraire de son époque, et influe du même coup sur elles.

Car la confrontation entre le sentiment du temps et la mesure du temps n'est pas seulement à cette époque celle entre « le temps de l'Église et le temps du marchand »[5]. L'horloge mécanique, d'invention récente, parle à l'imagination sur le versant de la spiritualité et sur celui de la poésie. En 1339, presque au moment où Froissart voit le jour, Henri Suso écrit son *Horologium sapientiae*, qui, traduit dans toutes les langues, y compris le français en 1389, sera un des livres les plus répandus à la fin du Moyen Age. L'un des grands poèmes de Froissart, que nous commenterons, s'appelle l'*Orloge amoureus*. Le temps est partout présent, y compris dans les devises. « Le temps viendra » : c'est celle de Jean, duc de Berry. « Il me tarde » ; c'est celle de son jeune frère Philippe, duc de Bourgogne – Philippe le Hardi, qui à la bataille de Poitiers disait au roi Jean son père de se garder à droite, de se garder à gauche.

« Des aventures me souvient
Du temps passé. »

C'est le début d'un poème de leur contemporain Jean Froissart, *Le Joli Buisson de Jeunesse*, un buisson où il ne pénètre qu'en rêve, car sa jeunesse est passée. Deux vers qu'il s'emprunte à lui-même, car ils figurent déjà presque tels quels dans la *Prison amoureuse*. Froissart a consacré sa vie à se souvenir du passé, le sien et celui des autres – celui de Jean de Berry ou de Philippe de Bourgogne, celui de tous les acteurs des « guerres de France et d'Angleterre » qui se déroulaient sous ses yeux et que nous appelons la guerre de Cent Ans.

Il y a une pose dans la devise, une brièveté emphatique. Il y en a une dans l'attaque d'un poème quand sa simplicité affectée tranche avec un art pour le reste assez contourné. Les deux frères de Charles V et le chanoine de Chimay entendent tous trois être saisis dans leur relation avec le temps et se définir par la façon dont ils le vivent. L'impatience de l'ambitieux duc de Bourgogne, le plus jeune de quatre frères, a peut-être d'abord été celle de rejoindre ses aînés, d'être un homme – l'homme qu'il est devenu à quatorze ans sur le champ de bataille de Poitiers. Plus tard, elle sera celle

---

5. Jacques Le Goff, « Au Moyen Age : Temps de l'Église et temps du marchand », dans *Annales E.S.C.*, 1960, p. 417-433, repris dans *Pour un autre Moyen Age*, Paris, Gallimard, 1977, p. 46-65.

des succès toujours renouvelés et toujours autant désirés. La patience du duc de Berry sonne un peu comme la sagesse du vice ; elle paraît entretenue par l'extrême aptitude de cet homme cupide et laid à jouir de ce que la vie à chaque instant peut offrir de luxe et de beauté : livres et tableaux, orfèvrerie, châteaux, argent et femmes.

Mais Froissart, c'est autre chose. Les premiers mots du *Joli Buisson de Jeunesse* disent une disposition d'esprit éphémère – celle d'un soir – en des termes qui s'appliquent à l'effort de toute une vie. Ils font des aventures et du souvenir personnels une allusion à l'histoire et à la mémoire collective. Ils visent l'expérience intime du poète, celle de sa jeunesse, ravivée par le souvenir, par le rêve et par l'écriture. Mais ils définissent aussi bien l'activité du chroniqueur déjà illustre, engagé dans un interminable récit du passé qui forge son image aux yeux du monde. Récit du passé, mais d'un passé proche. Récit du passé qui intègre le récit de l'enquête sur le passé et fait au souvenir une place toujours plus grande. Cette banalité, que le souvenir du passé est une révélation du présent (ce que le présent révèle et ce par quoi il se révèle), Froissart l'a éprouvée par la pratique conjointe de la poésie et de l'histoire. Peu métaphysicien, il illustre pourtant cette vérité, que le temps est pensé comme récit du moi et du monde – unique justification, peut-être, de l'activité littéraire.

En ce temps où les princes affichent leur souci du temps, l'homme de lettres Froissart le manifeste bien davantage. Souci de son temps – de son époque –, qu'il reflète ; attention au temps intérieur qu'il vit et qui mérite plus encore d'être dit le sien ; attention aux rencontres du temps intérieur et du temps de la vie.

C'est cette attention qui oblige à prendre en compte l'homme en même temps que l'œuvre. Comment éviter entièrement le couple décrié que forment l'homme et l'œuvre, sauf à les supposer d'emblée connus ? Il faut bien transiger en faisant la part d'une information préalable qui, fatalement, sera à la fois trop longue, trop brève, trop plate. Il nous faut bien un peu raconter Froissart à notre tour. Cette demi-mesure même, cependant, nous met sur la voie qui sera la nôtre.

Le premier de ces faits indispensables est la date de sa naissance. Probablement 1337, l'année même où commence la guerre de Cent Ans, l'année où Edouard III, revendiquant la couronne de France, envoie des ambassadeurs à Philippe VI pour lui déclarer la guerre. Probablement

1337, mais la date n'est pas assurée. Ce pourrait être aussi 1333, comme le pense – mais il faut dire qu'il est le seul – le baron Kervyn. L'hésitation n'est pas nôtre. C'est celle de Froissart. Cet historien, comme il aime à se qualifier, ne se soucie pas de donner des renseignements concordants touchant sa date de naissance. Nous reviendrons sur cette incertitude qui met en jeu sa représentation du temps.

En 1337, ou en 1333, ou vers ces années-là, Froissart naît à Valenciennes. Il n'est donc pas français, mais hennuyer, sujet du comte de Hainaut. Dans les *Chroniques*, il dit pourtant une fois, mais une seule, qu'il est français, une autre fois qu'un Anglais l'a pris pour un Français en l'entendant parler cette langue[6]. Au tout début de la guerre, le comte de Hainaut était l'allié de l'Angleterre. Puis il s'est tourné vers la France. La fille du comte Guillaume Ier de Hainaut est l'épouse du roi d'Angleterre Edouard III : c'est la reine Philippa, la protectrice aimée et révérée de son jeune compatriote Froissart. Mais la femme du comte Guillaume, la comtesse Jeanne, est la sœur du roi de France Philippe VI. Son frère cadet Jean de Beaumont, le frère de Philippa, avait traversé la Manche pour venir aider la reine Isabelle contre son époux le roi Edouard II, puis à nouveau, peu de temps après, pour soutenir, à la tête d'un contingent hennuyer dont faisait partie son ami le chroniqueur Jean le Bel, le jeune roi Edouard III dans sa guerre contre les Écossais. Mais en 1346, à la bataille de Crécy, Jean de Beaumont combat du côté français. Quant à Froissart, il ne se sent certes pas français. Il ne se sent pas anglais non plus, d'ailleurs. Certes, il est très attaché à l'Angleterre, mais il lui arrive de juger sévèrement ses habitants. L'ambiguïté de ses sentiments a été finement analysée par Shears[7].

La famille de Froissart appartenait certainement à la bourgeoisie marchande, importante à Valenciennes, grande ville commerçante inscrite dans la hanse de Londres. Peut-être sa famille venait-elle de la seigneurie de Beaumont, ce qui, via Jean de Beaumont, resserrerait les liens du chroniqueur avec son prédécesseur Jean le Bel : une charte concernant le seigneur de Beaumont, en date du lundi après l'Ascension de 1300, mentionne parmi les jurés de la ville voisine un Mahieu Froissart, qui vivait encore en 1312 et dont un fils, prénommé comme lui, a

---

6. Cf. l'article de George Diller, à paraître dans *Le Moyen Age*.
7. F. S. Shears, *op. cit.*, p. 91-92, 98-103 et 124-127.

habité Beaumont après lui. En 1309, le comte de Hainaut s'étant emparé de Thuin, verse 35 livres au châtelain de Beaumont, qui l'a aidé, et davantage, comme indemnité pour les pertes subies, à un marchand nommé Everard Froissart. Valenciennes et Beaumont étaient proches et appartenaient au même seigneur. En 1297, un Jean Froissart, peut-être fils de Mahieu, peut-être parrain du chroniqueur, s'installe comme changeur à Valenciennes. Au début du XVᵉ siècle on trouve encore d'autres Froissart, artisans ou marchands, à Valenciennes (dont un Jean Froissart, « couletier », c'est-à-dire faiseur de hauts-de-chausse, puis « monnayeur », changeur, qu'on a autrefois confondu avec le chroniqueur). Froissart nous dit dans le *Joli Buisson de Jeunesse* que lors de la crise qu'il a connue après 1369 il est rentré chez lui et s'est essayé sans succès au commerce[8] ; dans le *Dit du Florin*, il manifeste une certaine familiarité avec le métier de changeur, ou en tout cas rend un hommage humoristique à son caractère lucratif :

Change est paradys a l'argent
Car il a la tous ses deduits,
Ses bons jours et ses bonnes nuits[9].

On a supposé, d'après un passage d'une des pastourelles, que son père s'appelait Thomas et qu'il était peintre d'armoiries. Certes Froissart marque souvent son intérêt pour la peinture et les portraits, comme on le voit dans *L'Espinette amoureuse*, dans le *Joli Buisson de Jeunesse*, dans *Méliador*, mais tout cela est bien aventuré.

Notre Froissart va à l'école, joue à des jeux variés, se bat avec les petits garçons et essaie de se faire remarquer des petites filles ; à douze ans il apprend le latin. Tout cela, ce n'est pas nous qui l'inventons. C'est lui qui le raconte en détail dans l'*Espinette amoureuse*. Détails sans importance biographique, et peut-être sans réalité biographique. Détails essentiels pourtant, car les souvenirs d'enfance longs et complaisants pour lesquels ils se donnent figurent au seuil d'un poème qui relate une initiation sentimentale. Une fois de plus, la biographie n'est que l'arrière-plan secondaire et nécessaire sur lequel se détache une image du temps.

Nous en étions à l'apprentissage du latin. Froissart sera un clerc. Au

---

8. *Joli Buisson de Jeunesse*, éd. Anthime Fourrier, Genève, Droz, 1975, v. 59-98.
9. Le *Dit du Florin*, « *Dits* » *et* « *Débats* », éd. Anthime Fourrier, Genève, Droz, 1979, p. 175-190, v. 38-40.

moment même (si on le suppose né en 1337) où il se met non sans mal au latin, une catastrophe plus pénible encore secoue l'Europe : la peste noire tue en deux ans le tiers environ de sa population, selon l'estimation qu'il en fera lui-même, estimation qui s'accorde avec celle des historiens modernes. Il n'en souffle mot, bien entendu, dans l'*Espinette amoureuse* : cela n'a rien à voir avec le retour à l'enfance qui modèle l'amoureux. Il n'en parlera guère dans les *Chroniques* : l'histoire, à ses yeux, c'est l'action des hommes et la peste n'y joue le rôle que d'un repère temporel. Silence et demi-silence qui confirment que tout tient chez lui à la représentation du temps [10].

En 1361, Froissart passe la mer, sans doute en compagnie d'otages français qui se rendaient prisonniers sur parole en Angleterre à la suite du traité de Brétigny. Il entre au service de sa compatriote, la reine Philippa, dont l'entourage comptait de nombreux hennuyers, y compris sa sage-femme. Froissart est un des clercs, une sorte de secrétaire qu'on imagine volontiers, d'après son propre témoignage, cajolé et fêté, chargé d'écrire des poèmes pour les divertissements de la cour [11].

Toute sa vie il gardera un souvenir ébloui de ce séjour à cette cour d'Angleterre et une fidélité émue et reconnaissante à la mémoire de Philippa. L'atmosphère autour de cette princesse était-elle encore à cette époque aussi légère et aussi joyeuse que dans le souvenir que Froissart en a gardé ? Quand elle meurt huit ans plus tard, c'est après de longues années de maladie, et fort délaissée par son mari.

A en croire Froissart, il apportait avec lui en Angleterre une première ébauche de chroniques rimées – mais étaient-elles vraiment rimées ? –, à laquelle il travaillait depuis cinq ans – mais y travaillait-il vraiment depuis cinq ans ? Ces deux affirmations ont donné lieu à d'abondantes suppositions. Nous reviendrons sur cette question épineuse, qui présente une certaine importance. Si Froissart a réellement commencé à travailler à ses *Chroniques* aussi tôt qu'il le dit, Jean le Bel, mort en 1369, la même

10. Michel Zink, « The Time of the Plague and the Order of Writing : Jean le Bel, Froissart, Machaut », dans *Contexts : Style and Values in Medieval Art and Literature*, ed. Daniel Poirion and Nancy Freeman Regalado, *Yale French Studies*, 1991, p. 269-280.
11. « Il faut écarter toute idée monacale, toute sombre vision de maigre séminariste en soutane. C'est plutôt comme un jeune et élégant normalien qu'il faut nous figurer ce bel amoureux de vingt-trois ans qui s'en va, quelques poésies inédites au fond de sa malle, chercher fortune à la cour d'Angleterre. » Mary Darmesteter, *op. cit.*, p. 13. À vrai dire, cette citation nous renseigne moins sur Froissart que sur l'image du « jeune et élégant normalien » en 1894.

année que Philippa, vivait encore. Or, comme nous le verrons, les premiers chapitres des *Chroniques* de Froissart démarquent celles de Jean le Bel et les recopient souvent mot pour mot. Le point est donc d'une certaine importance. En tout cas, Froissart profite de son séjour à la cour pour recueillir des informations auprès des anciens combattants des deux camps qui y pullulent – Anglais vainqueurs et Français prisonniers, tous glorieux.

En 1365, à la demande et aux frais de la reine Philippa (Froissart ne se fait jamais faute de noter ce genre de détail, car l'argent reçu de ses mécènes est la preuve que son talent est reconnu), il fait un voyage en Écosse, où pendant trois mois il accompagne le roi Robert Bruce qui visite son royaume. Les souvenirs de ce voyage se retrouveront dans les *Chroniques*, mais aussi dans *Méliador*, sans parler du charmant *Débat du cheval et du lévrier*.

En 1366, il fait un premier séjour à la cour de Jeanne et de Wenceslas de Brabant. On reste là entre pays et en famille : la duchesse Jeanne, fille du duc de Brabant et héritière du duché, avait épousé en premières noces le comte de Hainaut, frère de Philippa, et oncle de Guy de Châtillon, comte de Blois, qui sera le principal protecteur de Froissart dans la seconde partie de son existence. Quant à Wenceslas, sorte de prince consort et duc de Brabant par son mariage, c'est le jeune frère de l'empereur Charles IV et le fils de Jean de Luxembourg, roi de Bohême – le roi aveugle mort follement et magnifiquement à Crécy, comme Froissart le racontera lui-même. Au cours de ce séjour, il bénéficie ès qualités d'homme de lettres de la générosité du duc Wenceslas, pour la première fois sans doute, mais non pas pour la dernière. En date du 15 avril, les comptes de l'hôtel ducal mentionnent : « A un certain Froissart, écrivain, qui est avec la reine d'Angleterre, ce même jour, six moutons d'or. »[12].

En 1366-1367, le voilà à Bordeaux, à la cour du Prince Noir, où il semble être traité en chroniqueur officiel, si l'on en juge d'après les termes par lesquels on l'informe, à l'en croire, de la naissance de celui qui sera le malheureux Richard II. A la fin de l'année 1367, il est de retour à Londres, mais en 1368 il repart. Cette fois, il fait partie de la suite nombreuse et magnifique de Lionel, duc de Clarence, qui va à

---

12. « Uni Fritsardo dictori, qui est cum regina Angliae, dicto die, VI muttones » (Kervyn I, p. 153).

Milan épouser Yolande Visconti. Chaucer était aussi du voyage, Pétrarque était au mariage, mais Froissart n'en souffle mot. Pas un mot non plus du passage par Paris, où le duc de Clarence est somptueusement accueilli, mais peut-être est-ce là que l'examen attentif de la toute nouvelle horloge du Palais lui donne l'idée de son *Orloge amoureus*. En revanche, il est plus disert sur l'étape de Chambéry, où lors des fêtes données par Amédée de Savoie, le comte Vert, il compose des poèmes pour les chansons du bal : c'est ce qu'il rappelle dans la *Prison amoureuse*. A Bologne, il rencontre le glorieux roi de Chypre Pierre Ier de Lusigan, qu'il accompagne à Ferrare : à la fin des *Chroniques*, c'est au destin tragique de ce prince qu'il comparera celui de Richard II. Froissart va jusqu'à Rome. Mais ce voyage italien ne semble pas lui avoir laissé un très grand souvenir. La mort du jeune duc de Clarence quelques jours après son mariage, les soupçons d'empoisonnement qui ont pesé sur les Visconti, le défi que leur adresse Edouard Despenser, le petit-fils de Hugues Despenser, le malheureux favori du malheureux roi Edouard II, ami du jeune marié défunt, et avec lequel Froissart était en relations assez étroites : tout cela a bien entendu fort assombri le voyage et pèsera sans nul doute plus tard sur le jugement sévère et les soupçons injustes de Froissart à l'égard de Valentine Visconti, l'épouse du duc Louis d'Orléans, frère du roi de France Charles VI, et la mère du poète Charles d'Orléans.

Mais le 15 août 1369, la reine Philippa meurt. Froissart l'apprend sur le chemin du retour. Il avait fait halte à Bruxelles à la cour de Brabant et avait offert un livre à la duchesse Jeanne, comme nous l'apprennent là encore les comptes de l'hôtel : la duchesse fait remettre vingt moutons d'or (les prix ont monté depuis son premier séjour) « à un certain Froissart, pour un livre en français », « uni Frissardo, de uno libro gallico ». Il pleure la disparition de la reine dans un lai [13], dont la sincérité de son chagrin ne suffit pas à faire un chef-d'œuvre. Il lui rendra en plusieurs endroits des *Chroniques* un hommage plus touchant et plus personnel.

Désemparé par la mort de celle qui « le fit et le créa », comme il le dit, privé aussi par sa disparition de statut social et de ressources financières, Froissart semble avoir connu une sorte de crise, ou au moins une période de flottement. Mais cette période de relative retraite paraît aussi

---

13. *Lai 8*, Scheler II, p. 285.

correspondre à une intense activité littéraire. Elle est décisive pour son œuvre. De retour dans sa ville natale, Froissart, à en croire son *Dit du Florin*, s'essaie un temps au commerce, avec des résultats catastrophiques : juste châtiment, dit-il, pour avoir voulu aller contre sa vocation d'écrivain. Mais il trouve bientôt de nouveaux protecteurs : Jeanne et Wenceslas de Brabant, qui l'étaient déjà, Guy de Châtillon, comte de Blois, Robert de Namur, beau-frère à la fois du couple ducal de Brabant et d'Edouard III, puisqu'il avait épousé une jeune sœur de Philippa et de Jeanne, le duc Aubert de Bavière, comte de Hollande et de Hainaut.

Dans cet environnement, les années de repli mondain relatif qui suivent la mort de Philippa deviennent une période d'intense activité intellectuelle et créatrice. Repli mondain tout relatif puisqu'il se retrouve à la cour de Brabant, mais années de loisir et d'indépendance que lui procurent la cure d'Estinnes-au-Mont en 1383, puis, un canonicat de Chimay, dans le diocèse de Liège. Froissart est dès ce moment-là un auteur connu, dont les *Chroniques* sont lues avec attention. Une anecdote le montre. En 1381, le secrétaire du duc Louis d'Anjou, Jean Lefèvre, note dans son journal que le duc d'Anjou a fait saisir chez un enlumineur parisien quarante cahiers des *Chroniques* de maître Jean Froissart, que celui-ci faisait illustrer avant d'offrir l'ouvrage au roi d'Angleterre. Pourquoi Louis d'Anjou a-t-il fait saisir ces cahiers ? Officiellement parce que le roi d'Angleterre est l'ennemi du roi de France. Mais en 1381, la guerre est endormie, c'est une période de trêve, et Froissart ne pensait apparemment pas prendre un grand risque en faisant illustrer son ouvrage à Paris. En fait, on peut supposer que le duc d'Anjou a fait saisir ces cahiers parce qu'il est assez mal traité dans les *Chroniques*. Froissart était donc dès cette époque assez connu pour qu'on prît la peine de saisir son œuvre et pour qu'on se souciât de la réputation qu'il faisait à ceux dont il parlait. C'était aussi un auteur installé, avec sans doute des secrétaires, un atelier, toute une organisation pour la copie et l'illustration de son œuvre[14].

L'aisance financière que lui procurent ses bénéfices ecclésiastiques lui permet aussi de consacrer des sommes importantes aux voyages que rend

14. Sur l'hypothèse selon laquelle le manuscrit saisi par Louis d'Anjou serait l'actuel manuscrit de Besançon, dont la miniature initiale caractéristique aurait servi ensuite de modèle pour d'autres copies, voir Alberto Varvaro, « Il libro I delle *Chroniques* di Jean Froissart. Per una filologia integrata dei testi e delle immagini », dans *Medioevo romanzo*, 19, 1994, p. 3-36.

nécessaires la préparation de ses *Chroniques*, voyages dont les frais sont loin d'être entièrement couverts par ses mécènes. Il dira dans le *Dit du Florin* (v. 199-244) avoir dépensé le quart de ses revenus chez les taverniers et le tiers pour ses recherches – ce qui semble une proportion finalement honnête. Il avoue dans le même passage dépenser beaucoup en voyage parce qu'il aime ses aises. Car, s'il travaille aux *Chroniques* dans sa cure d'Estinnes puis à Chimay, il se déplace de plus en plus pour les besoins de son enquête, surtout après la mort de Wenceslas en 1383 et au moment où il s'attache surtout à Guy de Blois. L'année précédente déjà, en 1382, il accompagne Guy de Blois lors de la campagne du jeune roi Charles VI contre les Flamands revoltés, qui s'achève par la victoire française de Roosebeke. En 1385 il assiste à Cambrai au double mariage du fils et de la fille de son patron Aubert de Bavière avec le fils et la fille du duc de Bourgogne, mariage arrangé par la veuve de Wenceslas et qui se déroule en présence du roi de France. Peu après, il assiste au mariage du fils de Guy de Blois, Louis, avec Marie de Berry, la fille du duc de Berry, et il compose à cette occasion une pastourelle. En 1386, il est à L'Écluse et il assiste au fiasco de la tentative française de débarquement en Angleterre, qu'il raconte sans complaisance. En 1387 il est à Blois chez le comte et il achève le livre II des *Chroniques*.

Mais l'année suivante Froissart accomplit une démarche décisive pour lui-même et pour le tour que prendront les *Chroniques*, qui connaissent à partir de ce moment-là une mutation irréversible. En 1388-1389, muni d'une lettre de recommandation de Guy de Blois, il va passer trois mois à la cour du comte de Foix et de Béarn, Gaston Phébus, à Orthez. Il y arrive le 25 novembre 1388 et il repart au mois de février.

C'est le moment où le conflit franco-anglais s'est déplacé dans la péninsule ibérique et où la guerre se fait par Espagnols et Portugais interposés. Froissart se rend à Orthez pour avoir un témoignage de première main. Il choisit très judicieusement la cour de Gaston Phébus, terrain neutre où il est certain de rencontrer des combattants des deux partis. Il est très bien reçu par Phébus qui accueille le chroniqueur célèbre qu'il est déjà, et le salue en rendant hommage à l'importance de son entreprise :

> Me disoit bien que l'istoire que je avoie fait et poursieuvoie seroit ou temps advenir plus recommendée que nulle autre. « Raison pour quoy ? disoit-il,

biaux maistres : puis .L. ans, ilz sont avenus plus de fais d'armes et de merveilles au monde que ilz n'estoient .IIIc. ans en devant[15].

Pendant tout son séjour à Orthez, chaque nuit – parce que Gaston Phébus, ce prince au surnom solaire, ne vivait que la nuit – au cœur de l'hiver, il doit quitter l'hôtel de la Lune où il est descendu et aller au château pour lire à Gaston Phébus son roman *Méliador* qu'il a apporté dans ses bagages.

Au cours de son long voyage jusqu'à Orthez, il a rencontré un chevalier de Gaston Phébus, Espan de Lion, qui en chemin lui a raconté mille épisodes et mille anecdotes liés aux lieux traversés. A Orthez même, dans le même hôtel que lui, est descendu un capitaine de routiers, le Bascot de Mauléon, qui le soir égrène pour lui ses souvenirs en attendant l'heure de monter au château. De ces rencontres et ces récits, Froissart fait l'armature même de son Livre III, usant d'une méthode dont on mesurera plus loin la nouveauté et la fécondité.

En février 1389 Froissart s'en va avec la petite pupille de Gaston Phébus, Jeanne de Boulogne, que l'on mariait, malgré les réticences de son tuteur qui avait fini par céder, avec le vieux duc Jean de Berry. Il s'arrête à Avignon dans l'espoir déçu de voir son canonicat de Chimay transformé par le pape en canonicat de Lille. Durant ce séjour à Avignon, comme il le raconte dans le *Dit du Florin*, il se fait voler l'argent reçu de Gaston Phébus pour la lecture de *Méliador*. Il remonte ensuite d'Avignon à Paris par Lyon et Riom où est célébré le mariage princier. Puis il va se reposer trois jours dans le château de Crèvecœur, chez Enguerrand de Coucy qui l'y a invité.

Le 20 août 1389, il assiste à l'entrée royale à Paris d'Isabeau de Bavière que Charles VI vient d'épouser. Ce récit ouvre le livre IV des *Chroniques*. Rentré chez lui, il se rend compte qu'à Orthez il a surtout rencontré des Espagnols et qu'il n'a guère eu l'occasion d'entendre le point de vue portugais. Du coup, au début de 1390, il s'en va aux Pays-Bas, à Middelbourg, pour interroger le capitaine portugais Fernando Pachéco.

En 1391, Guy de Blois, ruiné, mal conseillé, fatigué par la débauche et l'obésité, vend son comté au frère cadet de Charles VI, Louis de Touraine, désormais duc d'Orléans, comme le sera son fils, le poète

15. SHF XII, p. 3 ; Buchon II, Livre III, chap. I, p. 370.

Charles d'Orléans. Froissart perd un soutien, sur lequel, à vrai dire, il ne pouvait de toute façon plus beaucoup compter. Mais il souffre surtout pour Guy de Blois, qu'il aime sincèrement alors qu'il n'éprouve que de l'antipathie pour Louis d'Orléans. Et par-dessus tout, il est choqué par ce manquement au code de conduite des princes. Même endetté, même ruiné, un prince ne vendait pas le fief auquel s'attachait son nom et la continuité de sa race. Cette déconfiture humiliante de Guy de Blois marque profondément Froissart.

A la fin de sa vie ses patrons seront surtout Aubert de Bavière, comte de Hainaut, et son fils Guillaume. En juin 1392 il est à la cour de France à Paris au moment de l'attentat contre le connétable Olivier de Clisson, qui aura des conséquences indirectes importantes : le coupable, Pierre de Craon, se réfugie auprès du duc de Bretagne qui a plus ou moins commandité l'attentat ; Charles VI décide une expédition punitive, et c'est sur le chemin de la Bretagne, en traversant la forêt du Mans, qu'il a son premier accès de folie. En 1393, Froissart, toujours soucieux d'être au cœur de l'événement, est à Abbeville pendant les négociations franco-anglaises et il note sur le vif les tractations.

En 1395 – c'est le dernier événement important de sa vie – il retourne en Angleterre. Ce voyage est dicté moins par la nécessité de l'enquête que par la nostalgie. La poursuite des *Chroniques* n'en est même plus le pré-texte, ou la raison, comme elle l'était lors du voyage en Béarn. La vie personnelle de Froissart, et presque son intimité, envahissent à ce point son ouvrage que le plan et l'ordonnance de celui-ci sont soumis au récit d'un voyage privé. Mais voilà qu'en Angleterre il ne reconnaît plus per-sonne et personne ne le connaît plus. Il a du mal à se faire présenter au roi Richard II. Quand il y parvient enfin et qu'il lui rappelle qu'il l'a vu naître, qu'il était un protégé de sa grand-mère, la reine Philippa, on sent bien que le roi reçoit ce vieux monsieur poliment mais sans intérêt parti-culier. Enfin, tout de même, Froissart lui offre un recueil de ses poèmes. Pourquoi de ses poèmes et pas de ses *Chroniques*, alors qu'il en avait fait copier quinze ans plus tôt à son intention un exemplaire qu'il n'avait pu lui remettre ? On mesurera mieux plus loin l'enjeu de cette question.

Froissart avait traversé la Manche le 12 juillet 1395. Dès l'automne il quitte l'Angleterre et rentre chez lui, où il rédige le livre IV, dans lequel figure le récit de ce voyage. Ce livre IV s'arrête assez brusquement en 1400, après la déposition et le meurtre de Richard II. Toutefois, une allusion est faite à la mort du duc Aubert de Bavière en 1404. Peut-être Froissart est-il mort en 1400, et la notation sur la mort d'Aubert de Bavière est-elle une interpolation. N'a-t-il pas plutôt, comme nous tenterons plus loin de le montrer, volontairement arrêté la rédaction de son grand œuvre sur les événements de cette année-là ? Quoi qu'il en soit, le chroniqueur a fini par si bien se confondre avec sa chronique que nous perdons sa trace du jour où il l'interrompt.

Avant de clore ce bref rappel biographique, remontons une fois encore jusqu'à la naissance de Froissart. On admet généralement qu'il est né en 1337. Mais il est permis d'hésiter entre cette date et celle de 1333, date pour laquelle penche le baron Kervyn.

Froissart nous dit qu'il avait 57 ans en 1390, ce qui le fait naître en 1333 :

> Car sachiez que, sus l'an de grace Mille trois cens IIIIxx et X, je y avoie labouré XXX. et sept ans, et à ce jour je avoie de aige LVII ans [16].

Mais, à lire son poème du *Joli Buisson de Jeunesse*, on croit comprendre que le 30 novembre 1373, il avait trente-cinq ans, « peu plus, peu moins » (v. 794) [17] : il serait donc né vers 1338. C'est ce qu'il suggère tout à la fin de ses *Chroniques*, où il dit qu'il avait vingt-quatre ans lorsqu'il assista aux adieux de la reine Philippa et du prince de Galles à Berkamptstead en 1361, ce qui le fait naître en 1337 :

> Je vous recorderay à la lettre ce dont je, Jehan Froissart, acteur et croniqueur de ces croniques, en mon joeune eage ouys une fois en ung manoir qui siet en une ville à trente milles de Londres, que on appelle Berquamestede, et estoit pour le temps duquel je parolle, la ville, le manoir et la seignourie au prince de Galles, père à ce roy Richart, et fut en l'an de grâce mil trois cens soixante-et-ung.(...) Je qui pour lors estoie en l'eage, espoir, de vingt-et-quatre ans, et des clers de la chambre de ma ditte dame la royne, oy, séant sur ung bancq, ung anchien chevallier parler et deviser aux dames et demoiselles de la royne, et dist ainsi : « Il y a en cest pays ung livre qui s'appelle le Brust, et dient moult de gens que ce sont des sors Merlin. » [18]

---

16. SHF XIV, p. 3 ; Buchon II, Livre III, chap. LXX, p. 601.
17. Voir plus loin p. 164.
18. Kervyn XVI, p. 142-143 ; Buchon III, Livre IV, chap. LXVIII, p. 333. Il s'agit, au moment où Froissart relate les événements qui conduisent à la chute de Richard II, de prédictions touchant le sort de ce roi et celui de la couronne d'Angleterre.

Kervyn fait observer que le Prince Noir est parti pour l'Aquitaine à la fin de 1362, non en 1361, que Froissart se trompe donc en cet endroit de toute façon, et qu'au demeurant il ménage lui-même l'incertitude d'un « peut-être » (« en l'eage, espoir, de vingt-et-quatre ans »). Il ajoute que le passage se trouve à l'extrême fin des *Chroniques*, que Froissart était alors âgé, que tout cela était alors bien loin dans le passé, et qu'il a pu se tromper. A quoi on peut objecter que l'éloignement dans le temps peut expliquer une erreur sur la date, mais non une erreur sur l'âge qu'il avait à l'époque. Le passage d'où il ressort qu'il est né en 1333 est, il est vrai, beaucoup plus précis et circonstancié. On serait donc tenté, avec Kervyn, de lui faire davantage confiance. Mais dans les premières lignes des *Chroniques*, Froissart dit avoir commencé à s'enquérir et à travailler sur les « guerres de France et d'Angleterre » tout jeune, dès sa sortie de l'école, après la « grosse bataille de Poitiers » :

> Si ay tousjours à mon povoir justement enquis et demandé du fait des guerres et des aventures qui en sont avenues, et par especial depuis la grosse bataille de Poitiers où le noble roy Jehan de France fut prins, car devant j'estoie encores jeune de sens et d'aage. Et ce non obstant si emprins je assez hardiement, moy yssu de l'escolle, à dittier et à rimer les guerres dessus dites et porter en Angleterre le livre tout compilé, si comme je le fis[19].

Revenant sur la question bien plus tard, dans le prologue du Livre IV, il précise :

> Et, pour vous informer de la vérité, je commençay jeune del eage de vingt ans, et je suis venu au monde avec les fais et advenues, et si y ay tousjours pris grant plaisir plus que à autre chose[20].

La date de 1337 s'accorde mieux avec cet ensemble de détails. Car Froissart, né cette année-là, aurait en effet eu vingt ans l'année qui a suivi la bataille de Poitier (1356). Né en 1333, il aurait eu 23 ans l'année de la bataille, 24 l'année suivante. Or il confirme ailleurs qu'il a commencé à travailler à ses *Chroniques* à l'âge de 20 ans. Oui, mais c'est dans le passage où il se donne 57 ans en 1390 et où il ajoute qu'il travaille alors à ses *Chroniques* depuis 37 ans : il aurait alors commencé en 1353, trois ans avant Poitiers, ce qui est en contradiction avec ce qu'il dit à deux reprises. Au reste, il précise dans le prologue du Livre IV qu'il est

---

19. SHF I, Variantes, p. 210, ms. A1, f. 1v° ; Buchon I, p. 1-2.
20. Kervyn XIV, p. 2 ; Buchon III, Livre IV, chap. I, p. 1.

« venu au monde avec les fais et advenues ». C'est très exactement vrai s'il est né en 1337, année qui, avec le défi d'Edouard III à Philippe VI et sa revendication de la couronne de France, marque le début officiel des « guerres de France et d'Angleterre » – ce que nous appelons la guerre de Cent Ans. Cela n'est vrai qu'approximativement s'il est né en 1333, année qui n'a été marquée par aucun événement bien important dans ce domaine, si ce n'est, au début de 1334 nouveau style, l'arrivée de Robert d'Artois en Angleterre. Mais enfin, même en exagérant beaucoup le rôle de ce personnage dans le déclenchement des hostilités, il n'y a là rien de comparable avec le défi de 1337. Quant à l'ultime argument de Kervyn, qui consiste à relever que dans le *Dit du Florin*, composé en 1389, Froissart se dit « vieux et chenu », pour en conclure que ces qualificatifs conviennent mieux à un homme de 56 ans qu'à un homme de 52 ans, le moins qu'on puisse en dire est qu'il est peu pertinent.

L'important dans tout cela n'est pas de déterminer la date exacte de la naissance de Froissart. Qui s'en soucie ? C'est d'observer que Froissart ne connaît pas sa date de naissance, ou plutôt qu'il lui est indifférent de se donner plusieurs années de naissance ; plus exactement encore, qu'il ne donne jamais sa date de naissance, mais qu'il s'attribue à des moments donnés des âges incompatibles. Comme si la date de sa naissance était une matière privée jusqu'à en être subjective, comme si seul comptait le sentiment qu'il a de son âge à un moment donné – sentiment susceptible de variations. Comme si ce chroniqueur du temps objectif avait de l'expérience du temps, avait du temps vécu, une conception proprement augustinienne, celle d'un temps purement subjectif, celle d'un passé qui n'existe que dans la mémoire, et donc dans le présent (« si le passé n'est plus, où est-il ? »). Aussi bien, nous verrons que c'est le fondement même de sa poésie. L'hésitation sur la date de naissance confirme donc à elle seule la validité de notre approche : Froissart et le temps.

Le rappel de la vie de Froissart n'éclaire pas en lui-même la question qui nous occupe. Il permet cependant de mesurer l'imbrication du temps de la vie et du temps de l'écriture. Quelle qu'ait été l'activité littéraire de Froissart avant 1369, nous ne pouvons en avoir une idée bien précise. Impossible de savoir où en étaient les *Chroniques* ; tout au plus peut-on supposer que certains poèmes lyriques, certains dits assez brefs (le *Débat du cheval et du lévrier*, le *Dit du bleu chevalier*) datent de cette période. En revanche, le début des années 1370 voit une sorte d'explosion de la production poétique et historique : l'*Espinette amoureuse*, la *Prison amoureuse*, le *Joli Buisson de Jeunesse* sont composés entre 1369 et 1373, année qui voit également l'achèvement de la première mise en forme du Livre I des *Chroniques*. La fin de la décennie voit la poursuite des *Chroniques* et la rédaction de *Méliador*, qui était nécessairement rédigé, au moins en grande partie, à la mort de Wenceslas en 1383. A partir du voyage en Béarn (1388-1389) et jusqu'à la fin de la carrière de Froissart, il semble ne plus s'occuper que des *Chroniques* et organiser sa vie tout entière autour d'elles. La belle affaire : il est naturel que le patronage de Wenceslas l'ait poussé vers la poésie, que l'indépendance financière et les loisirs procurés par la cure d'Estinnes-au-Mont aient été favorables à la grande entreprise des *Chroniques*.

Mais cet ensemble de faits suggère aussi autre chose. Le retour au pays natal, alors qu'il est orphelin de Philippa, favorise la production poétique, et tout de suite, dès 1369, la plongée dans l'enfance de l'*Espinette amoureuse*. Mais il favorise sans doute aussi la filiation avec son compatriote Jean le Bel. La mort de Jean le Bel qui survient précisément cette année-là, la même année que celle de Philippa (et n'oublions pas qu'il était dans l'esprit de Froissart lié à elle, qu'il était un proche de Jean de Beaumont), a certainement joué un rôle dans le vrai départ de *Chroniques* qui se greffent explicitement sur les siennes et, dans les premiers chapitres, les recopient souvent purement et simplement. Un équilibre est alors trouvé dans la dichotomie entre poésie et chroniques. Mais à partir du livre III où les *Chroniques* prennent un tour et un ton si nouveaux, le personnage et la personnalité de Froissart les investissent à un point tel, elles absorbent inversement à un point tel son activité, ses ressources intellectuelles et sa sensibilité qu'il ne semble plus guère y avoir de place pour d'autres formes littéraires, sinon pour enrichir les *Chroniques* de leur substance. On voit alors les *Chroniques* combiner au temps de l'histoire un temps proprement poétique, le temps du récit et le temps de la mémoire. Du simple point de vue biographique, Froissart nous induit en erreur en suggérant qu'il travaille à ses *Chroniques* depuis l'âge de vingt ans. Il s'y met vraiment après la mort de Philippa et après celle de Jean le Bel. Et les *Chroniques* nous induisent en erreur par leur apparente continuité. Il y a deux ouvrages différents, les deux premiers livres d'une part, les deux derniers de l'autre. L'ultime et tardive rédaction du livre I porte la marque de cet autre ouvrage que sont les deux derniers livres. Un autre ouvrage qui mériterait davantage le titre de mémoires. Un autre ouvrage, parce qu'en rattrapant le temps de l'événement, en racontant au jour le jour – et pourtant ce ne peut être au jour le jour – Froissart modifie le temps de l'écriture. Un autre ouvrage parce que le temps d'une vie, il a découvert une autre nature du temps littéraire.

CHAPITRE II

Le livre : une introduction

L'auteur à genoux fait hommage de son livre au prince qui en est le commanditaire ou le dédicataire. A l'orée des manuscrits médiévaux, combien de miniatures illustrent la scène ! Elles nous paraissent d'autant plus nombreuses que nous les reproduisons de nos jours avec prédilection. C'est qu'elles nous renvoient notre image – à nous, les cuistres – et flattent ceux de nos travers dont nous sommes le plus fiers. La propension à croire que l'écriture et la production de livres sont les activités les plus remarquables et les plus intéressantes qui soient, parce que ce sont les nôtres. La satisfaction de contempler son propre livre, douce gratification pour le narcissisme d'un auteur qui n'en a pas toujours beaucoup d'autres. La tendance de l'homme de lettres, ou plus modestement de l'universitaire, à se prévaloir de ses livres, car il se doute vaguement que sa personne ne suffit pas à le recommander aux honnêtes gens et à le faire admettre dans leur société.

Autant que d'autres, plus souvent même que la plupart, puisque les manuscrits de ses *Chroniques* sont si nombreux, Froissart est représenté par ses illustrateurs en train d'offrir son livre – un de ses livres – à un mécène. Dans son cas, il y a à cela une bonne raison. C'est que lui-même se décrit volontiers dans cette attitude, et que de telles scènes ne sont pas sous sa plume des hors-d'œuvre – textes liminaires ou dédicaces –, mais qu'elles sont au contraire intégrées au corps de son ouvrage. Il suggère ainsi leur importance pour la définition de sa personnalité comme pour le déroulement de sa carrière. Grâce à elles, et comme il en est chez lui bien d'autres exemples, son œuvre le montre tel que son œuvre l'a fait.

19

Toute sa vie, ses livres lui ont servi de recommandation. Tout jeune homme, à peine débarqué de son Hainaut natal, il s'introduit auprès de sa compatriote, la reine Philippa, en lui présentant, si on l'en croit, une première ébauche de ses chroniques :

> Si emprins je assez hardiement, moy yssu de l'escolle, à dittier et à rimer les guerres dessus dites et porter en Angleterre le livre tout compilé, si comme je le fis. Et le presentay adonc à très haulte et très noble dame, dame Phelippe de Haynault, royne d'Angleterre, qui doulcement et lieement le receut de moy et me fist grant proffit [1].

Un quart de siècle plus tard, sa renommée de chroniqueur et une lettre de recommandation de son protecteur, Guy de Châtillon, comte de Blois, ne lui paraissent pas suffisantes pour se présenter à Orthez devant Gaston Phébus, comte de Foix et de Béarn, qui connaît et apprécie pourtant son activité d'historien. Il se munit en outre de son roman de *Méliador*, dont il lui infligera la lecture :

> L'acointance pour ce temps de ly à moy fut telle, que je avoie avec moy apporté ung livre, lequel j'avoie fait à la requeste et contemplacion de monseigneur Vincelain de Besme, duc de Luxembourch ; et sont contenus audit livre, qui s'appelle Melliades, toutes les chanchons, balades, rondiaux, virelais que le duc fist en son temps, lesquelz assez parmi la ymagination que j'avoie eu de dicter et ordonner le livre, le conte de Foeis le vey moult volentiers, et toutes les nuis après son soupper je luy en lisoie [2].

Froissart tire de ce succès littéraire une telle fierté qu'il y revient avec force détails dans le *Dit du Florin* :

> Car toutes les nuis je lisoie
> Devant lui et le solaçoie
> D'un livre de Melyador,
> Le chevalier au soleil d'or,
> Le quel il ooit volentiers
> Et me dist : « C'est un beaus mestiers,
> Beaus maistres, de faire telz choses. » [3]

Suit un compte rendu minutieux et satisfait du déroulement de ces soirées.

---

1. SHF I, Variantes, p. 210, ms. A1, f. 1v° ; Buchon I, p. 1-2.
2. SHF XII, p. 75-76 ; Buchon II, Livre III, chap. XIII, p. 399.
3. Le *Dit du Florin*, v. 293-299.

Sept ans s'écoulent encore. Froissart décide d'aller revoir l'Angleterre, quittée il y a près de trente ans. Son but est de parvenir jusqu'au roi Richard II et de lui être présenté. Dans cette intention, il prépare le terrain de deux façons. D'une part il demande à un certain nombre de ses protecteurs des lettres d'introduction. D'autre part il se propose d'offrir au roi un somptueux manuscrit où il a fait copier l'ensemble de ses poèmes :

> Ces quatre seigneurs dessus nommés ausquels j'en parlay et le seigneur de Gommegnies et madame de Brabant, (…) me donnèrent toutes lettres pour adreschier au roy et à ses oncles, réservé le sire de Coucy ; car, pour ce que il estoit françois, il n'y osa escripre fors tant seulement à sa fille que pour lors on appelloit la duchesse d'Irlande [4]. Et avoie de pourvéance fait escripre, grosser et enluminer et fait recueillier tous les traittiés amoureux et de moralité que ou terme de XXXIIII ans [5] je avoie par la grâce de Dieu et d'amours fais et compilés, laquelle chose escueilloit et resveilloit grandement mon désir pour aler en Angleterre et veoir le roy Richard d'Angleterre qui fils avoit esté au noble et puissant prince de Galles et d'Acquitaine ; car veu ne l'avoie depuis que il fut tenu sur les fons en l'église cathédral de le cité de Bourdeaulx [6].

Le souverain, on s'en doute, a oublié cette première rencontre. Il a d'autres soucis. Froissart a au demeurant eu quelque mal à obtenir cette entrevue. Et on lui fait comprendre que le moment est mal choisi pour remettre au roi le beau livre qu'il lui destine :

> Lequel roy me rechupt lyement et doulcement, et prist toutes les lettres que je luy baillay, et les ouvry et lisi à grant loisir, et me dist, quant il les ot leutes, que je fuisse le bien venu et que, se j'avoie esté de l'ostel du roy son ayoul [et de madame son ayeule], encoires estoie-je de l'ostel du roy d'Angleterre. Pour ce jour je ne luy monstray point le livre qu'apporté luy avoie, car messire Thomas de Persy me dist que point il n'estoit heure et que il estoit trop occupé de grandes besongnes [7].

---

4. Les « trois seigneurs dessus nommés » – « mes chers seigneurs qui pour le temps régnoient », comme le dit Froissart – sont le duc Aubert de Bavière, comte de Hainaut, son fils le comte Guillaume d'Ostrevant et la duchesse Jeanne de Brabant et de Luxembourg, mentionnée à nouveau après le seigneur de Gommignies. La situation d'Enguerrand VII de Coucy était en effet particulière : alors qu'il était l'un des otages français envoyés en Angleterre en échange de la libération du roi Jean le Bon, il avait épousé la fille du roi d'Angleterre Edouard III, et il était donc l'oncle du roi Richard II.
5. C'est-à-dire depuis 1361, date de sa première venue en Angleterre.
6. Kervyn XV, p. 141-142 ; Buchon III, Livre IV, chap. XL, p. 198.
7. Kervyn XV, p. 146-147 ; Buchon III, Livre IV, chap. XL, p. 200.

Le chapitre suivant est consacré à l'exposé de ces « grandes besognes » : le projet de mariage de Richard II avec la fille du roi de France et son conflit avec des seigneurs et des villes d'Aquitaine. Ces questions réglées, Froissart réussit enfin, au bout de quelques jours, à offrir son livre au roi, grâce à l'entremise d'anciennes connaissances et de protecteurs qui appartiennent à sa génération :

> Or advint le dimence enssieuvant et que tous ces consauls furent partis et retrais à Londres ou ailleurs en leurs lieux, réservé le duc d'Yorch qui demoura delés le roy et messire Richard Stury, ces deux, aveuc messire Thomas de Persy, remisrent mes besoingnes sus au roy, et voult veoir le roy le livre que je luy avoie apporté. Si le vey en sa chambre, car tout pourveu je l'avoie, et luy mis sur son lit. Il l'ouvry et regarda ens, et luy pleut très-grandement et bien plaire luy devoit, car il estoit enluminé, escript et historié et couvert de vermeil velours à dix clous attachiés d'argent dorés et roses d'or ou milieu, à deux grans frumaus dorés et richement ouvrés ou milieu de roses d'or. Adont me demanda le roy de quoy il traittoit. Je luy dis : « D'amours. » De ceste reponse fut-il tous resjouys, et regarda dedens le livre en plusieurs lieux et y lisy, car moult bien parloit et lisoit le franchois, et puis le fist prendre par ung sien chevallier qui se nommoit messire Richard Credon et porter en sa chambre de retraite, et me fist de plus en plus bonne chière[8].

Froissart juge nécessaire de donner son livre au roi pour se sentir réellement introduit auprès de lui. Mais le retard du don sert à une autre introduction, celle d'un épisode de la chronique. Cet épisode – les négociations liées au projet de mariage et aux affaires d'Aquitaine – est la cause même du retard. Froissart en fait un récit assez long qu'il place pour l'essentiel dans la bouche de Jean de Grailly, fils et homonyme du célèbre captal de Buch, auprès de qui, selon son habitude, il s'informe tout en chevauchant, car, bien décidé à ne pas lâcher le roi, il le suit dans ses déplacements. L'espace de ce récit matérialise le temps qui a séparé les deux audiences royales. L'exhibition d'un livre qui n'est pas celui des *Chroniques* est l'occasion d'exhiber ce dernier en train de se constituer sous les yeux du lecteur. Il en allait de même à Orthez, où le délai n'était pas celui de l'offrande, mais de la lecture. Pendant tous ces mois où, soir après soir, Froissart lisait au comte de Foix son interminable roman, il en profitait pour collecter des informations dans les

8. Kervyn XV, p. 167 ; Buchon III, Livre IV, chap. XLI, p. 207.

recoins du château d'Orthez ou auprès du Bascot de Mauléon, à l'hôtel de la Lune où ils étaient tous deux descendus, et pour meubler les *Chroniques* du récit de ces enquêtes et de leur contenu. Le don du livre sert à introduire son auteur auprès du destinataire, mais aussi à le mettre en scène, à le montrer aux prises avec le travail de gestation et d'écriture de cet autre livre, celui dans lequel le don est mentionné.

Poète, Froissart ne procède guère différemment. Dans la fiction de ses poèmes, il compose d'autres poèmes ou produit d'autres livres destinés à lui servir d'introduction et de truchement.

L'*Espinette amoureuse*[9] le montre au seuil de son premier amour. Un matin de printemps, il trouve dans un jardin une jeune fille occupée à lire un roman. S'enquérir de son titre – *Cléomadès* d'Adenet le Roi, un roman d'amour, bien sûr – lui permet d'engager la conversation, et tous deux se font bientôt la lecture à tour de rôle. Voilà notre jeune homme amoureux. A sa seconde visite, la belle lui demande de lui prêter un livre. Il lui envoie le *Bailli d'Amour* de Mahiu le Poirier, qu'il possède, et, n'osant se déclarer de vive voix, craignant qu'une lettre tombe entre des mains indiscrètes, il glisse dans le volume une ballade qu'il vient de composer. Mais quand le livre lui est rendu, il retrouve son poème à la même place : la jeune fille ne l'a pas gardé et n'y a pas répondu. L'a-t-elle seulement lu ? Y a-t-elle prêté attention ? En a-t-elle saisi l'intention ? A quelque temps de là, comme la timidité lui ferme toujours la bouche, il compose une nouvelle ballade que l'amie de sa bien-aimée se charge de lui lire. La belle ne peut cette fois ignorer la déclaration, mais sa réponse est évasive. Plus tard, c'est encore par un poème – un virelai – qu'il demandera son congé à la souveraine du pays où il est allé soigner son mal d'amour.

Au début de la *Prison amoureuse*[10], le poète se réjouit que sa belle apprenne par cœur un virelai qu'il a composé, puis se désole que lors d'une fête elle en chante un autre. Le corps de l'œuvre est constitué par un échange de lettres et de poèmes entre le narrateur, qui signe Flos (la fleur), et un de ses amis qui, sous le pseudonyme de Rose, lui demande des conseils en amour. Pour finir, et à la suggestion de sa dame, Rose demande à Flos de réunir en un volume correspondance et poèmes.

9. Éd. Anthime Fourrier, Paris, Klincksieck, 1972.
10. Éd. Anthime Fourrier, Paris, Klincksieck, 1974.

C'est ce qui est fait, et le livre, placé dans un coffret, est confié à un messager et porté par ses soins à Rose dont le poète espère qu'il le prendra en gré. A un moment du récit, le narrateur se mêle aux jeux de sa bien-aimée et de ses amies, qui en profitent pour lui dérober une petite sacoche où il porte toujours sur lui les lettres et les poèmes échangés avec Rose. Les belles indiscrètes consentent à lui rendre les lettres à condition de garder les poèmes pour en prendre copie. L'incident ravit le poète au point qu'il le célèbre dans un virelai, dont il conserve le texte dans un coffret fait de ses mains. De toutes les façons, l'auteur voit ainsi dans sa production littéraire – poétique ou épistolaire – une recommandation, soit auprès d'une femme redoutable parce qu'elle est aimée, soit auprès d'un ami impressionnant parce qu'il est puissant : derrière Rose se cache en effet Wenceslas de Brabant, dont Froissart attend – les derniers vers le laissent entendre – une marque sonnante et trébuchante de satisfaction dès la réception de l'ouvrage.

De tous ces exemples et de bien d'autres, Jacqueline Cerquiglini-Toulet a tiré une illustration magnifique et une interprétation magistrale de la signification nouvelle prise par le livre comme objet et par la conservation du texte écrit dans les représentations littéraires de la fin du Moyen Age ; par la mise en réserve du poème composé à l'avance en vue d'une utilisation future, par sa copie, par sa circulation, par son usage tour à tour réservé et public[11].

Mais ici, il ne s'agit naïvement que de Froissart, du personnage pour lequel il se donne dans ses *Chroniques* et comme auteur impliqué de ses poèmes, de ce que représente à ses yeux son statut d'homme de lettres. Et voici comment il apparaît : comme un homme qui éprouve le besoin de se définir par un temps antérieur à celui dans lequel il se présente – un temps antérieur qui est celui d'une œuvre préalable. Un homme adossé à un passé qui est celui de ses écrits, un homme qui a perpétuellement besoin que, dans le présent où il se met en scène, ces écrits exhibés, offerts, lus à voix haute, parlent pour lui, qu'ils plaident sa cause

---

11. Sur l'exemple particulier de la *Prison amoureuse*, « Fullness and Emptiness : Shortages and Storehouse of Lyric Treasure in the Fourteenth and Fifteenth Centuries », dans *Contexts : Style and Values in Medieval Art and Literature*, numéro spécial de *Yale French Studies* édité par Daniel Poirion et Nancy Freeman Regalado, New Haven et Londres, 1991, p. 224-239. Dans une perspective plus générale, *La Couleur de la mélancolie. La fréquentation des livres au XIVe siècle, 1300-1415*, Paris, Hatier, Collection Brèves Littérature, 1993.

auprès de la reine Philippa, auprès du comte de Foix, auprès du roi Richard, auprès de sa bien-aimée, auprès de l'essaim moqueur des jeunes filles, auprès du duc de Brabant, dont il se veut à la fois le mentor sentimental et l'obligé.

Ce souci traduit d'abord, sans doute, une inquiétude sociale, celle d'un homme qui n'appartient pas au monde dans lequel il cherche à se faire admettre et qui a besoin, croit-il, pour y parvenir de cette offrande du livre, qui, tout en affichant sa marginalité d'homme de lettres, justifie par là-même et excuse son intrusion.

Froissart est un clerc et un bourgeois. Il ne renie pas cette double identité. Il parle avec complaisance de sa cure de « Lestines, qui est grant ville » [12], de son canonicat. Il avoue s'être essayé dans sa jeunesse – mais sans succès, car ce n'était pas sa vocation – aux affaires et au commerce [13]. Il signale volontiers qu'on lui donne du « Sire Jehan » – comme à un bourgeois de conséquence, assimilé sur ce point à un noble –, et, bien sûr, du « Maître Jehan » – appellation usuelle du clerc et de l'intellectuel [14]. Mais Froissart est surtout un homme qui a passé toute sa vie au contact de la plus haute noblesse et qui a fait carrière, comme poète en prêtant sa plume aux divertissements et aux modes littéraires de cette noblesse, comme historien en célébrant sa gloire et en rapportant ses exploits. Une vie de témoin et de spectateur d'un monde prestigieux qu'il n'a cessé de fréquenter sans jamais lui appartenir. Peter Ainsworth, qui l'observe avec finesse, compare cette situation à celle que Froissart prête au narrateur de ses principaux poèmes :

> Froissart semble avoir caressé toute sa vie le désir de franchir le seuil qui l'aurait introduit dans les rangs de la chevalerie. La figure adoptée comme narrateur à la première personne dans les plus longs de ses *dits narratifs* est souvent figée dans le rôle de celui qui surprend les propos ou assiste aux *ébats* des protagonistes aristocratiques. Il reste contre le mur à observer les évolutions de la danse et il est même à l'occasion surpris et légèrement raillé ou tarabusté par ceux dont il évoque le mode de vie avec tant d'enthousiasme [15].

12. *Dit du Florin*, v. 101.
13. *Joli Buisson de Jeunesse*, v. 59-97.
14. Lucien Foulet, « Sire et messire », dans *Romania* 72 (1951), p. 324-367. Cet article est cité par P. Ainsworth en introduction au passage reproduit ci-après.
15. Peter F. Ainsworth, *Jean Froissart and the Fabric of History. Truth, Myth and Fiction in the Chroniques*, Oxford, Clarendon Press, 1990, p. 77 (notre traduction).

On ne saurait mieux suggérer l'imbrication de la frustration sociale et de la frustration érotique. S'agissant de la première, dans le passage du *Joli Buisson de Jeunesse* évoqué plus haut, Froissart compare tout naturellement son inaptitude au commerce à celle au métier des armes :

> Si me mis en le marcandise,
> Ou je sui ossi bien de taille
> Que d'entrer ens une bataille
> Ou je me trouveroie envis ![16]

Succès du poète et déboires de l'amoureux se combinent dans la *Prison amoureuse*, où les premiers – ceux du personnage et narrateur du dit – sont prétexte à l'évocation de ceux remportés par Froissart, poète courtisan, dont les *Chroniques* se font d'autre part l'écho. La fête et les danses au cours desquelles le virelai du narrateur est chanté, mais non pas par sa belle – satisfaction sociale et frustration érotique - lui rappellent les réjouissances données en 1368 à la cour de Savoie en l'honneur de Lionel, duc de Clarence, l'un des fils d'Édouard III. Froissart, qui se trouvait dans la suite de ce prince, avait été chargé de composer les poèmes sur lesquels on avait dansé :

> Chil et chelles qui s'esbatoient
> Au danser, sans gaires atendre,
> Commenchierent leurs mains a tendre
> Pour caroler. La me souvint
> D'un tamps passé : ja il avint
> En Savoie, en le court dou conte,
> ....
> L'an mil .CCC. sissante et uit
> Fu que passa parmi sa terre
> Li uns des enfans d'Engleterre,
> Lions, fils Edouwart le roi,
> En tres noble et poissant arroi.
> Et li contes que j'ai nommé,
> Qu'on claimme, ou qu'on clamoit, Amé,
> Honnourablement le rechut.
> ....
> Il y eut danses et carolles,
> Pour quoi j'ai empris les parolles [17].

---

16. *Joli Buisson de Jeunesse*, v. 94-97.
17. *Prison amoureuse*, v. 360-386. Les *Chroniques* sont silencieuses sur ce dernier détail.

Mettre son talent poétique au service des divertissements aristocratiques de façon à se recommander de l'activité littéraire, supposée transcender les barrières sociales et le faire entrer de plain-pied dans l'univers des grands, c'est encore ce qu'il fait avec *Méliador*, en jouant même sur deux tableaux. De ce roman, il ne nous dit qu'une chose : que les poèmes lyriques de Wenceslas de Brabant, selon un procédé très en vogue à l'époque, y sont insérés :

> Dedens ce rommanc sont encloses
> Toutes les chançons que jadis, –
> Dont l'ame soit en paradys ! –
> Que fist le bon duc de Braibant,
> Wincelaus, dont on parla tant,
> Car un princes fu amourous,
> Gracious et chevalerous ;
> Et le livre me fist ja faire
> Par tres grant amoureus afaire,
> Comment qu'il ne le veïst onques [18].

Or ces quelques chansons, au demeurant insignifiantes, noyées dans la masse de cet immense roman, sont bien loin d'occuper une place essentielle dans sa conception. Froissart a simplement voulu flatter le duc et lui faire sa cour. Mais en même temps, il retourne à son profit la relation de pouvoir et de prestige en faisant de son protecteur et du commanditaire de son roman, moins que son égal, son obligé dans un domaine où c'est lui le maître. C'est une relation analogue à celle qu'il cherchait à établir avec le même duc Wenceslas dans la *Prison amoureuse*. Servir loyalement son seigneur (v. 6) : c'est le programme qu'il se propose dans le prologue de ce poème. Mais il le sert en le guidant puisque, dans la fiction qu'il développe ensuite, le narrateur Flos est, on le sait, le mentor sentimental de Wenceslas, que désigne le personnage de Rose. La « prison amoureuse » où languit ce dernier fait allusion à la prison réelle où le duc de Juliers a retenu près d'un an celui de Brabant après

---

Elles disent seulement : « Li gentilz contes de Savoie le (i.e. Lionel) rechut très honnerablement en Chamberi, et fut là deux jours en très grans reviaus de danses, de caroles et de tous esbatemens. » (SHF VII, p. 64 ; Buchon I, Livre I, Partie II, chap. CCXLVII, p. 546). Mais Froissart rappelle dans le prologue du livre IV son rôle permanent de poète de cour auprès de la reine Philippa, qu'il « servoit de beaulx dittiers et traittiés amoureux ». Kervyn XIV, p. 2 ; Buchon III, Livre IV, chap. I, p. 1.

18. *Dit du Florin*, v. 300-309.

l'avoir vaincu à la bataille de Baesweiler (22 août 1371). Cette fois, les lettres et les pièces lyriques insérées dans la trame du dit lui fournissent son ossature et son sens. Mais elles se donnent toutes pour l'œuvre du poète, qui n'attribue certaines d'entre elles à Rose que dans le cadre de la fiction qu'il développe. Il faut que l'enjeu soit dérisoire au regard de l'économie de l'ouvrage pour que Froissart accorde au duc le bénéfice d'une collaboration littéraire.

Mais à présent que Wenceslas est mort, Froissart cherche à exploiter la gloire de cette collaboration. Dans quel contexte le *Dit du Florin* définit-il *Méliador* par les chansons du duc de Brabant qui y sont insérées ? Au moment même où Froissart rappelle qu'il en a fait la lecture intégrale au comte de Foix Gaston Phébus, et avec le plus grand succès. Autrement dit : il se présente à la cour d'Orthez comme chroniqueur. C'est à ce titre qu'il est recommandé au comte de Foix par le comte de Blois. Mais il a aussi *Méliador* dans sa poche, et c'est comme romancier qu'il s'impose auprès de Gaston Phébus. Comme romancier, il ne dispose d'aucune recommandation. Mais il s'arrange pour en tirer une de son roman lui-même, en ne laissant pas ignorer qu'on y lit les poèmes du duc de Brabant et en laissant entendre qu'il a été composé à la demande du duc pour enchâsser ses poèmes.

Modestie et vanité de l'écrivain, toujours prompt à faire étalage de ses œuvres parce qu'il a le sentiment d'être une création de ce qu'il écrit, et de n'être que cela ; certain de mériter l'admiration des grands, jugeant naturel qu'ils se mettent à son école, mais anxieux d'être admis en leur compagnie et mesurant sa valeur à l'aune des égards qu'ils ont pour lui[19]. Et aussi de l'argent qu'ils lui donnent. Froissart s'en glorifie avec jubilation. Gaston Phébus ne l'invitait pas seulement à boire le reste de son vin après chaque séance de lecture ; il lui a fait verser quatre-vingts florins d'Aragon. Le *Joli Buisson de Jeunesse* énumère une trentaine de mécènes qui ont manifesté au poète leur générosité, en précisant parfois la somme exacte qu'il a reçue d'eux (v. 230-373). Le florin, dans le dit qui porte son nom, persuade son maître qu'il peut compter sur la générosité de ses protecteurs pour le dédommager du vol qu'il a subi. Froissart

---

19. Au début du Livre IV, il signale l'hospitalité que lui a offerte pendant trois jours le seigneur de Coucy dans son château de Crèvecœur avec la satisfaction d'un snob victorien qui a décroché une invitation flatteuse pour le week-end.

se glorifie des grasses prébendes dont Wenceslas et Guy de Blois ont récompensé ses services littéraires. Il n'est pas seulement fier d'avoir tant voyagé et tant enquêté pour rassembler les matériaux de ses *Chroniques*. Il l'est aussi de l'avoir fait « au title de la bonne dame (la reine Philippa) et à ses coustages, et aux coustages des haulx seigneurs », comme il l'écrit dans le prologue du livre IV[20].

Certes, dans le prologue du livre I, il admire au contraire son prédécesseur Jean le Bel d'avoir supporté seul tous les frais où l'avait entraîné sa propre chronique. Mais il ajoute aussitôt que c'était un homme riche et puissant, en même temps que courtois et généreux, qui était pour cette raison même un proche de Jean de Hainaut (l'oncle de Philippa, frère cadet du comte de Hainaut Guillaume Ier le Bon) et qui a pu ainsi assister à ses côtés aux événements importants qu'il relate[21]. La pensée de Froissart est en réalité cohérente : l'historien a besoin d'argent, car son enquête exige qu'il fréquente les grands. S'il n'en a pas mais que son mérite d'auteur lui vaut d'en recevoir des grands eux-mêmes, comme c'est son cas, il peut voir un hommage rendu à la qualité de son travail dans la possibilité qui lui est donnée de le poursuivre. Plus encore : en lui donnant les moyens de les fréquenter, les grands témoignent que son talent lui ouvre un accès à leur monde. Mais il suffit. Froissart parle trop volontiers d'argent pour que ce soit seulement par vanité d'écrivain parvenu. Il nous faudra revenir sur ce trait afin de lui rendre justice.

Sortant de sa forge – l'image est de lui, et d'autant plus frappante que les auteurs médiévaux l'appliquent à la nature créatrice personnifiée[22] –, Froissart se fait, grâce au livre qu'il y a produit, une place au soleil des cours. Mais plus tard il « entre de nouvel dedans sa forge » et ce qu'il a vu et vécu dans le monde où son livre l'a introduit fournit

---

20. Kervyn XIV, p. 2 ; Buchon III, Livre IV, chap. I, p. 1.

21. « ... Monseigneur Jehan le Bel, chanoine de Saint Lambert du Liège, qui grant cure et toute bonne diligence mist en cette matière, et la continua tout son vivant au plus justement qu'il pot, et moult lui cousta à acquerre et à l'avoir. Mais quelque fraiz qu'il y eust ni fist, rien ne les plaigny, car il estoit riches et puissans, si les povoit bien porter, et de soy mesme larges, honnourables et courtois, et qui le sien voulentiers despendoit. Aussi fut en son vivant moult amy et secret à très noble et doubté seigneur monseigneur Jean de Haynault qui bien est ramenteus de raison en ce livre, car de pluseurs et belles avenues il en fut chief et cause, et des roys moult prochain. Pourquoy le dessus dit messire Jehans le Bel pot delez lui veoir et congnoistre pluseurs besoingnes, lesquelles sont contenues ensuivant. » (SHF I, Variantes, p. 209, ms. A1, f. 1v° ; Buchon I, p. 1).

22. Cf. plus loin, chap. III, p. 37.

la matière d'un nouveau livre. C'est le mouvement même de sa vie et de son œuvre. C'est aussi, en un sens, la clé de sa personnalité littéraire. Toute sa vie a été une alternance de voyages et de retraites. Après les années brillantes à la cour d'Angleterre et les voyages auprès du roi d'Écosse, à la cour de Brabant, à Bordeaux auprès du Prince Noir, en Savoie et en Italie, les années moroses de son retour à Valenciennes, les années studieuses dans sa cure d'Estinnes-au-Mont et dans son canonicat de Chimay voient paraître les premières rédactions connues du livre I des *Chroniques*, les principaux poèmes, *Méliador*. Puis ce sont de nouveau les voyages – voyages d'un auteur que ces ouvrages ont désormais rendu illustre –, à L'Écluse, à Blois auprès de Guy de Châtillon, à Orthez auprès de Gaston Phébus, à la cour pontificale d'Avignon, à Paris, à Crèvecœur chez Enguerrand de Coucy, dans les Pays-Bas, en Angleterre, entrecoupés de retours au bercail. Il semble s'être retiré définitivement chez lui pour l'ultime rédaction du livre I et pour celle du livre IV, où le dernier événement rapporté est le dernier signe de vie qu'il nous donne.

De ce rythme de vie, il fait une méthode de travail et de composition. Au cours des voyages destinés à réunir les matériaux des *Chroniques*, il note chaque soir ce qu'il a entendu et appris dans la journée, mais aussi parfois, et de plus en plus, les événements de cette journée et les circonstances de son enquête. Plus tard, rentré chez lui, il reprend ces notes, les retravaille et les fond dans la rédaction définitive de l'ouvrage : d'où, peut-être, l'image de la forge. Il s'explique sur cette méthode ou y fait allusion à plusieurs reprises, lors du voyage en Béarn au livre III, lors de l'ultime voyage en Angleterre au livre IV. De même, ses voyages et sa fréquentation des cours fournissent à ses poèmes un cadre, comme le voyage en Écosse dans le *Débat du cheval et du lévrier*, mais aussi dans *Méliador*, un souvenir, comme celui du premier séjour en Angleterre dans l'*Espinette amoureuse* et dans le *Bleu Chevalier*, comme celui des fêtes de Chambéry dans la *Prison amoureuse*, ou comme l'énumération de ses mécènes successifs dans le *Joli Buisson de Jeunesse* et dans le *Dit du Florin*, voire tout un argument, comme dans ce dernier poème, ou, de façon différente, autour de la prison du duc Wenceslas, qu'il transpose en une *Prison amoureuse*. Tous ces éléments, autobiographiques à des titres divers, se mêlent à la fiction poétique et amoureuse, dont la vérité se veut sentimentale et non référentielle, pour composer le masque sous lequel le .poète se dissimule et se révèle. Lorsque plus tard il repart et va présenter son livre à tel grand dont il veut se faire bien venir, c'est doublement son passé qu'il offre et par lequel il entend se définir. Passé dans lequel l'écriture, cultivée à loisir, a forgé de lui une image digne d'admiration, car « c'est un beau métier de faire de telles choses ». Passé antérieur à l'écriture, qui a nourri cette image. Un passé auquel donne chair l'attention réflexive du texte, qu'il soit poème ou chronique, à l'activité même de l'écriture, sa complaisance à la décrire, son souci d'en rendre sensible la durée.

Illustration frappante de ce mouvement, la vraie dédicace des *Chroniques* se trouve moins dans l'introduction du premier livre – elle-même d'ailleurs constamment remaniée – que dans le prologue du quatrième et dernier, rédigé au moment où Froissart est désormais l'œuvre de son œuvre et où il jette un regard rétrospectif sur sa vie et sur son activité d'homme de lettres et d'historien. La reconnaissance de Froissart à l'égard de la reine Philippa et de ses autres protecteurs y trouve une expression d'autant plus abondante et d'autant plus sentie qu'elle est marquée par l'attendrissement d'un regard jeté sur des années enfuies, sur ces *Lehrjahre* et ces *Wanderjahre* qui ont façonné à la fois l'œuvre et son auteur.

Mais Froissart se peint aussi comme un homme qui, dès ses débuts, s'introduit dans le monde et s'y fait une place grâce à un livre écrit au préalable. C'est un livre à la main qu'en 1361, âgé de moins de vingt-cinq ans, à peine débarqué en Angleterre, il se présente devant la reine, sa compatriote :

> Si ay tousjours à mon povoir justement enquis et demandé du fait des guerres et des aventures qui en sont avenues, et par especial depuis la grosse bataille de Poitiers où le noble roy Jehan de France fut prins, car devant j'estoie encores jeune de sens et d'aage. Et ce non obstant si emprins je assez hardiement, moy yssu de l'escolle, à dittier et à rimer les guerres dessus dites et porter en Angleterre le livre tout compilé, si comme je le fis. Et le presentay adonc à très haulte et très noble dame, dame Phelippe de Haynault, royne d'Angleterre, qui doulcement et lieement le receut de moy et me fist grant proffit[23].

L'expression *dittier et rimer* (« composer en vers ») a depuis toujours suscité une grande perplexité et de nombreux débats. Faut-il comprendre que ce premier état des *Chroniques* était en vers ? La chose a paru si surprenante qu'on a cherché une autre explication. Se fondant sur le fait que quelques manuscrits inversent les deux termes et écrivent *rimer et*

---

23. SHF I, Variantes, p. 210 (Ms. A1, f. 1v°) ; Buchon I, p. 2.

dittier, Siméon Luce voulait comprendre que Froissart, dès sa sortie de l'école, s'était mêlé, d'une part d'écrire des poèmes (*rimer*), d'autre part de composer une chronique (*dittier les guerres*)[24]. Mais il est peu probable que la phrase ait pu être entendue de la sorte : en ancien comme en moyen français l'emploi intransitif de *rimer* au sens de faire des vers est rare, tandis que le doublet *rimer et diter* ou *diter et rimer* employé transitivement est usuel. Le lecteur comprenait certainement les deux termes comme complémentaires, et non en opposition[25]. Aussi bien, l'immense majorité des manuscrits donne *dittier et rimer les guerres*. Il est difficile de faire dire à la phrase autre chose que ce qu'elle signifie : le jeune Froissart aurait bien, à l'en croire, *rimé* l'histoire des guerres de son temps[26].

Mais peut-on l'en croire ? Que cette première chronique en vers n'ait pas laissé le moindre vestige, qu'aucune trace de mètre ou de rime ne subsiste dans le texte en prose, voilà qui éveille le doute. Un doute qu'entretient un élément plus précis. Froissart, de son propre aveu, se fonde au début de ses *Chroniques* sur la chronique de Jean le Bel. Le chanoine de Liège est sa source essentielle pour les événements antérieurs à sa naissance, à son souvenir, à l'éveil de son intérêt personnel pour les événements contemporains, qu'il date de la bataille de Poitiers – il avait alors sans doute dix-neuf ans. Son ouvrage se veut au départ à la fois un remaniement et un prolongement de celui de son prédécesseur. Et de fait, au début des *Chroniques*, des chapitres entiers sont repris mot pour mot de Jean le Bel, Froissart se contentant de changer le *je* ou le *nous* du récit en *il(s)*. C'est le cas, par exemple, pour toute la campagne d'Edouard III contre les Écossais à laquelle Jean le Bel avait participé avec le contingent hennuyer. Ainsi Jean Le Bel se souvient :

> Ceulx qui sçavoient le païz disoient que nous avions bien chevauché celle journée XXVIII liewes englesses, ainsy courant, comme vous avez ouy, sans arrester fors que pour pisser, ou pour son cheval recengler[27].

---

24. SHF I, p. XI.
25. C'était l'avis de Kervyn de Lettenhove, *Œuvres complètes de Froissart*, I, Bruxelles, 1867, p. 10-11.
26. C'est la conclusion à laquelle parvient P. Ainsworth, dernier en date à avoir traité la question, au terme d'une argumentation serrée : *Froissart and the Fabric of History*, p. 32-50. Voir auparavant, et entre autres, Normand R. Cartier, « The Lost Chronicle », dans *Speculum* 36 (1961), p. 424-434.
27. Jules Viard et Eugène Déprez, *Chronique de Jean le Bel*, Paris, 1904, Société de l'Histoire de France, t. I, p. 57-58.

Et Froissart transpose :

Et disoient cil qui le miex cuidoient cognoistre le pays, qu'il avoient che-
miné celi jour vingt et huit liewes Englesses, ensi courant com vous avés
oy, sans arrester, fors que pour pissier, ou son cheval recengler[28].

Froissart aurait-il d'abord mis en vers la chronique de Jean le Bel,
pour plus tard la recopier directement au moment où il choisit finalement
d'écrire son propre ouvrage en prose ? Ce ne serait pas, à tout prendre,
impossible. Mais il se trouve aussi que Jean le Bel lui-même avait
condamné avec vivacité les chroniques en vers, accusées de mensonge,
d'une part parce que les contraintes du mètre et de la rime poussent à
l'enjolivement – argument fréquent à l'époque –, d'autre part parce que
la manière littéraire propre à la narration en vers pousse à l'exagération,
si bien que les exploits réels n'en paraissent plus crédibles – raisonnement
plus original. Les premiers mots de sa chronique sont pour inviter le
lecteur à la lire de préférence à un « grand livre rimé » qu'il a vu et qui
est plein de « bourdes controuvées »[29]. Le jeune Froissart serait-il entré
dans la carrière en désobéissant sur ce point important à l'auteur, son
compatriote, qui lui servait de source et de modèle ? Ne fait-il pas sienne,
ailleurs, la condamnation de son prédécesseur[30] ?

Ainsworth utilise habilement les indices qui suggèrent que Froissart
fait peu de cas de ses essais historiques de jeunesse pour en déduire qu'il

---

28. SHF I, p. 58 ; Buchon I, Livre I, chap. XXXVIII, p. 27.

29. « Qui veult lire et ouir la vraye hystoire du prœu et gentil roy Edowart, qui au temps
present regne en Engleterre, si lise ce petit livre que j'ay commencé à faire, et laisse un grand
livre rimé que j'ay veu et leu, lequel aucun controuveur a mis en rime par grandes faintes et
bourdes controuvées, duquel le commencement est tout faulx et plain de menchongnes
jusques au commencement de la guerre que ledit roy emprit contre le roy Philippe de France.
Et de là en avant peut avoir assez de substance de verité et assez de bourdes, et sy y a grand
plenté de parolles controuvées et de redictes pour embelir la rime, et grand foison de si grands
proesses racontées sur aucuns chevaliers et aucunes personnes qu'elles debveroient sembler
mal creables et ainsy comme impossibles ; par quoy telle hystoire ainsy rimée par telz controu-
veurs pourroit sembler mal plaisant et mal aggreable à gens de raison et d'entendement. Car
on pourroit bien attribuer, par telles parolles si desmesurées, sur aucuns chevaliers ou escuiers
proesses si oultrageuses que leur vaillance en pourroit estre abessée, car leurs vrais fais en
seroient mains creus. » (Jean le Bel, *Chronique*, I, p. 1-2).

30. « Pluiseur gongleour et enchanteour en place ont chanté et rimet lez guerres de
Bretaigne et coromput, par leurs chançons et rimes controuvées, le juste et vraie histoire,
dont trop en desplaist à monseigneur Jehan le Biel, qui le coummencha à mettre en prose et
en cronique, et à moy, sire Jehan Froissart, qui loyaument et justement l'ay poursuiwi à mon
pooir. Car leurs rimmez et leurs canchons controuvees n'ataindent en riens le vraie matere. »
(Diller, *Le Manuscrit d'Amiens*, p. 96 ; SHF II, Variantes, p. 265. Cf. Ainsworth, p. 46).

renie ce premier ouvrage, précisément pour avoir commis l'erreur de le composer en vers. Cette attitude dépréciative et cette modestie inhabituelle pourraient bien cependant avoir une autre cause, qui serait que l'ouvrage en question n'a jamais vraiment existé, ou plutôt qu'il n'a pas existé sous la forme où nous l'imaginons. Replaçons la citation faite plus haut dans son contexte. Froissart déclare d'abord vouloir

> se fonder et ordonner sur les vraies croniques jadis faites et rassemblées par venerable homme et discret seigneur, monseigneur Jehan le Bel, chanoine de Saint Lambert du Liège.

Jean le Bel, ajoute-t-il, n'a pas plaint la dépense pour mener à bien son entreprise. Il le pouvait, car il était riche et puissant. Il était de ce fait introduit auprès des grands, ami intime de Jean de Hainaut, familier des rois, et donc fort bien informé. On a déjà eu l'occasion plus haut de mentionner ce développement. Et Froissart conclut et enchaîne en ces termes :

> Pourquoy, le dessus dit messire Jehans le Bel pot delez lui veoir et congnoistre pluseurs besoingnes, lesquelles sont contenues ensuivant.
> Voirs est que je, qui ay emprins ce livre à ordonner, ay, par plaisance qui à ce m'a tousjours encliné, frequenté pluseurs nobles et grans seigneurs, tant en France comme en Angleterre, en Escoce et en autres païs, et ay eu congnoissance d'eulx. Si ay tousjours à mon povoir justement enquis et demandé...[31]

A la charnière de la pensée de Froissart se trouve l'observation que, comme Jean le Bel, il a été capable de « fréquenter plusieurs nobles et grands seigneurs ». C'est à cette condition qu'il a pu écrire des chroniques aussi bien informées que celles de son prédécesseur. Ce sont ces fréquentations flatteuses qui ont fait de lui l'égal du chanoine de Liège. Mais sa hâte à les mettre en avant brouille la chronologie. Quand a-t-il connu tous ces personnages importants ? Certainement pas avant 1361, certainement pas avant sa venue en Angleterre, certainement pas avant d'avoir quitté son Hainaut, puisqu'il précise lui-même qu'il les a rencontrés « en France, en Angleterre, en Écosse et dans d'autres pays ». Ce qu'il veut dire, c'est que, d'une façon générale, prises dans leur ensemble et dans leur totalité, ses *Chroniques* « fondées et ordonnées » sur celles de

31. SHF I, Variantes, p. 210 (Ms. A1, f. 1v°) ; Buchon I, p. 1-2. Suit le passage cité plus haut, p. 31.

Jean le Bel ont été élaborées et documentées dans des conditions scientifiquement et socialement dignes de leur modèle. L'ouvrage dont il parle à ce moment-là, c'est celui que son lecteur a sous les yeux : celui qu'il rédige après 1370, à la requête de Robert de Namur, comme il le précise quelques ligne plus bas ; celui qu'il n'a réellement entrepris, à mon avis, qu'après 1369, année qui a vu mourir à la fois Philippa et Jean le Bel, année qui l'a laissé orphelin de sa protectrice, éloigné et nostalgique de l'Angleterre, mais aussi année où la mort de son prédécesseur lui laisse le champ libre. Ce n'est pas le « livre tout compilé » qu'il aurait apporté avec lui en Angleterre dix ans plus tôt.

Mais ce travail de jeunesse, il le mentionne aussitôt après, et il y est amené par un double mouvement de sa pensée. Le premier est le souci d'insister et de renchérir sur ce qu'il vient de dire : il tient à souligner qu'il s'est intéressé très tôt aux guerres et aux événements de son temps, au sortir de l'enfance, et qu'il n'a cessé de s'informer à leur sujet par les moyens dont il pouvait alors disposer. « A mon pouvoir » : on est encore loin des belles fréquentations qu'il a eues ensuite. Quand il était adolescent à Valenciennes, « à son pouvoir », cela n'allait pas très loin. Le second nous ramène à la fonction d'introduction qu'il ne cesse de prêter au livre : il a besoin des grands pour écrire son livre, mais il a besoin d'un livre pour s'introduire auprès des grands. Ce système de la poule et de l'œuf, comme tout système de ce genre, a nécessairement un début et ne peut pas en avoir. La mention du livre offert à la reine Philippa s'inscrit dans cette contradiction et la dissimule. Au départ, il y a bien un livre, mais un livre que son auteur renie :

> Or puet estre que cest livre n'est mie examiné ne ordonné si justement que telle chose le requiert [32].

Un livre qui n'existe plus, car le nouveau livre que l'auteur est en train d'écrire aujourd'hui, et dont tout ce développement est le préambule, le remplace, l'efface, l'annule :

> Donc, pour moy acquitter envers tous, ainsi que drois est, j'ay emprinse ceste histoire à poursuir sur l'ordonnance et fondation devant dite, à la prière et requeste d'un mien chier seigneur et maistre, monseigneur Robert de Namur.

---

32. *Ibid.*

Et quelle était la faiblesse de l'ouvrage initial, selon lui ? Non d'avoir été en vers, mais de n'avoir pas rendu exactement justice aux combattants qui se sont illustrés dans ces guerres, de ne pas s'être « acquitté envers tous ainsi que droit est ». Entre les deux phrases que l'on vient de citer se trouve celle-ci :

> Car fais d'armes, qui si chierement sont comparez, doivent estre donnez et loyaument departis à ceulx qui par prouesce y traveillent.

Ce qui manquait à l'ouvrage de jeunesse, c'était l'information sur les faits et gestes des acteurs de l'histoire que seule procure leur fréquentation directe, cette fréquentation qu'a rendue possible l'ouvrage imparfait lui-même.

Si Froissart ne ment pas impudemment, cet ouvrage était bien un poème consacré aux guerres de son temps, ou inspiré par elles, mais un poème qui n'était nullement une première mouture en vers des *Chroniques* telles que nous les connaissons et qui n'avait rien à voir avec la chronique de Jean le Bel. Car, encore une fois, c'est précisément ce poème, lui-même mal informé, de l'aveu même de Froissart, qui lui a permis, en lui ménageant une introduction auprès de la reine Philippa, de recueillir désormais son information auprès de « plusieurs nobles et grands seigneurs » dans les mêmes conditions que Jean le Bel et de prétendre devenir son émule et son continuateur. La fréquentation des grands et l'ambition de poursuivre la chronique de Jean le Bel sont allées de pair. Froissart, on l'a vu, le suggère lui-même. Le passage à la prose, seule digne de recueillir l'histoire, s'est fait, à n'en pas douter, dans le même mouvement. Quant à ce premier essai en vers, il a pu se réduire à fort peu de chose : la reine était bien disposée à l'égard de son jeune compatriote.

Il a pu se réduire à fort peu de chose, mais il était nécessaire qu'il fût pour que naquît son auteur, puisque celui-ci s'est toujours vu comme l'enfant de ses livres. Avec la vanité éclatante et l'humilité souterraine de l'intellectuel parvenu, toujours incertain de son statut, toujours avide d'être reconnu, Froissart n'a jamais cherché qu'en eux la justification de son existence sociale. Mais ce faisant, il leur a confié aussi la mesure de son existence tout court.

CHAPITRE III

Le creuset du temps et l'unité de l'œuvre

Le Livre IV des *Chroniques* s'ouvre sur un bref et magnifique prologue dans lequel Froissart vieillissant jette un regard rétrospectif sur l'œuvre accomplie, se propose de la poursuivre tant qu'il en aura la force et se montre plus conscient qu'il ne l'a jamais été de la nature et de l'enjeu de son entreprise. Pour signifier qu'il s'est mis de nouveau à l'ouvrage et qu'il entreprend de poursuivre ses *Chroniques* il dit qu'il est « de nouveau entré dans sa forge »[1]. Image frappante. Non seulement parce qu'elle fait de l'écrivain un artisan, et le modèle de l'artisan, le *faber*. Mais aussi parce qu'elle fait de l'écrivain un créateur à l'égal de la nature elle-même. Car, dans la littérature du temps, c'est le plus souvent Nature personnifiée qu'on voit travailler dans sa forge, fabrique de la création. Ainsi dans le *Roman de la Rose* de Jean de Meun, qui s'inspire d'Alain de Lille :

Lors remest Nature en sa forge,
Prent ses martiaus et fiert et forge
Trestout aussi comme devant[2].

Il est vrai que, appliquant lui aussi cette image à l'art, sinon à l'écriture, Guillaume de Machaut utilise l'expression « la vieille et la nouvelle forge » pour désigner l'ancien et le nouveau style musical et mentionne

---

1. Kervyn XIV, p. 1 ; Buchon III, Livre IV, chap. I, p. 1.
2. Guillaume de Lorris et Jean de Meun, *Le Roman de la Rose*, éd. Armand Strubel, Paris, Le Livre de poche, 1992, v. 19443-19445.

« Musique qui les chans forge » [3]. Ainsi, ou bien, comme dans l'expression traditionnelle, la forge est celle de Nature, ou bien, dans un emploi contemporain de Froissart, c'est le renouvellement de l'expression artistique qui est en jeu. Froissart se situe à cette sorte de carrefour : il se veut créateur – *auteur* – au même titre que Nature et, auteur, il plie à des normes nouvelles les formes de l'écriture.

Quelles formes et quelle nouveauté ? Faut-il mettre au compte d'une originalité de Froissart le fait qu'il ait pratiqué tous les genres littéraires ? « Froissart, chroniqueur et poète » ; « Froissart, chroniqueur, romancier et poète » : ces termes, qui fournissent si naturellement les titres des livres qui lui sont consacrés – celui de F. S. Shears, celui de Julia Bastin – désignent-ils des aspects opposés de sa personnalité littéraire ? Leur association définit-elle au contraire l'unité de cette personnalité ?

Le succès de Froissart est celui de l'historien. Le poète, qui est pourtant beaucoup plus original qu'il n'y paraît, et le romancier, qui reste énigmatique, demeurent dans l'ombre. La tradition manuscrite le montre assez : nous connaissons environ cinquante-cinq manuscrits du livre I des *Chroniques*, un petit peu moins pour les autres livres, alors qu'il n'existe qu'un seul manuscrit de *Méliador*, incomplet à la fin, retrouvé à la fin du siècle dernier, et un court fragment d'un autre. Pour les poésies nous avons, en tout et pour tout, deux manuscrits jumeaux que Froissart lui-même a fait copier, l'un des deux étant certainement celui qu'il a offert au roi d'Angleterre Richard II. Ainsi, en dehors de la publicité qu'il s'est faite lui-même, son œuvre en vers n'a connu aucune diffusion. Son propre atelier y a moins travaillé qu'aux *Chroniques* et plus personne ensuite ne s'est soucié de la recopier, alors qu'on copie – qu'on remanie parfois – les *Chroniques* jusqu'à la fin du XVe siècle et qu'on les imprime ensuite.

Mais malgré cette diffusion inégale, Froissart a pratiqué toutes les formes littéraires, et à toutes il a posé d'abord la question du temps. Elles ne pouvaient que lui livrer des réponses différentes. Ces réponses, il les a confrontées, opposées, mêlées, jusqu'à modifier – lui, esprit que l'on dit traditionnel et qui paraît en toutes choses tourné vers le passé – la nature, le sens, les catégories de ce qui constituait à son époque la

---

3. *Remède de Fortune*, dans *Le Jugement dou roy de Behaigne and Remède de Fortune*, éd. J.I. Wimsatt et W.W. Kibler, Univ. of Georgia Press, 1988, v. 4003-4004.

littérature. Jusqu'à contraindre les grandioses chroniques qui ont fait sa gloire à s'enraciner dans l'image inachevée de lui-même que trace sa poésie anecdotique et évanescente. Les remarques que nous a suggérées la vie de Froissart, il faut les reprendre et y revenir à partir de l'histoire des formes littéraires de son temps.

Un bref résumé, d'abord, d'une représentation de l'évolution et de la redistribution des formes littéraires du XIIIe au XIVe siècle que j'ai proposée il y a maintenant plus de dix ans dans un livre intitulé *La subjectivité littéraire, autour du siècle de saint Louis* [4]. Mon intérêt pour Froissart est le prolongement de cette réflexion.

A l'époque de Froissart, la littérature française existe réellement depuis environ deux cents ans – depuis le milieu du XIIe siècle. Ce siècle est celui de son grand élan créateur. Par comparaison, le XIIIe siècle, en littérature comme dans tous les domaines de la vie intellectuelle et du savoir, est une époque de réflexion critique, d'inventaire et de classement. Appliqué aux œuvres littéraires, cet effort réflexif a pour effet de mettre en avant les choix de l'auteur et l'image qu'il veut donner de lui-même. Les genres, les formes, leur équilibre et leur répartition se modifient sous l'effet de cette conscience littéraire qui se regarde à l'œuvre et qui se montre volontiers telle qu'elle se voit sous son propre regard.

Ainsi, le roman, après être passé de la revendication de la vérité référentielle à celle de la fiction, tourne au discours du sujet. Tel qu'il apparaît au milieu du XIIe siècle, le roman est d'abord l'adaptation en langue vulgaire romane d'œuvres de l'antiquité latine. Il prétend garder la mémoire vraie du passé, il prétend à une vérité historique garantie par la compétence de son auteur. Mais très vite, dès Chrétien de Troyes, dès que le monde arthurien et ses enchantements deviennent sa matière de prédilection, le roman renonce à cette vérité des faits. Il doit alors en chercher une autre, et il la trouve dans la vérité de l'expérience affective et dans celle des choix éthiques. Mais cette vérité-là, tout intérieure, n'est garantie que par l'intersubjectivité de l'auteur et de son public. C'est ainsi que le romancier est de plus en plus amené à confronter son récit à son expérience personnelle et à celle de son lecteur. Et c'est en ce sens que le roman se place sous un regard subjectif.

4. Paris, PUF, 1985.

Parallèlement, et vers la même époque, la poésie lyrique tourne à la narration fictive du moi. Les chansons d'amour des troubadours de langue d'oc, puis des trouvères de langue d'oïl, qui marquent au XIIe siècle les débuts du lyrisme roman, prétendent exprimer une vérité du moi et de l'amour à la fois idéalisée et générale. Mais au XIIIe siècle se développe une poésie, non plus chantée, mais récitée, désignée sous le terme générique de *dit*, qui tend à prendre la coloration d'une poésie personnelle. Elle le fait par la mise en scène d'un moi à la fois caricaturé et défini par les circonstances et par les contingences de la vie, par ses accidents, par ses dates marquantes, par son écoulement, par les signes du vieillissement. Sous l'influence, peut-être, des *Vers de la Mort* d'Hélinand de Froidmont, ces traits apparaissent de façon de plus en plus nette dans les *Congés* d'Arras, chez le clerc de Vaudoy, chez Rutebeuf, pour ne citer que des exemples fort connus.

D'une façon générale, les formes littéraires dans leur ensemble se laissent informer au XIIIe siècle par le sentiment du temps, aussi bien du temps de la vie que du temps de la conscience. Le regard rétrospectif sur soi-même, l'effort pour se définir au regard du temps, caractérisent, non seulement les dits, mais aussi d'autres types d'écriture, bien différents, comme celui des premières chroniques françaises, qui sont pour une bonne part des mémoires – des chroniqueurs de la quatrième croisade, Villehardouin et Clari, à Philippe de Novare ou à Joinville. Ce regard et cet effort favorisent l'émergence d'une littérature à coloration autobiographique.

Ce mouvement se poursuit, bien entendu, au XIVe siècle. Et il trouve en Froissart une illustration d'autant plus frappante qu'il est à la fois chroniqueur, poète et romancier et que son œuvre en apparence si variée trouve son unité dans une découverte, une révélation et un aveu de soi-même grâce à l'expérience du temps sous ses diverses formes.

Cette unité dissimulée sous la variété, on peut l'illustrer en comparant l'entrée en matière de deux poèmes de Froissart, le *Temple d'Honneur* (1363) et le *Joli Buisson de Jeunesse* (1373) avec celle des *Chroniques* dans l'une des rédactions du Livre I, celle que Kervyn désigne comme la deuxième. Elle est difficile à dater avec exactitude : sans doute la seconde moitié des années 1370, peut-être un peu plus tard. On retrouve dans ces trois textes le même lexique, les mêmes tournures, la même façon de relier la mémoire à l'écriture – que cette mémoire soit la mémoire intime qu'est le souvenir ou la connaissance objective du passé qu'est la mémoire historique. Cette relative uniformité, ou au moins ces échos reliant des formes littéraires et des contextes très différents au point d'en brouiller les frontières, peuvent être interprétés comme les indices d'une unité inattendue de l'œuvre et du projet littéraire qui la sous-tend.

Partant d'une indication contenue dans le *Joli Buisson de Jeunesse* (v. 263-264 : « Ossi du conte de Herfort / Pris une fois grant reconfort»), Anthime Fourrier a montré à sa manière savante et précise que le *Temple d'Honneur* a sans doute été composé à l'occasion du mariage en mai 1363 de Humphrey X de Bohun, comte de Northampton, Hereford et Essex, avec Jeanne, fille du comte Richard II d'Arundel[5]. C'est donc une œuvre de jeunesse, mais c'est aussi un poème très intéressant, en particulier parce qu'il réunit en lui plusieurs traits qui reparaîtront dans la poésie de Froissart. Par exemple, l'entrée en matière emboîtée, fondée sur une série de feintes : il ne se passe pas de jour qu'on n'entende dire quelque nouvelle et il m'en est récemment arrivé une (v. 1-11) ; j'étais à une assemblée.... On croit que la nouvelle, c'est ce qui lui est arrivé à l'assemblée. Non : c'est ce qui lui était arrivé avant, et qu'il a entrepris de raconter à l'assemblée. On croit alors que le poème reproduit ce qu'il a raconté ce jour-là. Non : il a été interrompu, et, à la demande générale, il a écrit ce qu'il n'a pu raconter : c'est cela le poème. Le récit écrit qui le constitue ne fait donc pas semblant d'être le récit oral fait lors de cette assemblée. Il revendique le statut qui est effectivement le sien. Et ce qui est arrivé au poète, c'est un rêve : la nouvelle est donc une expérience intime et non une information sur le monde, mais c'en est tout de même une, puisque le rêve est la transposition dans l'allégorie d'un mariage princier[6]. Ce poème du jeune Froissart offre ainsi déjà cette collusion de l'intime et du public, du souvenir et de l'histoire, qui se traduit par le brouillage et l'emboîtement de l'entrée en matière.

Mais en outre, si l'on poursuit la comparaison de façon à la fois plus précise et plus menue, on constate que Froissart applique le même

---

5. Jean Froissart, *« Dits » et « Débats »*, éd. Anthime Fourrier, Genève, Droz, 1979, p. 22-37.

6. Cf. le début de l'*Espinette amoureuse* et du *Joli Buisson de Jeunesse*.

vocabulaire à l'histoire et à la vie intime. Le début de *Temple d'Honneur* trouve ainsi des échos à la fois dans celui de *Joli Buisson de Jeunesse* et dans celui des *Chroniques*. Du côté de *Joli Buisson de Jeunesse*, avec une démarche qui est celle de l'écriture du souvenir : réunir les aventures du temps passé, le souvenir et les instruments de l'écriture.

> Des aventures me souvient
> Dou temps passé. Or me couvient,
> Entroes que j'ai sens et memore,
> Encre et papier et escriptore,
> Kanivet et penne taillie,
> Et volenté apparellie
> Qui m'amonneste et me remort,
> Que je remonstre avant me mort
> Comment ou Buisson de Jonece
> Fui jadis, et par quel adrece.
> Et puis que pensee m'i tire,
> Entroes que je l'ai toute entire
> Sans estre blechie ne quasse,
> Ce n'est pas bon que je le passe ;
> Car s'en non caloir le mettoie
> Et d'aultre soing m'entremettoie,
> Je ne poroie revenir
> De legier a mon souvenir.
> Pour ce le vorrai avant mettre
> Et moi liement entremettre
> De quanq que me memore sent
> Dou temps passé et dou present[7].

Passage qui peut être comparé aux v. 37-51 du *Temple d'Honneur* :

> Mais anchois que le ces fesisse
> Ne que de la me partesisse,
> Jc fui priiés moult bellement
> Que dedens brief jour telement
> L'euïsse mis et ordonné
> (Si me seroit guerredonné)
> Qu'on le peüst lire et avoir
> Et mesisse painne au savoir
> De chief en cor, sans contredire,
> Par quoi riens n'i euïst a dire.

---

7. *Joli Buisson de Jeunesse*, v. 1-22.

Je leur acordai leur requeste
Et fis de moi si bonne enqueste
Que mon songe ne plus ne mains
Escripsi a mes propres mains
En le fourme que vous veés.

Mais les échos s'entendent aussi du côté des *Chroniques* avec l'affirmation initiale qu'on apprend tous les jours des nouvelles ou qu'on en est soi-même témoin, ce qui est encore mieux. C'est ce que disent aussi les premiers vers du *Temple d'Honneur* :

Je quide et croi, et s'est mes dis
(Ensi l'ai je veü toutdis)
Qu'il n'est onques jours qui ajourne,
Soit qu'on travelle ou qu'on sejourne,
Qu'on s'esbanoie ou qu'on revelle,
Qu'on n'ot dire aucune nouvelle
Qui est avenue ou que soit ;
Ou presentement on le voit,
Si en est de tant plus creable,
Mieuls sentie et plus agreable[8].

Apprendre chaque jour des nouvelles : c'est la devise optimiste du *Temple d'Honneur* aussi bien que des *Chroniques*. En même temps, le *Joli Buisson de Jeunesse*, comme déjà la *Prison amoureuse*, emploient de façon inattendue l'expression « aventures du temps passé » (v. 1-2) pour désigner l'aventure intérieure et personnelle de la vie intime ou rêvée, tandis qu'un peu plus loin la rime *delite - abilite* (v. 51-52) appliquée à la création poétique répond par avance à une belle formule des *Chroniques*.

Pour cheuls servir mes coers tous font
En plaisance, et si m'i delite
Que grandement j'en abilite
L'entendement et le corage
De quoi Nature m'encorage[9]

A quoi fait écho la comparaison entre l'exercice militaire et l'exercice littéraire qui clôt le prologue du Livre IV :

8. *Temple d'Honneur*, v. 1-10.
9. *Joli Buisson de Jeunesse*, v. 50-54.

Ainsi ay-je rassamblé et eu la haulte et noble histoire et matière, et le gentil conte de Blois dessus nommé y a rendu grant paine, et, tant comme je viveray, par le gré de Dieu je la continueray, car comme plus y suis et plus y labeure, et plus me plaist ; car ainsi comme le gentil chevallier ou escuier qui ayme les armes, en persévérant et continuant, il s'i nourrist et parfait, ainsi en labourant et ouvrant sur ceste matière je me habilite et délite [10].

Mais ici, c'est la vie personnelle qui se mêle à l'écriture de l'histoire et que ce travail épanouit.

Reste l'essentiel, la fonction même de la mémoire et de la connaissance dans l'accumulation de l'information. Ici le parallèle remarquable est entre les dix premiers vers du *Temple d'Honneur* et un passage du prologue du livre I dans la « seconde rédaction » de Kervyn, passage qui lui-même appelle d'autres rapprochements. Il n'est pas de jour, dit Froissart au début de *Temple d'Honneur*, où, quoi qu'on fasse, on n'apprenne pas quelque nouvelle où on n'en soit pas témoin, ce qui est encore mieux. Entrée en matière qui surprend rétrospectivement, puisqu'elle introduit le récit d'un rêve. Cette profession de foi à la gloire de la curiosité extravertie et de l'attention au monde extérieur sert d'introduction à l'expérience la plus introvertie qui soit, la plus intime, celle qui suppose le moins de contacts avec le monde : le rêve [11].

Bien sûr, il se produit ensuite une sorte de renversement : la nouvelle qu'est le rêve n'en est pas une pour le rêveur, mais pour le public de cette « assemblée » auquel il a entrepris de le raconter, puis à l'intention duquel il l'écrit. En outre le contenu du rêve, comme c'est si souvent le cas dans les poèmes allégoriques visant à la célébration d'un mécène, ne touche pas à la vie intime du poète mais concerne un événement public (en l'occurrence c'est une sorte de moralisation sur un mariage princier). Le fait demeure, cependant : de même que la formule « Des aventures me souvient / Du temps passé » qui ouvre le *Joli Buisson de Jeunesse* paraîtrait plus appropriée à l'introduction d'une chronique ou d'un roman, de même l'entrée en matière du *Temple d'Honneur* s'appliquerait plus aisément aux *Chroniques*. Ce qu'elle paraît dépeindre, c'est l'ouverture sur le monde de l'historien de l'actualité aux aguets de tous les événements qui peuvent nourrir son enquête, compléter son infor-

---

10. Kervyn XIV, p. 2-3 ; Buchon III, Livre IV, chap. I, p. 1.
11. V. 1-10 ; voir plus haut, p. 43.

mation, s'incorporer à la matière de son ouvrage. Aussi bien, l'attention prêtée à ce que j'appelais il y a un instant l'accumulation de l'information trouve dans une rédaction du prologue du Livre I des *Chroniques* une expression également frappante :

> On dit, et voirs est, que tout édifice est ouvré et maçonné l'une pierre après l'autre, et toutes grosses rivières sont faites et rassemblées de divers lieux et de plusieurs sourses : aussi les sciences sont extraites et compilées de pluseurs clers, et ce que l'un scet, l'autre ne scet mie ; non pour quant rien n'est qui ne soit sceu ou loing ou près [12].

Froissart utilise cette remarque pour introduire et justifier le fait que ses *Chroniques* se greffent sur celles de Jean le Bel. Il s'agit de montrer, non plus que chacun reçoit sans cesse des informations nouvelles, mais que chacun reçoit des informations différentes, et qu'en réunissant les connaissances de chacun on parvient à une science totale. Mais ce passage appelle lui-même deux autres rapprochements. Le premier est avec les premières lignes du *Bestiaire d'Amour* de Richard de Fournival, dans lesquelles le chanoine d'Amiens développe le raisonnement suivant : chacun sait quelque chose, si bien que tout est su, non par chacun, mais par tous ensemble. Mais tous ne vivent pas en même temps. Certains, dans le passé, ont su des choses que l'on ne découvrirait pas aujourd'hui, mais que nous savons grâce à eux, qui les savaient. C'est pourquoi Dieu a doué l'homme de mémoire [13] :

> Toutes gens desirent par nature a savoir. Et pour chu ke nus ne puet tout savoir, ja soit che ke cascune cose puist estre seüe, si covient il ke sacuns sache aucune cose, et che ke li uns ne set mie, ke li autres le sache ; si ke tout est seü en tel maniere qu'il n'est seü de nullui a par lui, ains est seü de tous ensamble. Mais il est ensi ke toutes gens ne vivent mie ensemble, ains sont li un mort avant ke li autre naissent, et cil ki ont esté cha en ariere ont seü tel cose ke nus ki ore endroit vive ne le conquerroit de son sens, ne ne seroit seü, s'on ne le savoit par les anchiiens. Et pour chu Diex, ki tant aime l'omme qu'il le velt porveoir de quant ke mestiers lui est, a donné a homme une vertu de force d'ame ki a non memoire [14].

---

12. Kervyn II, p. 4.
13. Cf. Michel Zink, « Révélations de la mémoire et masques du sens dans la poétique médiévale », dans *Masques et déguisements dans la littérature médiévale*. Études recueillies et publiées par Marie-Louise Ollier, Presses de l'Université de Montréal, Paris, Vrin, 1988, p. 254.
14. Richard de Fournival, *Bestiaire d'Amour*, éd. Cesare Segre, Riccardo Ricciardi Editore, Milano-Napoli, 1957, p. 3-4.

Il n'est pas impossible que le chanoine de Chimay se soit souvenu de ces propos du chanoine d'Amiens. En tout cas, les deux passages présentent des analogies dans le mouvement, l'idée et l'expression. Mais il existe aussi entre eux une différence surprenante. C'est que Froissart, l'historien, au seuil d'un récit qui remonte plus de dix ans avant sa naissance, ne fait pas appel à la notion de mémoire. Il peint la confluence des connaissances comme un phénomène qui prend place dans le présent de la simultanéité. Certes il souligne quelques lignes plus bas qu'il prend la suite de Jean le Bel (« Je me vueil fonder et ordonner sur les vraies Croniques jadis faites et rassemblées par vénérable homme et discret seigneur monseigneur Jehan le Bel chanoine de Saint-Lambert de Liège » [15]). Mais l'expression à laquelle il a recours pour donner une portée générale à la réunion des savoirs se réfère à l'espace, et non au temps, avec l'image des petits ruisseaux qui font les grandes rivières et avec la formule finale du développement : « Non pour quant rien n'est qui ne soit sceu ou loing ou près ».

Or cette formule en évoque une autre qui viendra sous la plume de Froissart beaucoup plus tard, dans le courant du Livre III. A propos des affaires de Chypre et de l'assassinat du roi Pierre Ier (1385), il observe que les Vénitiens et surtout les Génois se livrent au commerce à travers le monde entier :

> Car partout vont Genevois et Venitiens marchander parmi les trieves que ilz paient, jusques en la grande Inde, la terre au prestre Jehan ; et partout sont-ilz bien venus pour l'or et l'argent qu'ilz portent ou pour les marchandises que ilz eschangent en Alixandrie, au Kaire, à Damas ou ailleurs, qui besongnent aux Sarrasins.

Et il conclut :

> Car ainsi fault-il que le monde se gouverne ; car ce qui point n'est en ung païs est en l'autre ; parmi tant sont congneues toutes choses [16].

« Parmi tant sont connues toutes choses ». « Non pour quant rien n'est qui ne soit sceu ou loing ou près ». Les deux formules jumelles s'appliquent, l'une aux sciences « extraites et compilées » par les clercs, et spécialement aux événements de l'histoire relatés par les *Chroniques*,

---

15. Kervyn II, p. 4.
16. SHF XII, p. 206 ; Buchon II, Livre III, chap. XXV, p. 449

l'autre aux produits qui font l'objet d'un commerce. On dira que Froissart, fils de marchand et qui s'est essayé au commerce, Froissart si attentif au prix où on l'estime, si fier que ses œuvres lui soient bien payées, considère comme équivalentes les connaissances et les marchandises. En fait, il traite les marchandises comme des connaissances : leur intérêt n'est pas d'être vendues, mais d'être connues. Les marchandises circulent, comme l'information, et le résultat de cette circulation est de permettre une connaissance globale et totale. La représentation est, si l'on peut dire, géographique, et non pas historique. L'accumulation des connaissances ne fait pas appel à la mémoire.

Nous voilà bien, nous dont l'angle d'attaque est Froissart et le temps ! C'est que le temps de Froissart est ailleurs. Il n'est pas du côté de cette mémoire objective, ou intersubjective, qui permet le passage des connaissances de l'un à l'autre, leur circulation d'un pays à l'autre et d'un cerveau à l'autre, leur stockage et leur accumulation. Il n'est pas du côté de la mémoire collective de l'histoire. Il est dans le souvenir et l'expérience intime, subjective, de la fuite du temps, du souvenir, du vieillissement. Il est d'abord du côté de ce qui est pour nous la poésie.

Revenons en effet au *Temple d'Honneur* et au *Joli Buisson de Jeunesse*. Certes, au début du *Temple d'Honneur* la circulation et l'accumulation des nouvelles sont évoquées en des termes qui peuvent faire songer à l'enquête de l'historien du temps présent et au prologue des *Chroniques*. Mais dès que le point de vue bascule, au v. 11, de la réception de la nouvelle à sa source, dès que le poète narrateur est désigné comme celui à qui est arrivée la nouvelle et qui la propage, et dès que cette nouvelle se révèle être l'expérience intime du rêve, le souvenir − son souvenir − vient au premier plan :

Dont grandement j'en remerchi
Mon sentement qui l'a gardé
Et si bellement retardé
Que tenu close et en prison
Jusques atant que j'ai raison
Dou dire et dou remettre avant[17].

Et le souvenir vient au premier plan alors même que la nouvelle est nouvelle et le souvenir récent (*awan*, v. 11, v. 30).

17. *Temple d'Honneur*, v. 14-19 ; voir aussi v. 29.

Bien plus, nous comprenons à présent que les deux premiers vers du *Joli Buisson de Jeunesse* n'ont pas vraiment l'ambiguïté que nous leur avons prêtée. Les « aventures du temps passé » ne peuvent être les « advenues » de l'histoire ni les aventures romanesques dès lors qu'elles sont appelées par le souvenir : le « me souvient » les désigne comme des aventures du moi, appartenant à l'intimité personnelle. On peut en voir un indice dans le jeu entre « me souvient » au v. 1 et « memore » au v. 3. La « mémoire » appartient à l'intellect. Elle met en forme aussi bien le présent que le passé (v. 21-22). Elle fait partie, comme le « sens » (v. 2), la « volonté » (v. 6) et la « pensée » (v. 11) des facultés qui, avec l'aide des instruments matériels de l'écriture (v. 4-5), permettent la rédaction du poème et le récit de ce voyage ancien au Buisson de Jeunesse. Mais le souvenir est affectif. Il conserve intacte et vivace dans l'esprit l'impression du passé. Il peut fuir, pâlir, s'effacer, et c'est pourquoi il faut mettre en œuvre ce qui permet de l'écrire (v. 15-18).

Ce souci d'écrire dans l'urgence le souvenir avant qu'il s'efface, on le retrouve dans les *Chroniques*, lorsque Froissart, au Livre III, souligne qu'il note tous les soirs à l'auberge les récits qu'il a entendus dans la journée, pour ne pas les oublier et pouvoir plus tard, une fois rentré chez lui, rédiger son ouvrage à partir de ces notes[18]. Mais il expose cette méthode au moment où le récit de sa vie envahit de plus en plus les *Chroniques* jusqu'à en constituer presque le fil, au moment où le chroniqueur vieillissant laisse peu à peu la nostalgie et les souvenirs s'infiltrer parmi les événements de l'histoire, au moment où le souci de se souvenir de son propre passé entre en concurrence avec celui de garder la mémoire des faits en vue de l'avenir.

Si, des poèmes aux *Chroniques*, les échos du vocabulaire et de l'expression autour de la mémoire et de la collecte des nouvelles suggèrent une œuvre plus cohérente qu'elle ne paraît, c'est donc que les *Chroniques* finissent par succomber à la sensibilité poétique. Quand le sentiment du temps s'y manifeste, c'est celui du temps intérieur.

18. SHF XII, p. 65 et 115 ; Buchon II, Livre III, chap. XII, p. 394 et chap. XVII, p. 413-414.

CHAPITRE IV

Les Chroniques *et le modèle romanesque**

Il est beau d'affirmer l'unité de l'œuvre de Froissart en montrant les imbrications et les correspondances entre les *Chroniques*, les poésies et *Méliador*. Mais cette affirmation, si fondée soit-elle, reste paradoxale, et le sens commun se venge en imposant par moments, pour la clarté de l'exposé, d'envisager séparément les divers genres. Ce sont les *Chroniques* de Froissart qui ont fait sa gloire et qui ont occupé l'essentiel de sa vie. C'est d'elles qu'il faut partir.

La matière historique des *Chroniques* est au départ « impersonnelle » et ne relate pas des événements dont Froissart aurait été le témoin ou l'acteur, à la différence des premiers chroniqueurs français et de Jean le Bel lui-même. Rien, sinon peut-être le tempérament de l'auteur qui perce dès le prologue, ne laisse prévoir une dérive autobiographique qui tiendra à la fois aux circonstances (le temps rattrapé), au succès de Froissart et à son caractère.

D'autre part, cette matière est vaste, certes, mais aussi « limitée », à la différence des chroniques universelles, ou des chroniques particulières qui commencent par un abrégé de l'histoire universelle, selon la vieille tradition qui va d'Eusèbe et d'Orose à l'historiographie carolingienne. Sur ces deux points Froissart est un homme de son temps. Sa matière est vaste, parce qu'elle embrasse des événements très nombreux, organisés

* Ce chapitre reprend certains développements de mon article « Les chroniques médiévales et le modèle chevaleresque », *Mesure* 1, juin 1989, p. 33-45. Ces passages sont reproduits avec l'aimable autorisation des éditions José Corti.

en séries très complexes, fidèle en cela au goût pour les sommes et les cycles, que le siècle précédent a mis à la mode aussi bien dans le domaine du savoir que dans celui de la fiction littéraire. Elle est limitée cependant aux « guerres de France et d'Angleterre », comme l'auteur l'annonce de façon répétée au seuil de son œuvre, sans que ces événements particuliers soient situés le moins du monde dans la perspective de l'histoire universelle, qui permettrait de les rapporter vaille que vaille, comme on l'aurait fait quelques siècles plus tôt, au sens général de l'histoire, celui de la Révélation, tout en diluant l'enchaînement des causalités particulières. Froissart s'interdit cette facilité ancienne, qui consistait à se réfugier derrière la globalité de l'histoire, et il doit donc chercher le sens particulier de séries limitées d'événements, où le jeu des effets et des causes exige d'être minutieusement repéré – séries limitées qui n'en sont pas moins, on l'a dit, des séries très complexes. En même temps, son point de vue, à la différence de celui de beaucoup de chroniques à son époque [1], n'est pas celui d'une histoire nationale, et ce recul ajoute à la complexité de son point de vue. Il peut avoir des sympathies pour les uns ou pour les autres, il peut colorer son histoire ou telle rédaction de ses chroniques en fonction d'un commanditaire proanglais ou profrançais, mais lui-même écrit en *freelance*. Il n'est pas l'historien officiel d'un parti.

La matière historique des *Chroniques* est traitée de façon d'autant plus complexe que, dans sa volonté de dégager les effets et les causes, Froissart combine plan logique et plan chronologique (à la différence de la composition annalistique, qui est encore d'une certaine façon celle des *Grandes chroniques de France*, celle du religieux de Saint-Denis, Michel Pintoin, pour toute sa subtilité que Bernard Guenée a si bien mise en évidence [2]). Et cela sans même parler de cet autre ouvrage que sont les livres III et IV où un troisième paramètre – l'ordre de l'enquête – vient se combiner aux deux autres (l'ordre des causes et l'ordre des événements). Mais laissons ce point qui nous renverrait trop tôt à la relation histoire - mémoires, alors que nous en sommes à la relation histoire - roman.

En quoi les remarques qui viennent d'être faites nous orientent-elles vers cette relation ? C'est que Froissart est confronté à la nécessité de

---

1. Cf. Colette Beaune, *Naissance de la nation France*, Paris, Gallimard, 1986.
2. *Chroniques du reigieux de Saint-Denis*, Éditions du Comité des travaux historiques et scientifiques, 1994, p. LVI-LIX.

rendre sensible et en même temps de démêler la complexité de sa matière. Comment manifester le sens de ces entrelacs à la fois circonscrits et interminables de guerres, de fidélités, de trahisons, d'exploits, de crimes, de révoltes, de fastes, de misères, d'affaires familiales, dynastiques, et peu à peu nationales ? Comment le faire quand on refuse la commodité de prendre la place du Maître de l'histoire et celle de ne prétendre que témoigner de ce que l'on a vu ? Pour y parvenir, Froissart a recours au type d'écriture qui, de son temps, est par excellence producteur de sens : l'écriture romanesque et, plus précisément, celle de son époque, celle du roman en prose. Il lui emprunte deux traits caractéristiques.

D'une part, un procédé de composition, l'entrelacement, qui consiste à mener de front et à raconter alternativement les aventures de plusieurs personnages : « A présent le conte cesse de parler de X et revient à Y. Vous avez entendu comment Y avait fait ceci ou cela... ». Ce procédé permet de faire entrer en résonance diverses séries d'événements qui se rencontrent, divergent, se croisent à nouveau plus loin, influent les unes sur les autres tantôt directement, tantôt de très loin à travers toute une cascade d'intermédiaires. Il suggère ainsi le jeu du hasard et de la nécessité, et qu'il y a, derrière l'enchaînement de ces causalités multiples, un sens, dont leur complexité même laisse deviner la présence tout en le brouillant. L'autre trait caractéristique du roman est la mise en scène éclatante du monde chevaleresque et de ses valeurs. Non pas leur exaltation systématique, mais, sous l'apparence de cette exaltation, une interrogation permanente et des hésitations dont les romans du Graal – le modèle de tous les romans en prose – témoignent plus que tous les autres.

L'entrelacement, nous avons vu que Froissart est amené à le pratiquer en regroupant les séries d'événements. Et l'organisation devient plus tard encore plus complexe, quand l'ordre de l'exposé suit celui de l'enquête.

Quant à la mise en scène voyante du monde chevaleresque, ce trait a causé le plus grand tort à la réputation de Froissart. C'est lui qui l'a fait accuser de célébrer la chevalerie indiscrètement, sans esprit critique. On cite à l'envi la première phrase de son prologue :

> Affin que honnourables emprises et nobles aventures et faits d'armes, lesquelles sont avenues par les guerres de France et d'Angleterre, soient notablement registrées et mises en mémoire perpétuel, par quoy les preux aient

exemple d'eulx encouragier en bien faisant, je veuil traittier et recorder hystoire et matière de grand louenge[3].

Mais c'est lui faire un mauvais procès. On tire largement parti de son propre témoignage pour montrer combien la chevalerie était militairement et psychologiquement inadaptée aux nouveaux champs de bataille. Était-il donc sot au point de le faire apparaître sans le comprendre lui-même ? Ne sait-il pas admirablement – et de mieux en mieux à mesure que sa carrière avance et qu'il acquiert plus d'expérience – montrer les réticences, les violences, les trahisons enrobées dans le discours féodal de la fidélité[4] ? Ce que signifie son insistance sur l'idéal et les exploits chevaleresques, ce que signifie le développement sur la prouesse qui constitue le morceau de bravoure (c'est bien le mot) du prologue dans presque toutes les rédactions du Livre I, et que conserve de façon significative sa dernière version, pourtant abrégée et sobre, celle du manuscrit de Rome – la prouesse, motif récurrent dans son œuvre, comme le montrent la ballade 36[5] ou les v. 305-310 du *Temple d'Honneur*[6] –, c'est que le destin de la chevalerie et de ses valeurs se joue dans les guerres qui sont la matière de son livre, qu'il est en ce temps-là au centre des préoccupations morales et politiques, au centre des passions, au centre de l'histoire, mais non que l'histoire lui est favorable. Au reste, cette réflexion sur la prouesse est bien toujours présente dans le manuscrit de Rome, mais en même temps le prologue, dans cette ultime rédaction, offre une vue structurée de la société, absente des versions antérieures et qui suppose une réflexion nouvelle, comme l'a montré Christiane Marchello-Nizia[7].

---

3. Kervyn II, p. 4 ; Buchon I, p. 1.

4. Voir, par exemple, la belle analyse de Diller sur « Jean III, duc de Brabant et l'exercice de la dissimulation dans les *Chroniques* », *Attitudes chevaleresques et réalités politiques chez Froissart*, p. 33-54.

5. Refrain : *Les coers vaillans qui tendent à proëce*. Jean Froissart, *Ballades et rondeaux*, éd. Rae S. Baudouin, Genève, Droz, 1978, p. 46.

6. Encor eus je tant de sejour
    De li bien plainnement veoir
    Ensi com il pooit seoir,
    Qu'il avoit detrenchiet le vis
    En pluiseurs lieus, ce m'estoit vis :
    Bien monstroit qu'il euïst esté
    Et hardiement aresté
    En cops d'espees et de haces (*Temple d'Honneur*, v. 302-309).

7. « L'historien et son prologue : formes littéraires et stratégies discursives », dans Daniel

De même, destin de la chevalerie et valeurs chevaleresques sont au cœur de la problématique romanesque de cette époque, non sous la forme d'une admiration béate et figée, mais au contraire au sein d'une dialectique de la perfection et de la précarité, déjà sensible deux siècles plus tôt dans les romans de Chrétien de Troyes où, on l'a assez répété, ce n'est pas le parangon de la chevalerie, Gauvain, qui atteint la perfection, et plus sensible encore à travers l'évolution et les hésitations idéologiques des romans du Graal. Privilégier l'univers de la chevalerie et de la courtoisie en s'inquiétant constamment, sourdement, à son sujet, en sachant secrètement qu'il est déjà mort et révolu, ou peut-être même qu'il n'a jamais existé que dans le temps fictif et mythique, celui du roi Arthur : c'est par ce biais et de ce point de vue que le roman a habitué les hommes de cette époque à réfléchir sur le jeu des événements humains. C'est ainsi qu'il dit les angoisses, les passions, les affrontements de l'être au monde. Et, de son côté, l'historien d'alors n'a pas de moyen plus saisissant ni plus adéquat pour rendre les crises de son temps intelligibles, perceptibles à la sensibilité de ses contemporains et à la sienne propre.

Mais que les conventions littéraires puissent révéler la vérité tout en la déguisant, c'est ce que nous reconnaissons plus facilement dans le cadre de la fiction que dans celui de l'histoire. Racine comme historiographe du roi intéresse peu ; mais on admet sans peine que le poète tragique incarne l'universalité des passions dans des personnages royaux. Dans ses deux fonctions pourtant il suppose que le destin des grands est le plus frappant et le plus significatif. La convention admise par le Moyen Age est un peu différente : elle ne privilégie pas les grands de ce monde en eux-mêmes, mais l'« ordre » chevaleresque – l'ordre que la chevalerie introduit dans le monde – face à ce qui l'exalte, le menace, l'abat. Lorsque Froissart annonce qu'il va rappeler les hauts faits chevaleresques de son temps, il n'entend pas faire l'éloge aveugle ou servile de la chevalerie, mais faire apparaître les troubles de l'époque et le sens de l'histoire – sa signification, non sa direction – à travers les péripéties de l'institution elle-même la plus chargée de sens grâce à la littérature.

Poirion (éd.), *La chronique et l'histoire au Moyen Age*, Cultures et civilisations médiévales 1, Paris, PUPS, 1984, p. 23.

Que l'histoire se vit comme un roman, son prédécesseur Jean le Bel en témoigne dans des passages qu'il recopie mot pour mot et intègre tels quels à ses propres *Chroniques*. La première campagne d'Edouard III contre les Écossais, à laquelle Jean le Bel a participé dans la suite de Jean de Hainaut et dont l'admirable récit ouvre ses *Chroniques*, a été pour lui l'occasion d'un pèlerinage arthurien :

> Sur celle rivière, d'amont est la ville et le chastel que on clame Carduelh en Gales, qui fut jadis au roy Artus ; (le roi Edouard) fist là tout l'ost arrester en blez, pour repaistre et recengler les chevaulx, ce fut sur une blanche abbaye arse des Escots, qu'on clamoit au temps du roy Artus La Blanche Lande[8].

La Blanche Lande, qui joue un rôle crucial et mystérieux au début du plus étrange des romans du Graal, *Perlesvaus*, et dont, au début du XIVe siècle, *Fouke le Fytz Waryn* faisait un point de rencontre du mythique passé arthurien et de l'histoire de la famille bien réelle des Fitz Warin !

Ailleurs, à propos de l'expédition de 1338 en Flandres, Jean le Bel note qu'Edouard III reçoit ses alliés à Anvers « entre le Penthecouste et le Saint Jehan »[9]. La date est inexacte, puisque le roi n'a en réalité quitté Londres que le 12 juillet pour s'embarquer le 16. Mais elle place la cour tenue par le souverain anglais entre deux fêtes qui marquent traditionnellement l'apogée du calendrier arthurien, à une époque de l'année qui est celle de toutes les aventures. Comme dans un roman arthurien, c'est entre la Pentecôte et la Saint-Jean qu'est lancé le défi, que commence l'aventure au sein de la cour réunie, que s'engagent les guerres. Charger l'action diplomatique d'Edouard III du sens attaché à ces deux fêtes et au temps qui les sépare dans les romans consacrés à son prestigieux prédécesseur vaut bien une petite distorsion chronologique.

Aussi bien, la toute première phrase des *Chroniques* de Jean le Bel, reprise par Froissart dans tous les manuscrits, est pour rappeler que les traditions royales anglaises remontent au roi Arthur :

> Premierement, pour entrer en ma matere, certaine chose est que l'opinion des Anglès est communement telle, et l'a on souvent veu avenir en

---

8. Jules Viard et Eugène Déprez, *Chronique de Jean le Bel*, Paris, Société de l'Histoire de France, 2 vol., 1904-1905, t. I, p. 49 et p. 64. Les phrases sont reprises par Froissart (SHF I, p. 50 et 63 ; Buchon I, Livre I, I partie, chap. XXXIII p. 24 et chap. XLI, p. 29).
9. J. Viard et E. Déprez, *Chronique de Jean le Bel*, t. I, p. 137 (Froissart, SHF I, p. 140 ; Buchon I, Livre I, partie 1, chap. 71, p. 64).

Angleterre puis le roy Artus, que entre deux vaillans roys d'Angleterre a tousjours eu ung mains souffisant de sens et de proesse[10].

Symétriquement, la référence pour la France est l'époque de Charlemagne :

Et pour recorder les grands entreprises et faitz d'armes qui en sont avenus, car puis le temps du bon roy Charlemaine n'avindrent si grandes aventures de guerres ou royaume de France...[11].

Dès les premières lignes de son ouvrage le chanoine de Liège se place ainsi au point de rencontre de l'histoire et de la littérature[12].
Mais Froissart lui-même va plus loin encore. On le voit ainsi introduire la guerre de la succession de Bretagne par une phrase très frappante, dont il ne trouve pas le modèle chez son prédécesseur :

Or nous deporterons nous à parler des deux rois (*Edouard III et Philippe VI*), tant que les triewes (*conclues après le siège de Tournai*) durront... ; et enterons en le grant matère et hystore de Bretagne, qui grandement renlumine ce livre, pour les biaus fais d'armes et grandes aventures qui y sont avenues, si com vous porés ensiewant oïr[13].

Non seulement il donne là un bel exemple d'entrelacement, mêlant le temps des événements et celui du récit (il occupera le temps de la trêve à parler d'autre chose). Mais surtout il joue de l'expression « grande matière et histoire de Bretagne », qui, hors de son contexte, désigne normalement pour ses contemporains la matière arthurienne et non l'histoire de la Bretagne – de la petite Bretagne – contemporaine. Il en joue pour piquer l'intérêt du lecteur par des réminiscences romanesques. Quand on traite de la « grande matière de Bretagne », de quoi peut-on

---

10. J. Viard et E. Déprez, *Chronique de Jean le Bel*, t. I, chap. 1, p. 4 (Froissart, Livre I ; Diller, *Le Manuscrit d'Amiens*, I, p. 3 ; SHF I, Variantes, ms. de Rome, p. 214 ; Buchon I, Livre I, chap. II, p. 4).

11. J. Viard et E. Déprez, *Chronique de Jean le Bel*, t. I, chap. 1, p. 8 (Froissart, Livre I, SHF I, Variantes, ms. d'Amiens et mss. A, p. 218 ; Diller, *Le Manuscrit d'Amiens*, I, p. 7 ; Buchon I, Livre I, chap. IV, p. 5).

12. Jean le Bel ne fait ainsi que confirmer le mouvement de l'histoire : le meilleur moyen, en ce temps-là, pour résoudre la question des fidélités contradictoires et des vassalités entrecroisées - donc des trahisons inéluctables - est de renforcer le lien personnel qui unit le vassal au souverain - et à un seul souverain - en jouant des nostalgies romanesques de la chevalerie. C'est ce que fait Edouard III en essayant de recréer la Table ronde, puis en fondant l'ordre de la Jarretière, bientôt imité par Jean le Bon avec l'ordre de l'Étoile.

13. SHF II, p. 86 ; Buchon I, Livre I, chap. CXLVI, p. 127.

parler, sinon des « beaux faits d'armes et grandes aventures » ? La Bretagne n'est-elle pas le lieu même de l'aventure chevaleresque ? Froissart affecte ainsi d'adopter les valeurs du roman breton en même temps que son style. Ses lecteurs en seront dupes et ne verront pas toujours que, derrière cette apparence, ses jugements sont plus réservés et plus nuancés, comme le montrent par exemple les réflexions que lui inspire le « fait d'armes » le plus romanesque de ces nouvelles « aventures de Bretagne », le combat des Trente. A la vérité, il est trop bon lecteur de romans pour ne pas savoir que, chez eux aussi, faits d'armes et aventures sont constamment ambigus.

Mais il est vrai qu'il se plaît dans l'univers et dans le style des romans en prose. L'amplification et l'abondance narrative, qui sont un élément essentiel pour comprendre les *Chroniques,* se fondent souvent sur l'enchâssement d'épisodes cohérents et complets, inutiles en un sens et qui ne sont là que *ad venustatem historiae* – pour rendre l'histoire plus jolie, comme dit le religieux de Saint-Denis quand il cite des documents diplomatiques, mais qui sont autant de petits romans qui parlent à l'imagination et paraissent exalter « l'aventure chevaleresque ». Ils ne font en réalité rien de tel, ou ils le font de façon très ambiguë, car ils la montrent dénaturée par la sottise ou l'immoralité des péripéties militaires, par la noirceur des drames et des intrigues de cour : la tentative ratée de Geoffroy de Charny pour reprendre Calais, les récits de combats mercenaires et de brigandage, comme ceux du Bascot de Mauléon au Livre III ou comme l'aventure d'Aimerigot Marcel au Livre IV, les drames des cours d'Angleterre, de France, de Foix.

Et que dire de tous les épisodes qui sont dans l'atmosphère « armes et amours », l'atmosphère amoureuse et chevaleresque des romans ? Qui ne le sont que trop, a-t-on soutenu. Le jeune roi Edouard III, partant en campagne contre les Écossais, est hébergé un soir par la comtesse de Salisbury en l'absence de son mari. Il s'éprend d'elle. Et la nuit même il la viole, nous dit Jean le Bel, crime qui entraînera le suicide de la malheureuse et indirectement la mort de son mari auquel elle a avoué sa honte et qui a défié le roi. Froissart reprend l'épisode. Mais chez lui le roi Edouard est un amoureux transi et chaste qui se contente de se faire mater aux échecs par la comtesse [14]. On lui a beaucoup reproché cette édulco-

---

14. SHF II, p. 131-135 et variantes, ms. d'Amiens, p. 340-341 ; Diller, *Le manuscrit d'Amiens* II, p. 180-186.

ration où on a vu l'effet de son respect excessif des puissants et sa tendance à faire sienne sans examen la version officielle des événements. Toutefois, A. Gransden et à sa suite George Diller ont montré que la version la plus défavorable au roi n'est peut-être pas la plus véridique et qu'elle est probablement l'effet d'une contre-propagande du roi de France [15]. Mais quoi qu'il en soit, il est clair que Jean le Bel et Froissart se réfèrent à deux modèles différents. Celui de Jean le Bel est un modèle biblique : c'est l'histoire de David, de Bethsabée et d'Uri le Hittite. Froissart se réfère à un modèle romanesque, celui du coup de foudre qui frappe un homme au cours d'une soirée passée en tête à tête avec une femme. Ils jouent aux échecs. Il la contemple et ne réfléchit guère. Elle le bat. Le voilà deux fois échec et mat, au jeu et en amour. Cette scène se trouve dans bien des romans du temps, par exemple, au début du XIVe siècle, dans le *Roman du comte d'Anjou* de Jehan Maillart, avec cette circonstance particulière que le comte d'Anjou, veuf, joue aux échecs avec sa fille. C'est une histoire à la *Peau-d'Ane*. Froissart, pour en revenir à lui, a écrit une scène de roman. Dans les romans, les rois ne violent pas les comtesses.

Romanesque également, le merveilleux mêlé au récit historique qui laissait perplexe Montaigne à la lecture de Froissart [16]. Le démon que Gaston Phébus a hérité du seigneur de Corras l'avertit des événements qui se produisent même à l'autre bout du monde [17]. Le somnambulisme de son frère bâtard Pierre de Béarn, si romanesque qu'on le trouve aussi dans *Méliador* appliqué à Camel de Camois – oui, mais dans la chronique, le merveilleux intervient, avec un ours qui parle et qui prédit l'avenir, tandis que dans le roman il n'y a aucun merveilleux – mais en même temps le merveilleux est rapporté à la mythologie, ce qui est une façon de l'accréditer, un peu à la manière de Montaigne accordant à Plutarque ce qu'il refuse à Froissart, et de lui reconnaître un sérieux et une réalité que l'on refuse au merveilleux breton [18]. Les

---

15. A. Gransden, « The alleged rape by Edouard III of the Countess of Salisbury », dans *The English Historical Review*, 1972, p. 333-344 ; cf. G. T. Diller, *Attitudes chevaleresques et réalités politiques chez Froissart. Microlectures du premier livre des « Chroniques »*, Genève, Droz, 1984, p. 79-80.
16. *Les Essais*, éd. Pierre Villey, PUF, 1988, Livre I, p. 180.
17. SHF XII, p. 172-180 ; Buchon II, Livre III, chap. XXII, p. 435-438.
18. SHF XII, p. 89-94 ; Buchon II, Livre III, chap. XIV, p. 404-406 ; cf. Michel Zink, « Froissart et la nuit du chasseur », dans *Poétique* 41, février 1980, p. 60-77, repris dans *Les Voix de la conscience*, Caen, Paradigme, 1992, p. 117-134.

dames de Céphalonie, si accueillantes aux prisonniers libérés par Bajazet – et Froissart laisse entendre que c'est une île peuplée de dames
parce que c'était jadis une île peuplée de nymphes, avec toujours ce
souci de la justification par la mythologie[19].

La mythologie, car le passé réputé vrai de la fable et celui qui
voudrait bien l'être de la tradition épique et romanesque permettent
tous deux une sorte de renchérissement du présent sur le passé en une
sorte d'émulation : « Jamais depuis le temps du roi Arthur..., depuis le
temps de Charlemagne..., depuis la guerre de Troie..., depuis la reine
Guenièvre... ». Ou : « Je vous aime plus que Pâris n'aima Hélène,
Léandre Héro... ». Ou : « Cela me rappelle Actéon... ». Et le procédé,
chez Froissart, court à travers toute l'œuvre : les récits empruntés à la
mythologie (ou prétendus tels, car certains sont de son cru) sont insérés
dans les poèmes comme autant d'*exempla* mis en parallèle avec la vie
sentimentale du narrateur (ou de son correspondant dans la *Prison
amoureuse*) ; et dans les *Chroniques*, le témoignage de la mythologie
accrédite, on l'a vu, ce qui paraît n'être pas vraisemblable.

Malgré le traitement par Froissart de l'épisode fameux d'Edouard III
et de la comtesse de Salisbury, le recours à l'écriture et à l'univers du roman
ne vise donc pas seulement, ni même généralement, à donner aux *Chroniques* une coloration romanesque et moins encore à laisser croire que la
vie est un roman. Au contraire, il fait ressortir l'inadéquation du rêve
chevaleresque et de la réalité, et en même temps que la réalité – l'histoire
de ces années et de ces guerres – s'est modelée sur les déformations et les
brisures de ce rêve. Il donne ainsi un sens aux *Chroniques*, de même que
dans les romans bretons le sens naît de la mise en danger – pire encore :
de la mise en doute – des valeurs qui paraissent le fonder.

Mais cette mise en doute est progressive, et la question du temps
reparaît ici dans une double perspective. Froissart, à coup sûr, a d'abord
été ébloui par le monde chevaleresque dans lequel il était introduit et
par la gloire des guerres dont il entendait le récit. Il a cru – le prologue
du Livre I le montre – à une sorte d'avènement de la chevalerie, à
l'accomplissement dans la réalité et dans le présent du rêve chevaleresque
relégué jusque-là dans le passé et la fiction romanesques. Voilà que les
exploits du passé arthurien, on les vivait. La référence romanesque dans

---

19. Kervyn XVI, p. 53-54 ; Buchon III, Livre IV, chap. LIX, p. 302.

les *Chroniques* sert tout à la fois à une réflexion sur le fait et le sens, sur le passé et le présent, sur la réalité et la fiction. Mais dans le « temps de Froissart » qu'est le temps de sa vie et de sa maturation, un moment est venu où il a cessé de croire qu'il assistait à cet événement unique dans l'histoire, l'avènement de la chevalerie : ce désenchantement est sensible dans le ton de la fin des *Chroniques* et de l'ultime révision du Livre I. L'hommage que rend Gaston Phébus au témoignage de Froissart et à la gloire durable qu'il peut attendre tient à l'importance des événements qu'il relate, non à leur perfection au regard de l'éthique chevaleresque et de la prouesse comme le suggérait le prologue du Livre I. Du coup, l'éloge de la prouesse prend un sens différent dans sa dernière rédaction.

Froissart semble avoir cru un temps que l'histoire de son époque était importante, parce qu'elle voyait l'incarnation du rêve chevaleresque dans la réalité. Puis il a compris que le roman pouvait lui fournir un modèle d'écriture apte à la production du sens, mais que le sens même du roman, du roman d'aventures et d'amour, n'était pas celui de l'histoire. Et comme, à la différence de la plupart de ses contemporains, il ne se contente pas d'accuser les caprices de Fortune et les révolutions de sa roue, comme il ne croit guère que les malheurs des hommes sont un châtiment de Dieu, cet homme qu'on a dit naïf finit par être plus lucide et plus désabusé que beaucoup [20].

Il l'est ainsi plus que les autres chroniques dans sa relation du désastre de Nicopolis [21]. A lire, par exemple, le *Livre des faits du maréchal de Boucicaut*, qui a participé à la bataille, on a l'impression que tous les croisés étaient courageux, forts, beaux, bons stratèges, au point qu'on ne comprend pas comment ils ont pu se laisser écraser de cette façon [22]. Froissart, quant à lui, nous dit qu'à l'annonce de l'arrivée des Turcs, les chefs des croisés sortaient de table : ils avaient beaucoup bu, ils n'ont vu que l'avant-garde ennemie, ils ne se sont pas rendu compte que les Turcs étaient aussi nombreux, et ils se sont mutuellement excités au combat, persuadés de les tailler en pièces. En une phrase, Froissart les accuse donc

20. Tout à la fin des *Chroniques*, Froissart déclare, il est vrai, que la Fortune a été cruelle au roi Richard II. Mais ce n'est nullement pour invoquer le caprice de la déesse aveugle et se dispenser ainsi de proposer une explication des événements qu'il relate où l'enchaînement des effets et des causes est au contraire fortement souligné (voir plus bas chapitre VI, p. 108).
21. Kervyn XV, p. 310-330 ; Buchon III, Livre IV, chap. LII, p. 260-271.
22. *Le livre des fais du bon messire Jehan le Maingre, dit Bouciquaut*, éd. Denis Lalande, Genève, Droz, TLF, 1985, p. 102-113.

de mal se renseigner et d'être de mauvais stratèges, d'être des ivrognes et presque d'être des couards, ou en tout cas d'avoir été téméraires simplement parce qu'ils ne mesuraient pas la situation réelle.

Ce moment de la désillusion arrive lorsque Froissart n'a plus à tourner ses regards vers un passé, certes proche, mais déjà embelli, et qu'il rend compte du présent qu'il a sous les yeux.

Si on reprend la question générale posée par Paul Veyne – du point de vue du lecteur, quelle différence y a-t-il entre l'histoire et le roman ? –, on voit que Froissart a d'abord tenté de répondre qu'il n'y en avait pas ou qu'il n'y en avait plus. Il a commencé à écrire ses *Chroniques* en référence au modèle romanesque à la fois pour les charger de sens et pour suggérer qu'elles relatent l'histoire d'une époque qui abolit la différence entre l'histoire et le roman en réalisant le rêve et l'idéal romanesques. Il se trouve qu'il le fait à un moment où le roman généalogique, qui avait toujours été très vivant dans le monde anglo-normand, de *Waldef* à *Fouke le Fytz Waryn*, connaît un développement général, comme en témoignent les deux romans de *Mélusine* et bien d'autres un peu plus tard (*Sires de Gavre, Gillion de Trazignies, Baudoin de Flandres*) ; un moment où, peut-être en partie par un choc en retour de sa propre influence, à lui Froissart, et parce qu'il a détourné vers l'histoire le sens du roman, celui-ci retrouve en partie l'écriture de l'histoire. Le démon du seigneur de Corras, l'ours parlant de Pierre de Béarn, les nymphes de Céphalonie mêlés à l'histoire du comté de Foix et à celle de la croisade de Nicopolis d'une part ; le mariage d'Elinas avec Pressine et celui de Raymondin avec Mélusine mêlés à l'histoire de la famille royale des Lusignan de Chypre d'autre part : la parenté existe.

Mais lorsque le temps vécu par Froissart lui-même – le temps de sa vie et de ses voyages, la longue patience de l'enquête et de la rédaction, le temps intérieur du souvenir et de la nostalgie –, lorsque ce temps envahit, recouvre parfois le temps de l'histoire, son irruption dans les *Chroniques* fait voler en éclats le rêve romanesque. La combinaison du temps des événements et du temps « autobiographique », du temps objectif et du temps subjectif, est alors beaucoup plus proche de celle que l'on constate dans la poésie (à telle date précise, à telle heure de tel jour de telle année, j'ai eu telle vision qui, le temps d'un rêve, m'a ramené dix ans en arrière dans ma propre vie ; ou, comme Machaut dans le *Jugement du roi de Navarre* : tel soir d'octobre de telle année, alors que la peste avait telles conséquences sur la démographie et l'économie, alors que les juifs faisaient ceci et les flagellants cela, je me suis endormi et j'ai rêvé que le débat de casuistique amoureuse de mon rêve précédent se poursuivait). Cela nous renvoie à ces chroniques-mémoires que sont les Livres III et IV, à la circulation entre poésie et chroniques ou à l'injection de l'inspiration poétique dans les *Chroniques* que l'on y constate.

Ainsi le témoignage direct de Froissart sur l'actualité (ou son témoignage direct sur des témoignages directs) et la soumission du temps des événements à celui de sa vie dans la conception et l'organisation des *Chroniques* finissent par saper l'emphase romanesque de leurs débuts[23]. Cette emphase romanesque, il paraît alors la réserver à son vrai roman, *Méliador* – à supposer que *Méliador* soit un vrai roman. Car pas plus que les *Chroniques*, *Méliador* n'est enfermé dans le genre auquel il semble appartenir.

23. Cf. Michel Zink, « Froissart de l'apogée mortel au déclin vivant », dans *Les représentations de l'apogée et du déclin à la fin du Moyen Age (XIIIᵉ-XVᵉ siècles)*. Textes réunis par Claude Thomasset et Michel Zink, Paris, Presses de l'Université de Paris-Sorbonne, 1993, p. 129-135.

CHAPITRE V

Le temps d'un voyage

Un moment vient où la référence au passé romanesque perd sa raison d'être. Froissart ne croit plus à l'avènement de la chevalerie, parce qu'il découvre – l'âge et l'expérience venant, à mesure aussi qu'il devient plus exigeant avec l'information qu'il recueille et qu'il la contrôle plus soigneusement – que les comportements politiques et même militaires se conforment rarement à l'idéal chevaleresque. Mais cette prise de conscience coïncide avec une mutation qui modifie la nature même de l'ouvrage. Au moment où les *Chroniques* rattrapent l'événement, où elle n'ont plus pour objet le récit d'un passé, même proche, mais le traitement de l'actualité, leur méthode change, et avec elle la nature de l'ouvrage.

L'ouvrage change de nature parce que le moi de Froissart s'y inscrit de façon nouvelle. Cette mutation s'opère dans le Livre III, celui du voyage en Béarn. J'ajouterai ici aux remarques attendues sur ce livre, qui a déjà été, à juste titre, très étudié, des observations tendant à montrer que cette mutation n'est pas liée aux circonstances du voyage en Béarn, mais qu'elle touche l'entreprise tout entière et l'idée que Froissart s'en fait. Pour cela je tâcherai de mettre en évidence que les innovations du Livre III se prolongent dans le Livre IV et influent comme rétrospectivement sur l'ultime rédaction du Livre I.

L'originalité du Livre III se marque dès le début par l'organisation de la matière et du récit, et ce début mérite qu'on s'y arrête.

Le premier chapitre s'ouvre sur les considérations suivantes[1]. Jus-

---

1. SHF XII, 1-2 ; Buchon II, chap. I, p. 369.

qu'ici je n'ai pas parlé de ce qui se passait dans les « lointaines marches », car « les besognes prochaines » (comprendre : proches du centre des événements constitué par l'Angleterre et la France du Nord, mais aussi proches de Froissart lui-même, dans sa cure d'Estinnes et dans son canonicat de Chimay) étaient « fraîches et nouvelles » et j'y trouvais mon plaisir. Mais beaucoup de faits d'armes s'accomplissaient dans le même temps en Castille, au Portugal et dans le sud de la France (Gascogne, Rouergue, Quercy, Auvergne, Limousin, Toulousain, Bigorre). Pour cette raison, moi, Froissart, auteur etc., à la demande de Guy de Blois etc., comprenant qu'il ne se passerait plus grand chose en Picardie et en Flandre à cause de la paix (le Livre II s'est terminé sur le règlement de l'affaire de Gand en 1385), j'ai décidé de ne pas rester oisif pour autant, car l'histoire que je raconte restera en grande faveur longtemps après ma mort. Profitant de ce que j'étais en possession de tous mes moyens physiques et intellectuels (Froissart use sur ce point de termes extrêmement proches des premiers vers du *Joli Buisson de Jeunesse*), j'ai décidé d'aller moi-même me renseigner sur place sur ces « lointaines besognes », sans envoyer personne d'autre à ma place, et pour cela de me rendre à la cour du comte de Foix.

Cette entrée en matière appelle plusieurs remarques. D'abord, les tout premiers mots réunissent implicitement, mais en présentant leur lien comme une évidence, l'actualité et l'investissement personnel. Le plaisir de l'auteur a été jusqu'ici de s'occuper des « besognes prochaines », « fraîches et nouvelles » : « fraîches et nouvelles » comme des fleurs, comme les chansons, comme l'amour. Tel est le début traditionnel des troubadours et des trouvères : la chanson est fraîche parce qu'elle est inspirée par un sentiment nouveau, un sentiment qui a encore toute sa fraîcheur. Le sens est analogue ici, avec ces besognes « fraîches et nouvelles » qui ont tout leur parfum, toute leur saveur, toute leur capacité d'excitation – et dont il est agréable et amusant de s'occuper. Dès les premiers mots Froissart se met en scène dans la relation qu'il entretient avec son travail, la façon dont il l'organise, le plaisir qu'il en tire, et cela au regard d'une actualité proche dans l'espace aussi bien que dans le temps.

Ensuite, les considérations sur lui-même en tant qu'écrivain, sur son patron, sur la valeur de son œuvre, sur les ressources physiques et intellectuelles qui sont les siennes – bref, sur tout ce qui le définit et le met en valeur comme auteur des *Chroniques* –, ces considérations sont placées comme un pivot entre ce que les *Chroniques* ont été jusque-là et ce qu'elle vont être maintenant. Froissart doit se situer pour marquer le virage de son œuvre.

Enfin, la décision de poursuivre son récit, celle d'en changer l'orientation, celle de continuer son enquête, mais sur un autre champ, celle d'enquêter lui-même (et non par personne interposée) et celle d'entreprendre le voyage en Béarn sont totalement imbriquées et inséparables. La longueur même des phrases, leurs incises et leurs rebonds le disent :

> Et pour ce, je, sire Jehan Froissart, qui me suy ensoignié de dictier et cronisier ceste hystoire à la requeste, contemplation et plaisance de hault prince et renommé monseigneur Guy de Chastillon, conte de Blois, seigneur d'Avenes et de Biaumont, de Schonnehove et de La Geude, mon bon [SHF : membour] et souverain maistre et seigneur, consideray en moy mesmes que pas ne se failloit que grans fais d'armes en long temps advenissent en la marche de Picardie ne du pays de Flandres, puisque paix y avoit, et grandement m'anuioit à estre oiseux, car bien sçay que ou temps advenir, quand je seray mort et pourry, ceste haulte et noble hystoire sera en grant cours, et y prendront tous nobles et vaillans hommes plaisance et augmentation de bien. Et endementieres que j'avoye, Dieu mercy, sens et memoire et bonne souvenance de toutes les choses passées, engin cler et agu pour concepvoir tous les fais dont je pourroie estre informé touchant à ma principal matiere, eage, corps et membres pour souffrir paine, mais sçay que je ne voloie mie sejourner de non poursuivir ma matiere, et pour savoir la verité des lointaines marches, sans ce que je y envoiasse autre personne que moy, pris voie raisonnable et occasion d'aler devers hault prince et redoubté monseigneur Gaston, conte de Foeis et de Berne [2].

Le Livre III s'ouvre ainsi sur l'imbrication entre la vie de Froissart, son travail et les « besognes » de l'actualité. C'est tout autre chose que le prologue du Livre I (ou de l'ensemble I-II, car la continuité entre les deux est totale), avec ses considérations générales sur les guerres de France et d'Angleterre et l'invitation à la prouesse, même si Froissart dès ce moment-là se présentait lui-même, parlait de son intérêt précoce pour les événements, de sa relation à l'œuvre de Jean le Bel, de son arrivée en Angleterre auprès de Philippa, du premier « livre tout compilé » qu'il

---

2. SHF XII, 1-2 ; Buchon II, chap. I, p. 369.

apportait. Cela restait un prologue. Ici, le récit qui commence est celui de son propre voyage.

Immédiatement après cette entrée en matière, nous voici à Orthez. A ce stade, le fameux voyage en Béarn (ou au moins jusqu'en Béarn) est expédié en une phrase :

> Et tant travaillay et chevauchay, enquerant de tous costez nouvelles, que par la grace de Dieu, sans peril et sans dommaige je vins en son chastel à Ortays, ou pays de Berne, le jour Sainte Katherine que on compta pour lors en l'an de grace mil IIIc IIIIxx et VIII [3].

Froissart décrit l'accueil flatteur que lui a réservé le comte, qui lui dit « en bon français » bien le connaître de réputation, qui salue l'importance de son ouvrage, qui lui prédit une gloire durable, confirmant ainsi les compliments que Froissart s'est décerné lui-même quelques lignes plus haut. Froissart souligne au passage qu'il s'est en effet trouvé très bien placé à la cour de Phébus pour être informé des événements de la péninsule Ibérique et du Sud de la France. Et le chapitre s'achève sur l'annonce d'une « bonne et juste narration » faite en « beau langage » d'événements passionnants. « Bonne et juste narration » : ce sont les derniers mots d'un chapitre qui commence par « Je ». L'accent est définitivement mis sur l'auteur lui-même, sur les qualités, sur l'intérêt, sur la gloire méritée, présente et future, de son ouvrage, sur la façon dont il le fait, et finalement sur le déroulement de sa vie pendant qu'il le fait.

Là-dessus, les chapitres suivants reviennent à une narration purement objective des affaires d'Espagne et de Portugal. Puis Froissart relate, au chapitre V, un épisode ancien qui illustre de façon piquante l'habileté et l'élégance du comte de Foix (le prince et la princesse de Galles et la rançon du comte d'Armagnac) : manière de revenir à Gaston Phébus, et partant à lui-même. Mais le chapitre VI commence de nouveau par « Je » ; il semble en continuité narrative avec le précédent, et il le fait basculer :

> Je, sire Jehan Froissart, fay narracion de ces besongnes pour la cause de ce que, quant je fus en la conté de Foeis et de Berne, je passay parmi la terre de Bigorre ; si enquis et demanday de toutes nouvelles passées, desquelles je n'estoie point informé, et me fut dit que, le prince de Galles

3. SHF XII, 2-3 ; Buchon II, chap. I, p. 369.

et d'Acquitaine sejournant à Tarbe, il li prist volenté et plaisance d'aler veoir le chastel de Lourde...[4]

Le Prince Noir confie la ville et le château de Lourdes à Pierre Arnaud de Béarn tandis que le sire d'Anchin « se tourne français » et prend Tarbes. Depuis Lourdes, place anglaise désormais isolée, Pierre Arnaud et les capitaines qui sont avec lui (son frère Jean de Béarn, Pierre d'Anchin de Bigorre, frère du sire d'Anchin) font des razzias en Bigorre, Toulousain, Carcassonnais et Albigeois. En route pour aller à Orthez, Froissart s'arrête à Pamiers pour attendre de la compagnie et ne pas faire le chemin seul (parce que, comprend-on implicitement, les routes ne sont pas sûres à cause de ces razzias de la garnison de Lourdes). Mais du coup, il y a une sorte de raccourci temporel extrême, car la prise de Tarbes par le sire d'Anchin et les événements qui lui sont liés remontent aux alentours de 1370, et que nous sommes maintenant en 1388.

Au bout de trois jours arrive à Pamiers un gentilhomme de Gaston Phébus, Espan de Lion, qui revient d'une ambassade auprès du pape à Avignon. Froissart se met en route avec lui. En chemin, Espan de Lion lui raconte les aventures et les faits d'armes dont les villes et les châteaux par lesquels ils passent ont été témoins (la fameuse originalité du voyage en Béarn). Et le premier récit d'Espan de Lion est celui de la prise d'Ortigas par Pierre d'Anchin.

Ainsi le premier chapitre, entièrement centré sur Froissart lui-même, laisse presque soupçonner en lui l'objet de son propre livre. Mais il le montre en même temps déjà arrivé à Orthez, comme s'il n'allait pas s'embarrasser de relater le détail oiseux de son propre voyage – manière aussi de présenter d'emblée Gaston Phébus et d'en donner une image d'autant plus flatteuse qu'elle avantage du même coup Froissart. Puis les *Chroniques* paraissent reprendre le cours qu'elles ont suivi jusque-là et le récit classique, objectif, des événements. Mais voilà qu'un détour de ce récit – détour qui a l'apparence, mais l'apparence seulement, du naturel – nous ramène à Froissart, et cette fois il est encore sur le chemin d'Orthez, à Pamiers, au seuil des provinces qui vont être le lieu de l'action. En outre, passé et présent sont brouillés : on est en 1388, puis on remonte à des épisodes ibériques de 1382, puis au séjour du Prince Noir en

4. SHF XII, 17 ; Buchon II, chap. VI, p. 376.

Aquitaine de 1367-1369, puis aux razzias de Pierre Arnaud qui durent encore au moment du voyage de Froissart, auquel on est revenu, puis par le truchement des récits d'Espan de Lion, à des épisodes un peu plus anciens. Il faut de l'attention pour comprendre que les épisodes qui concernent le Prince Noir (mort en 1376) sont si anciens : une lecture rapide peut les faire croire à peu près contemporains du voyage de Froissart, qui occupe désormais le devant de la scène.

Désormais en effet, c'est ce voyage, puis le séjour à Orthez qui fournissent le cadre de la chronique. Le récit des événements – ceux de l'histoire et de l'activité politique et militaire – y est enchâssé, inséré dans un récit-cadre qui est celui de la vie de Froissart, de ses déplacements, de ses rencontres, placé dans la bouche de ses informateurs – Espan de Lion, puis le Bascot de Mauléon, les « écuyers anciens » qui révèlent les secrets de la cour de Foix, etc. Le fil conducteur du récit n'est plus l'enchaînement des événements, mais le déroulement de l'enquête menée par Froissart, l'enchaînement des voyages et des rencontres qui en amène le récit dans la bouche de ses informateurs. Telle est du moins l'impression du lecteur : celle d'une succession de récits amenés et enchaînés par les hasards du quotidien, transcrits tels que Froissart les a recueillis, dans leur verve spontanée.

Les choses sont en réalité plus complexes, et l'organisation de l'ensemble remarquablement travaillée.

Le début du livre nous l'a montré : d'entrée de jeu Froissart se met en avant et se projette au terme de son voyage pour que le lecteur mesure d'emblée l'importance à la fois de ce voyage et du personnage de Gaston Phébus. Il lie ensuite sans avoir l'air d'y toucher ce qui fait officiellement l'objet de son enquête (les affaires ibériques) et ce qui constitue à la fois le but, la séduction et le mystère de son voyage : l'énigmatique et fascinante figure de Gaston Phébus, les secrets tragiques de la cour d'Orthez. Nous l'avons vu mettre en scène Phébus à propos des affaires d'Espagne, revenir de là à son voyage, inviter le lecteur à le suivre et à écouter avec lui Espan de Lion, placer dans la bouche de celui-ci un premier récit lointainement lié, via le Prince Noir, à l'épisode illustrant l'habileté de Phébus. Il affecte ainsi de lier son récit par une forte cohérence : celle de la relation comte de Foix – comte d'Armagnac – Prince Noir – garnison de routiers à Lourdes – routes peu sûres à cause de cette garnison – voyage avec Espan de

Lion – récits d'Espan de Lion sur les exploits de la garnison de Lourdes – récits d'Espan de Lion sur la guerre entre le comte d'Armagnac et le comte de Foix. En réalité l'artifice est total et la cohérence du type « Marabout – bout de ficelle – selle de cheval ».

D'autre part, Froissart joue sur deux tableaux : la fraîcheur du récit entendu qu'il prétend restituer dans toutes ses circonstances et dans sa spontanéité ; mais aussi la nature et la méthode de son propre travail, sur lequel il insiste, et qui permet, si l'on peut dire, la conservation artificielle de la fraîcheur. Il souligne ainsi doublement son importance, comme personnage de son propre récit, comme auditeur des récits d'Espan de Lion (un auditeur actif, qui intervient et interroge) et comme auteur du livre. Sur ce dernier point il s'exprime ainsi :

> Des paroles que messire Espaeng de Lyon me comptoit estoie tout rafreschi, car elles me venoient grandement à plaisance et toutes très bien les retenoie, et si tost que aux hostelz, sur le chemin que nous fesismes ensamble, descendu estoie, je les escripsoie, fust de soir ou de matin, pour avoir en tou[t] temps advenir mieulx la memoire, car il n'est si juste retenue que cest d'escripture [5].

C'est la méthode même qui, depuis ce que Benoît de Sainte-Maure dit de Darès dans le prologue du *Roman de Troie* [6], garantit l'authenticité du témoignage. Mais quelques pages plus haut, se plaçant seulement dans son rôle de personnage et d'auditeur, Froissart notait seulement :

> Tous me tournoient à grant plaisance et recreation les comptes que messire Espieng de Lyon me comptoit, et m'en sambloit le chemin trop plus brief [7].

Il laisse ainsi son lecteur s'enchanter avec lui de ces « contes » avant de lui rappeler que c'est à lui qu'il doit de les lire.

Ces contes, les récits d'Espan de Lion, sont amenés et conclus de telle sorte que les circonstances du voyage ne sont jamais oubliées, mais qu'elles sont au contraire mises en valeur par le récit en même temps qu'elles le mettent en valeur. Ce point est celui qui a le plus souvent été remarqué et qu'on illustre toujours par le même exemple, qui est de

---

5. SHF XII, 65 ; Buchon, II, chap. XII, p. 394.
6. Benoît de Sainte-Maure, *Roman de Troie*, éd. Françoise Vielliard, trad. Emmanuelle Baumgartner, Paris, le Livre de Poche, Lettres gothiques, 1998.
7. SHF XII, 56-57 ; Buchon II, chap. X, p. 391.

fait excellent. Espan de Lion et Froissart, venant de Montesquieu-Volvestre, veulent franchir la Garonne à Palaminy. Mais les pluies ont provoqué une crue du Salat, qui a fait gonfler la Garonne, et une arche du pont de Palaminy « qui est tout de bois » a été emportée. Les deux voyageurs retournent coucher à Montesquieu et le lendemain Espan décide d'aller passer la Garonne par le bac de Cazères :

> A l'endemain, le chevalier eut conseil que il passeroit au devant de la ville de Casserez, à batiau, la riviere ; si chevauchasmes celle part et venismes sur le rivaige et feismes tant que nous et nos chevaux fusmes oultre, et vous di que nous traversasmes la riviere de Garonne à grand paine et en grant peril, car le batiau n'estoit pas trop grant où nous passasmes, car il n'y povoit entrer que deux chevaulx au cop et cheulx qui les tenoient et les hommes qui le batiau gouvernoient. Quant nous fusmes oultre, nous arrestasmes à Cassers, et demorasmes là tout le jour. Endementres que on appareilloit le soupper, le chevalier me deist : « Messire Jehan, alons veoir la ville. » – « Sire, di-ge, je le vueil. » Nous passasmes au long de la ville et venismes à une porte qui siet devers Palamyninch, et passasmes oultre et venismes sur les fossez. Le chevalier me monstra ung pan de mur de la ville et me dist : « Veez-vous ce mur illec ? » – « Oil, sire, di-ge, pour quoy le dictes-vous ? » – « Je le di pour tant, dist le chevalier ; vous veez bien que il est plus neuf que les autres. » – « C'est verité, respondi-ge. » – « Or, dist-il, par quelle incidence ce fut, et quelle chose ; y a environ X. ans il en avint. Autrefois vous avez bien oy parler de la guerre le conte d'Armignac et du conte de Foeis... »[8]

Suit le récit de cet épisode qui s'est déroulé à l'époque où le comte d'Armagnac était le prisonnier de Gaston Phébus, et qui est donc en relation avec la première présentation qui nous a été faite du comte de Foix, à propos de la demande de remise de rançon que le comte d'Armagnac lui a fait présenter par la princesse de Galles. Mais le récit lui-même est fortement lié aux circonstances du voyage : le hasard fait que, ne pouvant franchir la Garonne à Palaminy, ils ont dû remonter vers le nord – c'est-à-dire descendre le cours de la Garonne – jusqu'à Cazères ; ils ont le temps de faire une promenade avant le dîner ; Espan de Lion attire l'attention de son compagnon sur une curiosité du lieu (le petit pan de mur neuf) ; le récit, assez bref, occupe juste le temps de la préparation du dîner :

---

8. SHF XII, 27-28 ; Buchon II, chap. VII, p. 380.

A ces mots, retournasmes-nous à l'ostel et trouvames le soupper tout prest, et passames la nuit[9].

Le mouvement du récit en cet endroit a suffisamment frappé pour qu'une miniature représente la scène (Espan de Lion montrant à Froissart le mur de Cazères). Et cette miniature a été très judicieusement choisie par Shears pour orner la page de titre de son livre, comme l'emblème le plus significatif de la manière de Froissart. Mais ce même mouvement se retrouve constamment en cette partie de l'ouvrage. Tantôt c'est Espan de Lion qui attire l'attention de son compagnon sur une ville, un château, un lieu remarquable, et lui conte le souvenir qui y est attaché. Tantôt c'est Froissart qui l'interroge. Les récits épousent le rythme des journées : ils conduisent les voyageurs jusqu'au dîner ; ils sont interrompus, mais sans dommage, par une de ces étapes confortables, gastronomiques et conviviales que le chroniqueur apprécie :

A ces paroles, venismes-nous à la ville de Tournay, où nostre giste s'adonnoit. Si cessa le chevalier à faire son compte, et aussi je ne l'enquis plus avant, car bien savoie où il l'avoit laissié, et que bien y povoie recouvrer, car nous devions [SHF : devons] encore chevauchier ensemble, et fumes ce soir logiez à l'ostel de l'Estoille, et là fusimes nous tous aises.
Quant ce vint sur le soupper, le chastellain de Mauvoisin, qui s'appelloit messire Raymond de Leane, nous vint veoir et soupper avec nous, et fist apporter en sa compaignie quatre flascons plains de blanc vin aussi bon que j'en avoie point beu sur le chemin. Si parlerent ces deux chevaliers largement ensamble, et tout tart messire Raymond parti et retourna arriere en son chastel de Mauvoisin[10].

Mais ces éléments mêmes permettent de créer un suspens et de tisser des fils entre tous ces récits à la trame lâche ou décousue :

– « Sainte Marie, sire, di-ge lors au chevalier, ce Mongat (*le Mongat de Saint-Basile, un des capitaines de la garnison de Lourdes*) estoit-il appert homme d'armes ? » – « Oil voir, dist-il, et par armes mourut-il, et sus une place où nous passerons dedens trois jours, ou pas que on dit au Lare en Bigorre, dessoubz une ville que on dit la Chivitat. » – « Et je le vous ramenteneray, di-ge au chevalier, quant nous serons venus jusques à là. »[11]

9. SHF XII, 31 ; Buchon II, chap. VII, p. 381.
10. SHF XII, 47-48 ; Buchon II, chap. IX, p. 387-388.
11. SHF XII, 26-27 ; Buchon II, chap. VII, p. 380.

71

De fait, trois jours plus tard :

…Et venismes en ung bois en la terre le seigneur de Barbesen, et assez près d'un chastel que on dit Marcheras, à l'entrée du pays au Larre, et tant que le chevalier me dist : « Maistre Jehan, vecy le pais au Larre. » Adont avisai-ge et ragarday le pays. Si me sambla moult estrange et me comptoie pour perdu et en très grant aventure, se ne fust la compaignie du chevalier. Et me revinrent au devant les paroles que il m'avoit dictes deux ou trois jours avoit, du Pas au Larre et du Mongant de Lourde. Si li rementeu et li di : « Monseigneur, vous me desistes devant yer que quant nous venriemes au pays du Larre, vous me conteriés la matiere de Mongant de Lourde et comment il morut. » – « C'est voir, dist le chevalier. Or chevauchez de costés moy, et je vous le compteray » [12]

L'effroi qui saisit Froissart en ce lieu sauvage le met ainsi dans l'atmosphère de l'événement sanglant dont il a été le théâtre et dont le récit conduit les deux voyageurs, tout en chevauchant, jusqu'au lieu de sa conclusion. Une conclusion qui, pour cette fois, n'est pas un bon dîner :

« Et par quoy il en fust ramembrance de la bataille, on fist là où ces deux escuiers s'abatirent et morurent celle croix de pierre, et je la vous monstre. » A ces mots, cheismes-nous droit sur la croix et y desimes pour les ames des morts une *Pater noster* et *De profundis* et *Fidelium* [13].

Ce combat à outrance entre deux écuyers qui finissent par s'entretuer serait finalement banal si le récit n'en avait pas été retardé, s'il n'avait pas été donné comme ne pouvant se faire que sur les lieux du drame, si le temps nécessaire pour le mener jusqu'à la mort des deux hommes ne coïncidait pas, comme par magie, avec celui de la chevauchée jusqu'à la croix solitaire qui invite à la mémoire et à la prière, si une mystérieuse harmonie ne tissait pas ses liens entre ce lieu écarté et sinistre, l'impression pénible qu'il produit sur l'auteur, le sang qui y fut versé et dont il est comme hanté.

Mais le suspens est surtout ménagé autour du but de leur voyage : autour de Gaston Phébus. La garnison de Lourdes et ses exploits sert toujours de fil conducteur apparent, mais ce fil est de plus en plus un leurre. Il permet de faire intervenir le comte de Foix. D'abord de façon favorable : l'aimable accueil qu'il réserve à Froissart, décrit par anticipa-

---

12. SHF XII, 48 ; Buchon II, chap. IX, p. 388.
13. SHF XII, 54 ; Buchon II, chap. IX, p. 390.

tion dès le premier chapitre ; sa puissance, son habileté militaire et diplomatique, sa sagesse, dont Espan de Lion fait l'éloge, anticipant sur la découverte que Froissart fera de ces qualités

> « Et vous di et aussi vous le direz, quant l'acointance et la congnoissance de li aurez, et oy parler vous l'arez, et l'estat et l'ordonnance de son hostel vous verrez, que il est aujourd'uy le plus saige prince qui vive et que nulz hauls sires, telz que le roy de France ou le roy d'Engleterre, courceroit le plus envis. » [14]

Une atmosphère glorieuse et plaisante : les exploits du Bourg d'Espagne (Ernauton d'Espagne) au service de son maître montrent la force du premier et son dévouement au second, mais ce qui le montre plus encore, c'est l'anecdote de l'âne et de son faix de bûches chargé sur les épaules, monté jusqu'à la galerie du premier étage et déversé dans le feu sur la simple observation du comte : « Vecy petit feu selon le froit. » [15]

Mais voilà qu'à mesure qu'on approche d'Orthez les récits deviennent plus inquiétants : dissimulation et violence du comte qui tue de sa propre main à coups de dague son cousin Pierre Arnaud de Béarn, coupable seulement de tenir sa parole envers le roi d'Angleterre et de ne pas vouloir rendre à Phébus le château de Lourdes – toujours Lourdes. L'émotion indignée de Froissart entraîne d'autres révélations sur le caractère violent, vindicatif et rancunier de Gaston Phébus, sauf la dernière, la plus terrible, l'indicible secret du comte de Foix, au seuil de laquelle Espan de Lion s'arrête après avoir imprudemment fourni à ce fouineur de Froissart un indice de trop :

> « Ha ! sainte Marie, di-ge au chevalier, et ne fu-ce pas grant cruaulté ? » –
> « Quoy que ce fust, respondi le chevalier, ainsi en avint. On s'avise bien de lui courroucier, mais en ses courroux n'a nul pardon. Il tint son cousin germain le visconte de Chastelbon, et qui est son hiretier, VIII. mois en la tour à Ortais en prison, et puis le raençonna à quarante mille frans. » –
> « Comment, sire, di-ge au chevalier, n'a dont le conte de Foeis nulz enfans, que je vous oy dire que le visconte de Chastelbon est son hiretier ? » –
> « Certes non, dist-il, de sa femme ; il en a bien deux biaux jones chevaliers bastars que vous verrez, que il aime otant que soy-mesmes, messire Yvain et messire Gracien. » – « Et ne fut-il oncques mariez ? » – « Si fu, respondi-il, et est encores ; mais madame de Foeis ne se tient point avec luy. » – « Et

---

14. SHF XII, 46 ; Buchon II, chap. IX, p. 387.
15. SHF XII, 56 ; Buchon II, chap. X, p. 391.

où se tient-elle ? » di–ge. « Elle se tient en Navarre, respondi–il, car le roy de Navarre est son cousin, et fu fille jadis du roy Loys de Navarre » – « Et le conte de Foeis n'en ot–il onques nulz enfans ? » – « Si eut, dist–il, ung biau filz et qui estoit tout le cuer du pere et du païs, car par luy povoit la terre de Berne, qui est en debat, demorer en paix, car il avoit à femme la suer au conte d'Armignac. » – « Et sire, di–ge, que devint cel enfant, le peut-on savoir ? » – « Oil, dist–il, mais ce ne sera pas maintenant, car la matiere en est trop longue et nous sommes à ville, si comme vous veez. » A ces mots, je laissay le chevalier ester, et assez tost après nous venismes à Tarbe, où nous fumes tous aises à l'ostel à l'Estoille, et y sejournasmes tout ce jour, car c'est une ville trop bien aisié pour sejourner chevaux de bons foins, de bonnes avaines et de belle riviere [16].

Pour être dispensé de ce récit trop lourd, Espan de Lion prétexte un récit trop long, qui ne pourrait se couler dans le temps de la chevauchée. Et le confort insouciant de l'étape contraste avec le mystère menaçant de cette dérobade. Le lendemain, Froissart revient à la charge et l'interroge à nouveau sur la mort du fils de Gaston Phébus. C'est pour se heurter cette fois à un refus net :

« Mais encore de une chose si je la vous osoie requerre, je vous demanderoie volontiers : par quelle incidence le filz au conte de Foeis, qui est à present, morut ? » Lors pensa le chevalier et puis dist : « La matiere en est trop piteuse, si ne vous en vueil pas parler ; quand vous venrez à Ortais, vous trouverez bien, se vous le demandez, qui le vous dira. » [17]

Il trouvera en effet au château un « escuier anciens et homme moult notable » [18] qui lui contera comment le fils est mort de la main du père, et aussi l'histoire du somnambulisme tragique de Pierre de Béarn, le demi-frère du comte. La sombre histoire familiale se révèle, mais elle pesait déjà sur le voyage, par ce qui avait été dit – le meurtre de Pierre Arnaud de Béarn, la mort mystérieuse du jeune Gaston – et par ce qui avait été tu. L'arrivée à Orthez, le portrait élogieux de Gaston Phébus, l'évocation grandiose de sa fastueuse vie nocturne, à la lumière des torches, en sont chargés d'une sourde menace, absente du premier chapitre.

Ainsi le suspens, dans ce début du Livre III, se nourrit à la fois des révélations et des impasses de l'enquête. Pour le lecteur, l'intérêt des

16. SHF XII, 62-63 ; Buchon II, chap. X, p. 393.
17. SHF XII, 75 ; Buchon II, chap. XII, p. 398.
18. SHF XII, 79 ; Buchon II, chap. XIII, p. 400.

événements relatés vient de ce que Froissart prétend les lui révéler dans les conditions mêmes où il en a été informé, avec les détails du quotidien, les incidents et l'atmosphère du voyage, le point de vue, le ton, la complaisance ou la réticence de l'informateur, de façon à ce qu'il soit comme lui stupéfait par telle révélation, intrigué par telle énigme, impatient d'en avoir le mot, mais obligé d'attendre et de ruser. L'ouvrage ne tire plus sa seule séduction et son seul intérêt de l'histoire qu'il relate ; il se lit avant tout comme les mémoires de l'historien. Il ne s'agit plus de charger les « guerres de France et d'Angleterre » d'un sens emprunté au passé romanesque, mais de donner un sens aux événements relatés à travers la perception particulière qu'en a eue l'auteur et la façon dont il en a été informé, à travers, en somme, son expérience autobiographique. C'est ainsi que les sombres mystères familiaux de la cour de Foix qui se révèlent lentement à lui prennent un moment le pas sur les affaires ibériques pour lesquelles il a entrepris son voyage.

Cette évolution a été rendue possible parce que le récit du chroniqueur a fini par rattraper l'actualité et aussi parce que Froissart en vieillissant finit par devenir Froissart de son vivant. D'une part il a conscience d'être désormais un homme important, considéré et accueilli comme tel, et dont les activités ou les déplacements ont en eux-mêmes de l'importance. D'autre part, du moins à l'en croire, sa seule présence suscite le récit et l'information : ses auditeurs savent – ne serait-ce que parce qu'il le leur a dit – qu'ils sont en présence d'un historien. Ainsi Espan de Lion :

> « Velà Mauvoisin et veez-vous point en vostre hystoire, dont vous m'avez parlé, comment le duc d'Ango, du temps qu'il fu en ce pays et que il ala devant Lourde et y mist le siege et le conquist (…) ? » Je pensay ung petit et puis di : « Je croy que je n'en ay riens et que je n'en fu oncques infourmé. Si vous pry, recordez m'en la matiere, et je y entendray volentiers. »[19]

Ou le Bascot de Mauléon, capitaine gascon descendu en grand équipage à l'hôtel de la Lune, à Orthez, où Froissart, qui y loge aussi, réussit à « s'accointer de lui » grâce à des amis communs et lui soutire ses souvenirs le soir au coin du feu :

> « Messire Jehan, avez-vous point en vostre hystoire ce dont je vous parleray ? » Je lui respondi : « Je ne scay ai-ge ou non, di-ge. Faictes vostre

19. SHF XII, 35 ; Buchon II, chap. VII, p. 383.

compte, car je vous oy volentiers parler d'armes, et il ne me puet pas de tout souvenir, et aussi je ne puis pas avoir esté de tout infourmé. » – « C'est voir, » respondit l'escuier (*i.e. le Bascot*). A ces mots, il commença son compte et dist ainsi... »[20]

Et quand il a terminé, que son cousin, le Bourg de Campane, a confirmé ses dires, et que tous ont pris le temps de boire un coup de vin :

« Messire Jehan, que dictes-vous ? Estes-vous bien infourmé de ma vie ? J'ai encores eu assez plus d'aventures que ne vous ay dis, desquelles je ne puis ne ne vueil pas de toutes parler. »[21]

A la demande de Froissart, il se lance pourtant dans une autre histoire, celle de la capture et de la mort du routier Louis Rambaut. A la fin, Froissart lui promet de transcrire son récit dans son livre quand il sera rentré chez lui. Sur quoi le Bourg de Campane veut lui aussi y aller de son histoire, mais la sonnerie les interrompt et les oblige à monter au château pour le souper nocturne du comte :

« Et biau sire, dist Bascos de Maulion, vous ai-ge bien tenu de parole pour passer la nuit, et toutesfois elles sont vrayes ? » – « Par ma foy, respondi-ge, oïl et grant mercis, car à vos comptes oïr ay-je eu part autant bien que les autres et ilz ne sont pas perdus, car se Dieu me doint retourner en mon pays et en ma nacion, de ce que je vous ay oy dire et compter, et de tout ce que j'auray veu et trouvé sur mon voyage, qui appartiengne que je en face memoire en la noble et haulte hystoire, de laquelle le gentil conte Guy de Blois m'a ensonnié et ensonnie, je le croniqueray et escripray, afin que, avecques les autres besongnes dont j'ay parlé en la dicte hystoire et parleray et escripray par la grace de Dieu ensieuvant, il en soit memoire à tousjours. » A ces mots, prist la parolle le Bourc de Campane, qui s'appelloit Ernauton, et commença à parler et eust volentiers, à ce que je me perceu, recordé la vie et l'affaire de luy et du Bourc Engles, son frere, et comment ilz s'estoient portez en armes en Auvergne et ailleurs, mais il n'eust pas le loisir de faire son compte, car le esquaire du chastel sonna pour appeler toutes gens aval la ville d'Ortais, qui estoient tenuz d'aller au souper du conte de Foeis. Lors firent [SHF : furent] ces deux escuiers alumer torches, si nous partesismes tous ensamble de l'ostel et nous meismes au chemin pour aler au chastel, et aussi firent tous chevaliers et escuiers qui estoient logiés en la ville.[22]

20. SHF XII, 96 ; Buchon II, chap. XV, p. 406.
21. SHF XII, 109 ; Buchon II, chap. XVI, p. 411.
22. SHF XII, 115-116 ; Buchon II, chap. XVII, p. 413-414.

Ce sont des cas typiques où l'observateur agit sur le milieu observé, et Froissart a donc parfaitement raison de s'inclure dans la description de ce milieu et de se montrer en train d'encourager ses informateurs par ses questions, par la perspective d'être mentionnés dans son livre, mais aussi bien par sa seule présence dès lors que son activité est connue.

Mais cela n'empêche pas une construction littéraire délibérée. Elle est très visible dans le passage qui vient d'être cité. L'interruption par la sonnerie de la *gaite* est un trait de génie en permettant à elle seule toutes sortes d'effets dans des ordres différents. Elle interrompt le pauvre Ernauton et le frustre de son histoire, comme Froissart le souligne avec un peu de malice : l'effet de prétérition ainsi obtenu donne au lecteur l'impression d'une accumulation de récits sans les lui infliger réellement tous, et confirme en même temps le désir qu'ont tous ces hommes de guerre de voir Froissart se faire l'écho de leurs exploits. Elle permet d'enchaîner avec naturel sur la vie à la cour d'Orthez et sur « l'estat de l'affaire et ordonnance du gentil conte Gaston de Foeis » dont la description occupe le début du chapitre suivant. Une construction littéraire, donc, et qui recèle à ce titre une part de fiction dans la mise en scène des événements, même si ceux-ci, s'agissant de leur contenu proprement historique, sont vérifiés et relatés de façon de plus en plus scrupuleuse. Invoquer le témoignage d'un « vieil écuyer » est une façon de suggérer par le flou insistant d'un anonymat au moins temporaire que la matière est délicate et confidentielle. Quant à Espan de Lion, aucun document ne le mentionne. Nous ne savons de lui que ce qu'en dit Froissart. De là à conclure qu'il l'a inventé de toutes pièces, comme ses vieux écuyers, il n'y a qu'un pas, que George T. Diller serait enclin à franchir. En tout cas, Froissart invente certainement pour une bonne part la mise en scène de son propre personnage et celle de ses rencontres avec ses interlocuteurs et ses informateurs. Il « imagine » – au sens où lui-même emploie ce mot, comme l'a montré Lucien Foulet[23] –, c'est-à-dire qu'il reconstitue la réalité dans sa pensée selon un calcul vraisemblable. Enfin les épisodes les plus surprenants, voire merveilleux, s'intègrent avec naturel dans l'enchaînement des contes.

On a parfois tendance à faire du voyage en Béarn une sorte de

---

23. Lucien Foulet, « Études sur le vocabulaire abstrait de Froissart : Imaginer », dans *Romania* 68, 1944-1945, p. 257-72

parenthèse dans les *Chroniques*. Il est frappant au contraire de voir que Froissart reste ensuite fidèle à la manière originale qu'il a inaugurée en cette partie de son ouvrage, qu'il en reprend plus tard les procédés et qu'il les accentue même et les généralise. C'est bien une œuvre nouvelle qui commence avec le Livre III. La preuve, c'est que le vrai prologue de cette œuvre, c'est le prologue du Livre IV, c'est-à-dire le prologue que Froissart peut écrire une fois qu'il a pris conscience qu'il fait autre chose qu'au début. Rappelons-nous : les premiers mots du Livre III annonçaient seulement un déplacement de l'attention du chroniqueur vers des événements dont il ne s'était jusque-là guère occupé. L'enquête sur ces événements exige un voyage. Mais voilà que le livre qui s'écrit devient avant toute chose le récit de ce voyage et de cette enquête, cadre dans lequel vient s'insérer le récit des événements eux-mêmes, de façon à ce qu'ils tirent leur sens du va-et-vient entre ce qu'a vécu l'auteur et ce qu'il a appris, de la relation entre l'information et la façon dont il l'a recueillie. C'est de cette façon que l'on passe des chroniques aux mémoires. C'est de cette façon que le présent de la vie de Froissart et les souvenirs personnels de ce qu'il a vécu l'emportent sur la mémoire objective des événements ou du moins en commandent la transmission.

Le prologue du Livre IV prend en compte cette mutation et la tient pour définitive. Du coup, il jette un regard rétrospectif sur l'ensemble de l'œuvre et la considère du point de vue de ce en quoi elle s'est transformée : du point de vue des souvenirs de l'historien Froissart. La confrontation du passé et du présent met en jeu le temps vécu et le vieillissement – le récit de l'ultime voyage en Angleterre le montrera assez – mais aussi la patiente élaboration des *Chroniques* qui s'est confondue avec le temps de sa vie. Les deux s'imbriquent et se confondent, si bien qu'après tant d'années passées à écrire l'histoire de guerres interminables, l'opposition n'est plus entre le récit présent et les événements passés, mais entre le récit présent d'événements présents et le récit passé, une opposition qui ne renvoie pas au passé et au présent de l'histoire, mais au passé et au présent de l'auteur. Un détail stylistique le signale dès la première phrase de ce prologue :

> Je Jehan Froissart, (…) me suis de novel resveillié et entré dedens ma forge
> pour ouvrir et forgier en la haulte et noble matière de laquelle du temps

passé je me suis ensonnié, laquelle traite et propose les fais et advenues des guerres de France et d'Angleterre et de tous leurs conjoins et leurs adhers[24].

La phrase est un peu embarrassée, et à la faveur de cet embarras la formule attendue « la haute et noble matière du temps passé dont je me suis occupé » devient « la haute et noble matière dont je me suis occupé au temps passé ». Le seul temps passé qui est ici en cause est son temps passé à lui. Une fois de plus, on entend en écho le « Des aventures me souvient / Du temps passé » qui ouvre le *Joli Buisson de Jeunesse*. Mais dans les *Chroniques*, ce n'est pas le mot « aventures » qu'il emploie. Dans son vocabulaire, le mot désigne des aventures personnelles, celles du héros romanesque ou les « aventures » intimes du « je » poétique. Quant aux « aventures objectives » que sont les événements historiques, il les appelle des « advenues ».

L'entreprise de Froissart, cette entreprise de création pour laquelle, tel Nature, il « entre dans sa forge », est une entreprise neuve, ou au moins renouvelée, commencée « de novel », au réveil, une entreprise dans le présent et qui concerne le présent – la formule « et de tous leurs conjoins et leurs adhers », qui accompagne la mention des « guerres de France et d'Angleterre » dans le prologue du Livre IV, montrant que l'historien est désormais sensible, non plus seulement à la succession des événements, mais aussi à leurs ramifications et à leur interaction dans la synchronie, au jeu des effets et des causes simultanés, dans le présent, préoccupation effectivement nouvelle de la fin des *Chroniques*. Le seul passé désormais en cause est son propre passé, le passé d'une vie et d'une œuvre. Les lignes qui suivent la phrase que j'ai citée sont l'admirable et célèbre rappel de cette vie et de cette œuvre. Est-il absurde d'y voir en quelque façon un pendant du rappel par le souvenir et par le rêve du passé sentimental et de la jeunesse amoureuse qui est l'objet du *Joli Buisson de Jeunesse* – rappel d'un passé qui est là aussi celui d'une œuvre et de son écriture, puisque le poème poursuit dix ans plus tard l'histoire sentimentale de l'*Espinette amoureuse* ? Froissart confie au lecteur, dans ce prologue du Livre IV, ce qu'il n'avait jamais dit de cette façon : qu'il est né au moment où commençait la matière de ses *Chroniques*, impliquant qu'il y a entre elles et lui comme un lien vital ; qu'il les a entreprises tout jeune, à vingt ans ; qu'il a été heureux dans sa jeunesse

---

24. Kervyn XIV, 1-2 ; Buchon III, Livre IV, chap. I, p. 1.

auprès de la reine Philippa ; qu'il a été à sa cour un poète fêté et comblé ; qu'il a voyagé et enquêté à travers « la plus grande partie de la chrétienté » ; que plus il travaille à ses *Chroniques*, plus il y prend plaisir ; qu'il les poursuivra tant que Dieu lui en donnera la force ; que ce travail est sa joie.

Après quoi le Livre IV s'engage, comme l'avait fait le Livre III, sur le récit des voyages de Froissart, de ses rencontres, de son enquête. Le Livre III s'achève sur le mariage à Riom du duc de Berry et de Jeanne de Boulogne. Dans beaucoup de manuscrits la phrase ultime concerne Froissart lui-même et ses déplacements (bien que le meilleur manuscrit, celui de Besançon, ajoute un bref et court chapitre) :

> Et aprez touttes ces festes, je m'en retournay en France avec le seigneur de La Riviere [25].

Le Livre IV, passé le prologue, enchaîne sur ce voyage et sur l'invitation que le seigneur de Coucy adresse à Froissart de venir se reposer trois jours dans son château de Crèvecœur :

> Vous devés savoir que quant je, [acteur de cette histoire], fui yssu de l'ostel le noble Gaston de Fois, et retourné en Auvergne et en France en la compaignie et route du gentil seigneur de la Rivière et de messire Guillemme de la Trimouille, lesquels avoient amené Jehenne de Boulongne, madame la duchesse de Berry, dalés le duc Jehan de Berry son mary qui espousée l'avoit en la ville de Rion-en-Auvergne, sicomme il est contenu icy-dessus en nostre histoire (car à toutes ces choses je fuy, si en puis bien parler) ; et quant je fus venu à Paris, je trouvay le gentil seigneur de Coucy, ung de mes seigneurs et maistres, qui (…) me fist très-bonne chière, et me demanda des nouvelles de Fois et de Berne et du pape Clément d'Avignon et de ce mariage de Berry et de Boulongne, et de ung sien grant ami ung mien seigneur et maistre, le conte Béraut dauffin d'Auvergne. A toutes ses demandes je respondy de ce que je savoie et ce que je avoie veu et tant que il me sceut gré et me dist : « Vous en venrés avec moy en Cambresis en ung chastel que le roy m'a donné, que on appelle Crièvecuer, c'est à deux lieues de Cambray et à noeuf lieues de Valenchiennes. » [26]

En chemin, Enguerrand de Coucy informe Froissart des négociations franco-anglaises en cours. Le chroniqueur utilise donc ses propres

25. SHF XV, 235 ; Buchon II, chap. CXXXVII, p. 760.
26. Kervyn XIV, p. 3 ; Buchon III, Livre IV, chap. I, p. 2.

informations, non seulement pour écrire son ouvrage, mais aussi oralement, pour resserrer ses liens avec de hauts personnages, qui lui fournissent du coup, avec leur protection, d'autres informations. Et, selon la méthode inaugurée au Livre III, la description de ce système, le récit de ces contacts, les circonstances dans lesquelles il recueille des informations tout en chevauchant, occupent le livre lui-même.

Un détail, mais presque systématique désormais : Froissart recueille ses informations en chevauchant aux côtés d'un compagnon. Dans le Livre III, pose-t-il une question à un Espan de Lion en veine de récit, que celui-ci lui répond : « Chevauchez à côté de moi, je vous le raconterai. » Ici, il se montre chevauchant à côté du seigneur de Coucy. A côté, et non derrière, comme l'étroitesse du chemin et les hiérarchies sociales devraient le lui imposer. A côté du grand seigneur : cette position gratifiante pour Froissart, toujours avide d'intégration sociale, permet l'échange des informations.

Froissart poursuit en racontant que de Crèvecœur il a gagné Valenciennes, puis la Hollande où il a rejoint Guy de Blois. Le Livre IV commence par la poursuite de son voyage et continue avec la poursuite de son enquête.

De même, on trouve repris et parfois même amplifiés dans le Livre IV, mais aussi dans l'ultime rédaction du Livre I, les procédés employés pour la première fois dans le Livre III.

Par exemple celui qui est illustré par ses rencontres avec Espan de Lion et le Bascot de Mauléon : Froissart recueille des informations spontanément fournies par des informateurs qui le savent historien et capable de les faire connaître. Mais au Livre IV la démarche que fait l'écuyer anglais Henry Crystead auprès de Froissart est plus spontanée encore :

> [Il] ymagina, sicomme je vey les apparans par ses paroles, que j'estoye ung historien, et aussi il luy avoit esté dit par messire Richart Stury, et parla à moy assés par loisir sur la fourme et manière que orendoit je vous déclaireray.
> « Messire Jehan, dist Henry Cristède, avés-vous point encoires trouvé en ce pays, ne en la court du roy nostre sire, qui vous ait dit, ne parlé du voyage que le roy a fait en celle saison en Yrlande et la manière comment quatre roys d'Yrlande, grans seigneurs assés, sont venus à obéissance au roy d'Angleterre ? » Et je respondy pour mieulx avoir matière de parler : « Nennil. » – « Et je le vous diray, dist l'escuier qui povoit pour lors avoir l'eage de cinquante ans, affin que vous le mettés en mémoire perpétuelle

quant vous serés retourné en vostre pays et vous aurés de ce faire la plaisance et le loisir. » De ceste parole fuis-je tout resjouy, et respondy : « Grant merchis. »[27]

Réjoui, Froissart peut l'être, car lorsque, quelques jours plus tôt, il avait voulu mettre son compagnon de route, le chevalier Guillaume de l'Ile, sur ce chapitre, ils avaient été malencontreusement interrompus[28]. D'où la ruse innocente qui lui fait prétendre ne rien savoir d'un sujet sur lequel il souhaite apprendre davantage. Mais cette ruse n'est qu'une variante plus explicite de l'attitude qu'on lui a vu prendre face au Bascot de Mauléon : quand celui-ci lui demande s'il est informé de tel fait d'armes, il le laisse venir et l'encourage en répondant évasivement qu'il ne sait pas s'il en est ou non informé, car il ne peut pas tout savoir ni tout retenir. Quant à l'interruption du récit de Guillaume de l'Ile, elle intervient elle aussi dans des circonstances familières au lecteur du Livre III : Froissart et lui chevauchent côte à côte. Guillaume lui raconte les merveilles du Purgatoire Saint-Patrice, où il a passé une étrange nuit, et il va entreprendre le récit de l'expédition d'Irlande. Mais voilà qu'ils rejoignent un groupe de chevaliers qui entrent en conversation avec Guillaume de l'Ile : adieu l'expédition d'Irlande[29]. Un récit qui entre ou n'entre pas dans le temps de la chevauchée, un récit arrêté par l'arrivée à l'étape : voilà qui nous rappelle le voyage avec Espan de Lion.

D'une façon générale, ces informations et ces récits recueillis en chemin ou dans un coin du château auprès de Guillaume de l'Ile, Jean de Grailly, Richard Stury, Henry Crystead rappellent très évidemment le voyage en Béarn. En particulier quand ils sont introduits à la faveur des retards successifs qui repoussent le moment où Froissart rejoint Richard II, lui est présenté, lui remet son livre[30], nous renvoyant au suspens entretenu dans l'attente du face-à-face avec Gaston Phébus.

Mais il y a d'autres échos encore dans le passage que je viens de citer. La notation, devant le récit qui s'annonce, « De ceste parole fuis-je tout resjouy », nous l'avons déjà rencontrée dans ces termes mêmes à propos d'Espan de Lion. Pourquoi préciser qu'Henry Crystead « pouvoit

27. Kervyn XV, p. 168 ; Buchon III, chap. XLII, p. 207.
28. Kervyn XV, p. 146 ; Buchon III, Livre IV, chap. XL, p. 199-200.
29. Kervyn XV, p. 146. Buchon III, Livre IV, chap. XL, p. 199.
30. Voir plus haut chap. II, p. 24-26.

pour lors avoir l'eage de cinquante ans », sinon pour en faire un de ces « écuyers anciens » qui informent le chroniqueur ? Quant à l'expression placée dans sa bouche « affin que vous le mettés en mémoire perpétuelle », c'est un emprunt à Froissart lui-même : il l'emploie dans la première phrase du Livre I, dans la toute première phrase des *Chroniques* pour définir son projet, et Gaston Phébus s'en était fait l'écho en l'accueillant au premier chapitre du Livre III. Froissart est identifié par et avec son livre.

Ce livre, il s'est maintenant habitué à le montrer en train de se faire. Il ne se contente plus de souligner, comme il l'avait fait à propos de ses conversations avec Espan de Lion, qu'il les consigne par écrit tous les jours à l'auberge pour ne pas les oublier. Il n'a même plus à dire à son interlocuteur que, rentré chez lui, il rédigera et insérera dans son livre tout ce qu'il a entendu de sa bouche. L'interlocuteur lui-même, sachant que telle est sa méthode, lui demande de le faire. Ainsi Henry Crystead en conclusion de son récit :

> « Ainsi vous ay-je compté la manière comment le roy nostre sire a en partie, ceste année présente, accomply et fourny son voyage en Irlande : si le mettés en mémoire et retenance à la fin que, quant vous serés retourné en vostre nation, que vous le puissiés escripre et croniquer avec vos autres histoires, qui descendent de ceste matière. » Et je respondy : « Henry, vous parlés loyaulment, et ainsi sera-il fait. »[31]

La phrase même que Froissart s'attribue en réponse au Bascot de Mauléon – « quand je serai rentré dans mon pays et dans ma nation » – est ici placée dans la bouche d'Henry Crystead.

Mais voilà que cette rédaction faite plus tard et à loisir, une fois rentré chez lui, dans sa « nation », paraît dédaigner de faire la synthèse des fiches accumulées au cours des voyages[32]. Froissart affecte au contraire de les égrener dans l'ordre où elles ont été collectées. Loin de cacher l'échafaudage préliminaire de son travail, il en fait le ressort ostensible de sa narration. Le seul plan, semble-t-il, c'est le déroulement de son voyage en Béarn ou en Angleterre : les étapes, les retards, les

---

31. Kervyn XV, 181 ; Buchon III, chap. XLII, p. 213.
32. Pour une étude de la méthode de Froissart (écoute, prise de notes, rédaction) et pour une discussion de l'emploi qu'il fait des termes *dictier, historier, croniser, escripre*, voir Peter Ainsworth, *Jean Froissart and the Fabric of History*, p. 145-151 (avec une réponse à George T. Diller, « Froissart : Patrons and Texts », p. 147, n. 21).

longues soirées, les démarches avant d'être reçu par le roi, les rencontres, les informations qu'il tire de ses interlocuteurs et qu'il livre dans l'ordre et en apparence dans les termes mêmes où il les a recueillies, informations souvent morcelées comme l'est une conversation à bâtons rompus, et qui appellent de sa part des efforts et de petites malices pour en apprendre davantage. Le récit de l'histoire est soumis à celui de l'autobiographie qui l'enchâsse en une construction d'autant plus habile et aux effets d'autant plus sûrs qu'elle paraît inexistante. Elle se dissimule en effet derrière l'apparent hasard d'un ordre qui se prétend celui des événements du voyage et de la collecte des informations. Elle donne l'apparence du naturel à cette « rencontre des voix » qu'elle met en scène de façon si savante : voix de Froissart auteur et de Froissart personnage, de ses informateurs et des personnages de leurs récits.

Encore une fois, Froissart n'affecte que sur le tard de soumettre son récit au fil de sa propre enquête. Il fallait que ses *Chroniques*, commencées en amont de sa propre naissance, eussent d'abord rattrapé l'événement et que leur matière leur fût devenue contemporaine. Il fallait sans doute aussi – les exemples qu'on vient de donner le suggèrent – que lui-même fût reconnu comme l'historien de son temps et que sa seule présence suscitât récits et informations. Il lui suffit alors d'être là pour que l'histoire d'elle-même se raconte, et il se trouve ainsi justifié à expliquer d'abord dans quelles circonstances il se trouve là. Il fallait enfin, et surtout, qu'il fût capable de maîtriser une technique littéraire difficile et à bien des égards nouvelle.

Le mouvement de l'autobiographie n'imprime donc sa marque – et par moments seulement – que dans les deux derniers livres. C'est pourquoi ce mouvement ne le confronte pas seulement aux souvenirs de ses interlocuteurs tels qu'ils les lui ont livrés, mais aussi à ses propres souvenirs. Souvenirs, entretenus par les notes prises sur le vif, du moment où il a recueilli l'information, comme le souligne le passage qui vient d'être cité. Mais souvenirs aussi de son propre passé dont la profondeur enrichit celle de l'histoire. On l'a souvent relevé à propos du voyage en Angleterre de 1394, marqué par la nostalgie. Froissart décide d'entreprendre ce voyage d'une part pour revoir un pays où il a vécu dans sa jeunesse des années si heureuses, d'autre part pour y compléter son information. L'exposé de la première raison occupe une page, celui de la seconde une ligne. La comparaison avec le prologue du Livre III et les raisons alors invoquées pour se rendre en Béarn montre comment la manière d'écrire inaugurée précisément dans ce Livre III a rendu Froissart de plus en plus attentif à sa propre vie et à l'écho de ses propres souvenirs :

> Vérité fut et est que je sire Jehan Froissart, pour ce temps trésorier et chanoine de Chymay séant en la conté de Haynnau et de la dyocèse du Liége, euls très-grande affection et ymagination de aller veoir le royaulme d'Angleterre (…). Et plusieurs raisons me esmouvoient à faire ce voyage. La première estoit pour ce que de ma joeunesse je avoie esté nourry en la court et hostel du noble roy Edouard, de bonne mémoire, et de la noble royne Phelippe sa femme, et entre leurs enfans et les barons d'Angleterre qui pour ce temps y vivoient et demouroient ; car toute honneur, largesse et courtoisie je avoie veu et trouvé en euls. Si désiroie à veoir le pays, et me sembloit en mon ymagination que, se veu l'avoie, j'en viveroie plus longuement ; car, par XXVII ans tous accomplis, je m'estoie tenu d'y aler, et, se je n'y trouvoye les seigneurs lesquels à mon département je y avoie laissiés et veus, je y verroye leurs hoirs, et ce me feroit trop grant bien : aussi pour justifier les histoires et les matières dont je avoie tant escript de euls [33].

Ce petit ajout final lui-même, cet ultime scrupule – je voulais y aller aussi pour collecter des informations – désigne, non des informations sur de grands événements, mais des informations sur des gens qu'il a connus et aimés.

On sait sa déception en débarquant à Douvres :

> Et passay la mer à Calais et vins à Douvres le douzième jour du mois de juillet. Quant je fuis venu à Douvres, je ne trouvay homme de ma congnoissance du temps que j'avoie fréquenté en Angleterre, et estoient les hostels tous renouvellés de nouveau poeuple, et les joeunes enffans, fils et filles, devenus hommes et femmes, qui point ne me congnoissoient, ni moy eulx [34].

Autre déception quand il s'aperçoit qu'il ne connaît plus personne dans l'entourage du roi : « Si fuy de premier ainsi que tout esbahy ».

Mais ce présent qui lui fait sentir son âge ne renvoie pas seulement l'historien qu'il est à son vieillissement, mais aussi au processus d'élaboration de ses *Chroniques*.

---

33. Kervyn XV, p. 140-141 ; Buchon III, chap. XL, p. 197.
34. Kervyn XV, p. 142 ; Buchon III, chap. XL, p. 198.

Au moment où il entre à nouveau dans sa forge, Froissart ne néglige pas pour autant les débuts de son œuvre, ce Livre I des *Chroniques* que toute sa vie il n'aura cessé de récrire. Abrégée, épurée, plus lucide, son ultime rédaction, celle du manuscrit de Rome, témoigne elle aussi du dialogue constant entre le présent et le passé de l'œuvre. Elle en témoigne aussi en intégrant, comme je l'ai dit plus haut, les procédés d'écriture inaugurés dans le Livre III. Par exemple ce qu'on pourrait appeler le procédé du rempart de Cazères : chevauchant aux côtés de Froissart, Edouard Despenser, le petit-fils du favori d'Edouard, victime de la vengeance de la reine Isabelle, montre à son compagnon, tel un marquis de Carabas ruiné, les châteaux et les terres qui devraient lui appartenir et dont il a été dépossédé :

> Et pluisseurs fois avint que qant je cevauchoie sus le pais avoecques lui (…), il m'apelloit et me dissoit : « Froissart, veés vous celle grande ville a ce haut clochier ? » – Je respondoie : « Monsigneur, oil. Pourquoi le dittes vous ? » – « Je le di pour ce : elle deuist estre mienne, mais il i ot une male roine en ce pais, qui tout nous tolli. » Et ensi par pluisseurs fois m'en monstra il semees en Engleterre plus de .XL. ; et appelloit la roine Issabiel, mere au roi Edouwart, le « Male Roine », et ausi faisoient si frere[35].

Le passage est propre au manuscrit de Rome. Dans les rédactions antérieures – antérieures au Livre III –, il ne se met pas en scène de cette façon et ne reproduit pas ses conversations avec des interlocuteurs, il ne se montre pas chevauchant à travers l'Angleterre avec Edouard Despenser comme avec Espan de Lion ou avec le Enguerrand de Coucy. Ailleurs, ce qui appartient à la matière et à l'époque du Livre I n'est mentionné qu'au Livre IV, et sous la forme du souvenir. Ainsi la vie auprès de Philippa. Ainsi la naissance et le baptême à Bordeaux du futur Richard II, comme nous le verrons quand nous parlerons de la chute de ce roi malheureux. Dans les premières rédactions du Livre I, Froissart ne fait pas état de sa présence : il signale seulement que le prince de Galles a eu un fils et qu'on l'a baptisé à Bordeaux. Pourtant, certains des manuscrits ont été rédigés, copiés, diffusés, à un moment où Richard II, après la mort du prince de Galles, du Prince Noir, est déjà roi. Mais c'est seulement dans le Livre IV que, rétrospectivement, Froissart rappelle qu'il était présent au baptême de cet enfant et qu'il l'a pour ainsi dire

---

35. Diller, *Le Manuscrit de Rome*, p. 108-109 ; SHF I, variantes, p. 257.

vu naître. Même chose pour les années passées auprès de Philippa : dans le Livre I, il se contente de dire quelle était sa position auprès d'elle, mais le retour attendri sur le passé, le rappel de tout le bien qu'elle lui a fait et de son bonheur auprès d'elle, tout cela n'apparaît que dans le Livre IV, trente ans après la mort de la reine.

L'œuvre tourne ainsi de plus en plus, à mesure qu'elle avance, à la confrontation des strates du passé. Le récit autobiographique, qui colle à l'actualité, est écrasé dans le temps à mesure que se creuse davantage la profondeur du souvenir : le récit du Livre III commence à la fin de 1388, quand Froissart se met en route pour le Béarn, mais pour remonter tout de suite aux années 1370, et même avant. Le Livre IV en est la suite dans la perspective de la vie et des voyages de Froissart et son récit commence en 1389 : toute la matière du Livre III a été appelée par les trois mois du séjour à Orthez. Froissart est amené à se mettre de plus en plus en scène pour mesurer la profondeur du passé à l'aune du souvenir, les siens et ceux des autres, à l'aune de son vieillissement, à l'aune de l'extension de son œuvre dans la durée, de l'amoncellement des pages nouvelles, de la récriture des pages anciennes. C'est au prix de cette mesure du passé qu'il devient capable de fixer dans ses *Chroniques* l'actualité de son temps. C'est au prix de cette mesure du passé qu'il y est présent.

CHAPITRE VI

La fin et la chute[*]

La cassure qui sépare les deux premiers livres des *Chroniques* des deux derniers ne doit pas empêcher de voir qu'il s'agit non seulement d'une œuvre continue, mais encore d'une œuvre composée. Les *Chroniques* de Froissart s'achèvent avec les événements de l'année 1400. S'achèvent ou s'interrompent ? Rien, semble-t-il, qui ressemble à une conclusion. Même pour un lecteur habitué à la fin abrupte ou incertaine de bien des œuvres médiévales, le fil paraît cassé net. La mort ou les infirmités de l'âge ont-elles contraint l'auteur à un abandon soudain ? Certes, tel événement mentionné dans le Livre IV – la mort du duc Aubert de Bavière – est postérieur à cette fameuse année 1400. Faut-il y voir une interpolation ? Pourtant, une lecture attentive de la fin du Livre IV suggère une sorte d'achèvement. A tout le moins, les derniers chapitres sont construits comme une leçon, celle des enchaînements implacables de l'histoire, et sont marqués de l'empreinte définitive du tragique. Les *Chroniques* partent du tragique de la cour pour y revenir au moment de s'achever. On soupçonne qu'elles le font délibérément. Ce n'est pas non plus un hasard si cette cour est celle d'Angleterre, qui a vu naître Froissart écrivain et à laquelle il est revenu sur ses vieux jours offrir un dernier tribut poétique. Une fois de plus l'œuvre et l'image de l'auteur qui s'y dessine prennent sens l'une par l'autre.

* Ce chapitre reprend pour l'essentiel mon article « La fin des *Chroniques* de Froissart et le tragique de la cour », dans *The Court and Cultural Diversity. The International Courtly Literature Society 1995*. Edited by Evelyn Mullally and John Thompson, Cambridge, D. S. Brewer, 1997, p. 79-95. Il est reproduit avec l'aimable autorisation des éditions D.S. Brewer.

Les questions posées par la fin des *Chroniques* de Froissart, la petite énigme qu'elle constitue, peuvent s'éclairer si l'on prête attention à la symétrie entre le début et la fin de l'ouvrage, au type de réflexion qu'elle suppose, au contenu comme à l'écriture des derniers chapitres. Froissart part de Jean le Bel, le copie ou l'imite, se l'approprie, le prolonge, le dépasse, et pour finir profite des fausses répétitions de l'histoire pour clore son ouvrage sur un épisode analogue à celui qui l'a ouvert et qu'il empruntait à son devancier. Cet épisode ne serait donc pas le dernier par hasard – parce que la mort aurait arrêté la main de Froissart ou pour toute autre raison –, mais de façon méditée. Et cette méditation porterait sur la mort des rois et les jeux du destin.

On peut aisément refuser le sens du tragique à ce Froissart heureux de vivre et de fréquenter les puissants. Mais n'a-t-il pas vu, n'a-t-il pas su montrer à sa manière la machine infernale pousser les rois à œuvrer à leur propre perte et à celle de leur lignée ? Le roi de France Jean II le Bon fait arrêter les amis de son propre fils, le dauphin Charles, sous les yeux et à la table de celui-ci, pour les faire exécuter dans l'heure : meurtre du fils à peine déplacé, geste sanglant qui, sans le toucher, l'atteint[1]. Ce meurtre du fils, le comte de Foix Gaston Phébus le commet, en tuant de sa main son unique héritier légitime[2]. Son héritage n'ira pas à son sang, puisque son bâtard Yvain ne pourra s'assurer de la succession qu'il lui destinait[3]. La pomme empoisonnée que Valentine Visconti (selon Froissart et contre toute vraisemblance) destine au dauphin cause la mort de son propre fils[4]. La folie atteint la France et son roi[5]. Celle de Charles VI est aggravée par l'irresponsabilité de sa cour. Sa personne est menacée par la frivolité d'une mascarade indécente, le bal des Ardents, et par la criminelle imprudence de son frère[6]. L'Angleterre voit deux de ses rois humiliés, déposés, assassinés.

1. Froissart présente implicitement l'épisode et les lettres de défi que les parents des victimes (Philippe de Navarre pour Charles le Mauvais emprisonné, Geoffroy d'Harcourt pour son neveu exécuté) adressent à Jean le Bon comme une constellation de signes néfastes annonciateurs du désastre de Poitiers, quelques mois plus tard : Kervyn V, p. 358-360 ; Buchon I, p. 323-325, chap. XX du Livre I.
2. Kervyn XI, p. 89-100 ; Buchon II, Livre III, chap. XIII, p. 400-404.
3. Kervyn XIV, p. 339-350 ; Buchon III, Livre IV, chap. XXIII, p. 119-131.
4. Kervyn XV, p. 260-261 ; Buchon III, Livre IV, chap. L, p. 243.
5. Kervyn XV, p. 21-48 ; Buchon. III, Livre IV, chap. XXIX, p. 153-163.
6. Kervyn XV, p. 84-92 ; Buchon III, Livre IV, chap. XXXII, p. 176-179.

Ailleurs, il est vrai, Froissart paraît ne pas aller au bout de la noirceur. Chez lui, on le sait, Edouard III ne viole pas la comtesse de Salisbury. Certes, George Diller a montré qu'en la circonstance la version défavorable au souverain, celle de Jean le Bel, est peut-être une fable de la propagande française[7]. Mais ailleurs ? Jean le Bel peint avec une férocité allègre le double remariage du vieux roi Philippe VI de Valois et de son fils, le futur Jean le Bon, tous deux veufs : ce sont des mariages consanguins pour lesquels ils finissent par arracher le consentement du pape ; ils se disputent d'abord la même femme, que le père, dont la mort est toute proche, finit par prendre pour lui en usant de son droit régalien, tandis que le fils est accusé à mots couverts d'avoir empoisonné sa défunte épouse et se distingue par son avidité et ses malversations financières[8]. Pas un mot de ces turpitudes dans la version de Froissart[9]. Et pourtant, quel prélude elles lui offraient au conflit qui peu après oppose ce fils devenu roi à son propre fils ! De même, sous sa plume, le drame de la cour de Foix n'est qu'une suite de malentendus et de hasards malheureux : le jeune Gaston ignorait que la poudre que lui avait remise son oncle était du poison destiné à faire périr son père, et le coup de couteau mortel que celui-ci lui porte était accidentel. D'autres chroniqueurs affirment au contraire que le jeune Gaston s'apprêtait au parricide et que son père l'a tué délibérément. Chaque fois Froissart paraît un peu trop porté à admettre et à diffuser la vérité officielle. La vision traditionnelle qu'on a de lui en paraît confortée : celle d'un esprit superficiel, ne recueillant que l'écume des événements, respectueux des valeurs établies, fasciné par les princes, aussi incapable en un mot de saisir le tragique de l'existence que les ressorts de l'histoire.

Que cette vision soit fausse, que Froissart ait évolué au cours de sa vie jusqu'à porter sur les hommes en général et les princes en

---

7. George T. Diller, *Attitudes chevaleresques et réalités politiques chez Froissart. Microlectures du premier livre des « Chroniques »*, Genève, Droz, 1984. V. Le destin du comte et de la comtesse de Salisbury dans les *Chroniques*, p. 77-156.

8. Chap. LXXXIV, éd. Jules Viard et Eugène Déprez, *Chronique de Jean le Bel*, Paris, 1905, t. II, p. 182-187. Voir Michel Zink, « The Time of the Plague and the Order of Writing : Jean le Bel, Froissart, Machaut », dans *Contexts : Style and Values in Medieval Art and Literature*, éd. Daniel Poirion et Nancy Freeman Regalado, Yale French Studies, 1991, p. 270-271.

9. Kervyn V, p. 252 ; Buchon, t. I, p. 283, chap. premier de la deuxième partie du Livre I. Froissart note seulement que la dispense du pape a été nécessaire pour les deux mariages.

particulier un regard plus lucide et plus sévère, bien des indices nous l'ont montré, et d'abord le pessimisme qui marque à la fois l'ultime rédaction du livre I et le livre IV. Mais aucun n'est plus parlant que la symétrie entre les événements qui ouvrent les *Chroniques* et ceux sur lesquels elles s'achèvent.

Après un prologue qui leur est propre, qui varie au demeurant avec les rédactions et sur lequel nous reviendrons, les *Chroniques* ont pour entrée en matière un développement emprunté à Jean le Bel, comme le seront les premiers chapitres. Chacun sait, dit le chanoine de Liège, dont Froissart répète les propos, qu'il y a en Angleterre une alternance de bons et de mauvais rois. Cette observation introduit le récit de la fin misérable d'Edouard II, dont le règne est encadré par ceux de deux grands rois, Edouard Ier, son père, et Edouard III, son fils. Ce récit, scabreux et sanglant, constitue l'épisode initial de la chronique de Jean le Bel comme de celle de Froissart. Dans le premier cas, il y a à cela des raisons assez naturelles. Familier de Jean de Beaumont, frère cadet du comte Guillaume Ier de Hainaut, Jean le Bel l'a accompagné en 1327 dans son expédition contre les Écossais au service de la reine Isabelle et de son fils le jeune roi Edouard III après l'emprisonnement et la mort d'Edouard II. Sa chronique est le récit de ses souvenirs. Placer en prologue à ce récit celui de la fin misérable d'Edouard II est un choix qui s'impose à l'auteur de toutes les façons. Ces événements précèdent immédiatement ceux qui forment la matière de ses souvenirs. L'expédition de Jean de Beaumont trouve une justification immédiate dans les circonstances dramatiques qui ont vu le tout jeune roi accéder au trône et dans les menaces qui pèsent sur sa mère et sur lui. Elle est aussi l'application de la promesse faite deux ans plus tôt par le même Jean de Beaumont à la reine Isabelle de lui venir en aide en cas de besoin, promesse formulée lorsque la reine s'était enfuie d'auprès de son mari et s'était réfugiée sur le continent auprès de son frère, le roi de France Charles IV, puis du comte de Hainaut. Elle est ainsi étroitement liée aux péripéties qui ont marqué la fin du règne d'Edouard II. Enfin, commencer par ce règne et par le mariage du malheureux souverain avec la fille de Philippe le Bel, c'est remonter aux sources du conflit dynastique franco-anglais. Le récit a donc une double justification, au regard de sa suite immédiate et des souvenirs de l'auteur et au regard des débuts de la guerre de Cent Ans, matière des développements ultérieurs de la chronique.

Il en va un peu différemment chez Froissart. Ce récit qu'il recopie presque textuellement sur son prédécesseur ne figure peut-être en tête de son ouvrage que pour cette seule raison. Mais le contexte et les circonstances lui donnent une coloration tout autre. Froissart est sans doute né en 1337. Il est venu pour la première fois en Angleterre en 1361. En commençant sa chronique, à l'imitation de Jean le Bel, en 1325, il remonte plus de dix ans avant sa naissance. L'histoire d'Edouard II ne peut avoir chez lui pour justification de servir d'introduction à ses propres souvenirs. Sa seule fonction est d'éclairer les causes des « guerres de France et d'Angleterre », dont Froissart dit dans son prologue qu'elles sont le sujet de son ouvrage. Jean le Bel, dans le sien, définissait son sujet comme le règne d'Edouard III, perspective plus étroite, plus annalistique, exigeant moins de recul. Froissart laisse entendre qu'il remonte à une sorte de préhistoire de son sujet afin que les événements dont il traitera soient compréhensibles et en reçoivent un sens.

Du coup le poids historique et politique de l'épisode initial en est accru, en même temps qu'il invite à une réflexion sur l'histoire et sur le destin des rois et des peuples. Réflexion dont on trouve l'aboutissement dans la version de Rome, l'ultime rédaction du Livre I, où tout ce début remanié s'écarte du texte de Jean le Bel pour aller dans le sens de la brièveté synthétique et pour mettre l'accent sur les caractères du peuple anglais. Quant à la remarque sur l'alternance d'un bon et d'un mauvais roi en Angleterre, mise en relation avec une vision élargie de l'histoire, elle prend un sens plus fort que chez Jean le Bel. Mais ce sens, cette force et leurs effets sont encore multipliés si l'on saute à l'autre bout des *Chroniques* et que l'on confronte cet épisode initial à celui qui les clôt par hasard ou, comme je le crois, de propos délibéré.

La fin des *Chroniques* de Froissart coïncide presque entièrement avec la fin de Richard II[10], fin qui présente des analogies évidentes et bien

---

10. Il ne s'agit pas ici de revenir sur la question de l'exactitude, des erreurs ou des lacunes du récit de Froissart au regard de la réalité des événements ni même de mentionner l'abondante bibliographie touchant la chute et la mort de Richard II. Signalons seulement que Kervyn fournit en annexe à son édition un dossier abondant réunissant des extraits des chroniques et des documents essentiels (t. XVI, p. 241-410).

connues avec celle d'Edouard II. Si on fait remonter cet épisode ultime, comme le récit lui-même y invite, à l'aggravation du conflit entre le roi et le duc de Gloucester, son oncle, qui aboutit à l'enlèvement et à l'assassinat de ce dernier, il occupe plus du quart du Livre IV, qui traite pourtant d'événements d'une extrême ampleur. Toute la fin de l'ouvrage lui est consacrée, à l'exception de deux excursus relatant les négociations franco-impériales de Reims autour de la soustraction d'obédience, et surtout, un peu plus haut, du long épilogue du désastre de Nicopolis, avec le rachat et le retour des prisonniers. Mais ces développements sont placés de telle façon que, quels que soient en eux-mêmes leur importance et leur intérêt, il paraissent n'être là que pour rendre plus dramatique le récit des affaires d'Angleterre. L'entrelacement est ici tout entier au service du suspens.

Qu'on en juge. Le duc de Gloucester et le roi chevauchent sur le chemin de Londres :

> Là sus ung certain passage estoit en embuche le conte Mareschal moult fort accompaignié. Quant le roy deubt cheoir sus celle embusche, il se départy de son oncle, et chevaucha plus fort que il n'avoit fait par avant, et mist son oncle derrière. Et tout prestement vescy le conte Mareschal, lequel, à tout une quantité d'hommes moult bien montés et en point, sailly au devant du duc de Glocestre et le prist et dist : « Je mets la main à vous de par le roy. » Le duc fut fort espoventé et non sans cause, et percheu bien que il estoit trahy. Si encommença de cryer à haulte voix après le roy. Je ne scay se le roy l'ouy ou non, mais point ne retourna, et chevaucha tousjours moult fort devant luy, et ses gens le sieuvoient.
> Nous nous souffrirons ung petit à parler de ceste matière pour racompter de messire Jaques de Helly et de messire Jehan de Chastelmorant[11].

Et, s'interrompant à ce moment dramatique, avec un sens aigu du feuilleton « à suivre »[12], Froissart passe à l'ambassade française auprès de Bajazet. Trois chapitres et de nombreuses pages plus loin, les captifs, parmi lesquels le futur duc de Bourgogne Jean Sans Peur, enfin rentrés en France, il revient au malheureux duc de Gloucester. Mais cette longue interruption lui est un prétexte pour rappeler alors les relations entre le roi et son oncle et pour résumer les épisodes précédents :

---

11. Kervyn XVI, p. 28-29 ; Buchon III, Livre IV, chap. LVII, p. 293.
12. Le manuscrit suivi par Buchon va au-devant de l'impatience du lecteur en l'assurant que la digression sera brève : « Nous nous souffrirons ung petit à parler de celle manière et assez tôt y retournerons » (Buchon III, Livre IV, chap. LVII, p. 293).

Vous sçavés, sicomme il est icy dessus contenu, en notre histoire où je parle des haynes couvertes lesquelles estoient engendrées de long temps et par plusieurs cas dentre le roy Richart d'Angleterre et son oncle le duc Thomas de Glocestre, lesquelles haynes le roy ne voulut plus porter, ne celer, mais y voulut ouvrer de fait, et mieulx aymait comme il disoit et que conseillé estoit, qu'il destruisist autruy que il fust destruit. Et bien vous ay recordé comment le roy Richart fut ou chastel de Plaissy à trente milles de Londres, et par belles paroles et doubles comme celluy qui vouloit estre au dessus de son oncle, l'amena et mist hors de son chastel de Plaissy et le conduisy jusques assés près de Londres sus ung vert chemin qui tourne droit sur la rivière de la Tamise, et estoit entre dix et onze heures. Et avés ouy comment le conte Mareschal qui là estoit en embusche, l'arresta de par le roy et le tourna devers la rivière de la Tamise. Et avés ouy comment le dit duc cria après le roy pour estre délivré de ce péril, car tous ses esperis sentirent tantost, en cel arrest faisant, que les choses se portoient mal à l'encontre de luy ; mais le roy, par laquelle ordonnance et commandement tout se faisoit, fist le sourd des oreilles et chevaucha tousjours devant luy, et vint celle nuit ens ou chastel de Londres. Le duc de Gloucestre son oncle fut autrement logié, car, voulsist ou non, de fait et de force, on le fist entrer dedens une barge et de celle barge en une nef qui gesoit à l'ancre emmy la rivière de la Tamise [13].

Il faudrait avoir le temps de s'arrêter sur l'extraordinaire talent littéraire de Froissart. Cette façon ramassée de réunir en quelques lignes, à la faveur d'un résumé rendu lui-même nécessaire par une interruption habile, les longues années de haine recuite du roi à l'égard de son oncle et l'instant du guet-apens. Les variantes légères et significatives avec le récit entamé plus haut, qu'il poursuit pourtant avec exactitude. La première fois, il nous a dit que pour aller plus vite, pour éviter les encombrements et la ville de Brentwood, on a pris par un autre chemin, qui n'était pas la grand-route de Londres. Cette fois, il précise que c'était « sus ung vert chemin qui tourne droit sur la rivière de la Tamise » : un chemin peu fréquenté, où l'herbe pousse, et qui longe la Tamise, où attend le bateau qui doit conduire le prisonnier à Calais. La première fois, il feint de se demander si le roi a entendu ou non les appels du duc de Gloucester. Cette fois, il révèle que Richard fait la sourde oreille (« fist le sourd des oreilles »), puisque aussi bien tout était préparé sur son ordre, et il ajoute un trait d'humour noir, sur les conditions différentes dans lesquelles les deux hommes ont été logés cette nuit-là.

13. Kervyn XVI, p. 71-72 ; Buchon III, Livre IV, chap. LXI, p. 308.

Il faudrait tout citer, tout commenter. Tout est admirable. Tout montre, ici et jusqu'à la fin du livre et de l'œuvre, le soin et l'efficacité avec lesquels Froissart rend, sur un ton presque neutre, la haine, la peur, la trahison, la dissimulation, la servilité, la violence, l'humiliation, les retournements de situation, les ricanements du destin, la glu du piège où se prend celui-là même qui l'a tendu. Vraiment, Froissart n'est plus le jeune homme euphorique, ébloui par la cour de la reine Philippa et par le panache chevaleresque. L'écrivain, l'historien, le moraliste ont beaucoup appris sur l'homme, sur l'homme de cour, sur la faiblesse des puissants. L'histoire de la chute de Richard II, il ne la recopie pas sur Jean le Bel, comme celle d'Edouard II, avec la satisfaction simple de voir les méchants punis et avec tout ce qu'il faut de détails croustillants et horribles. Il la raconte de lui-même, et mieux.

Il la raconte mieux, car il a appris à maîtriser de façon moins voyante, mais plus réfléchie et plus profonde les éléments de la dramatisation et les indices du sens. On vient d'en voir un exemple. Il en est d'autres, plus massifs. Par exemple l'usage qu'il fait des monologues et des discours. Ceux-ci sont absents du style de Jean le Bel, qui se contente, à la manière habituelle du temps, de quelques échanges de propos un peu gourmés et un peu redondants au regard des informations que livre la narration. Chez Froissart, mais surtout dans sa dernière manière, ils scandent l'action et l'éclairent, anticipent sur l'événement de façon à laisser le lecteur sous l'oppression d'une menace.

Ainsi, la tragédie de Richard II – non celle de Shakespeare, mais celle de Froissart – s'ouvre sur un long discours du duc de Gloucester à l'adresse d'un chevalier, son confident, discours qui révèle autant le caractère du duc que ses griefs à l'égard du roi. Et d'abord sa haine des Français : son entrée en matière est pour se réjouir du désastre de Nicopolis, qui a fourni la matière des chapitres précédents. Froissart trouve là, pour passer de la croisade aux affaires d'Angleterre, une transition en réalité fort artificielle. Mais à la lecture il n'y paraît point :

> De la perte que les François avoient eu et receu en Turquie, il estoit plus resjouy que courrouchié. Et avoit pour ce temps delés luy ung chevallier qui s'appelloit messire Jehan Laquingay, le plus espécial et souverain de son conseil. Si se devisoit à luy, ainsi que depuis fut bien sceu ; et disoit à la fois : « Ces fumées des François sont et ont esté bien abatues et deschirées en Honguerie et en Turquie. Tous chevalliers et escuiers estrangiers qui se

boutent en leur compaignie, ne scèvent que ils font, mais sont mal conseil-
liés ; car ils sont si plains de pompes et oultre-cuidances que ils ne pèvent
advenir à nulle bonne conclusion ne amener à effect choses nulles que ils
emprendent. Et trop de fois est ce cas advenu et apparu durant les guerres
entre monseigneur mon père, nostre frère le prince de Galles, et euls ; ne
oncques ils ne porent obtenir place, ne journée de bataille contre les nostres.
Je ne sçay pourquoy nous avons trièves à euls… » [14]

Vivacité des propos sous l'apparent décousu desquels s'ordonne une
pensée d'autant plus forte qu'elle est obsessionnelle et dont les arguments vont être développés dans le très long discours dont ma trop
longue citation n'a reproduit que les toutes premières lignes. Reprenons la guerre contre la France. Les trèves signées et respectées par
Richard II sont un scandale, son mariage avec la fille de Charles VI
un désastre, les taxes dont il accable les marchands et les libéralités
déplacées auxquelles il en emploie le produit une injustice et une
erreur, son expédition d'Irlande une niaiserie. « Pour le présent, il n'y
a point de roy en Angleterre, qui vueille, ne qui ayme, ne qui désire
les armes. » [15] Mais les arguments sont à la fois étouffés et poussés
jusqu'à l'exaspération par les propos d'humeur. L'humeur d'un vieillard
irascible. Comme tous les hommes âgés, le duc vit dans le passé
lointain, qu'il embellit, et il néglige le passé proche : les faciles victoires
sur les Français, dont le souvenir le grise, remontent à la grande époque
du règne de son père, aux débuts de la guerre, aux campagnes de son
frère, le Prince Noir. Que les choses aient changé ensuite, que, non
seulement sous Richard II, mais plus encore dans les quinze dernières
années du règne d'Edouard III, les Anglais aient connu des revers
importants qui peuvent justifier une politique de rapprochement avec
la France : tout cela, il l'oublie. Faute de contradicteur, ces objections
sont évidemment absentes du discours, mais la violence des propos
suggère leur partialité. Un ton de tribun habile à éveiller la colère par
le prétexte des humiliations subies. Une éloquence emportée jusqu'à
l'injure, une expression imagée et familière jusqu'à la grossièreté :

Je suis le darrain né de tous les enffans d'Angleterre ; mais, se je povoie
estre ouy et creu, je seroie le premier à renouveller les guerres et à recouvrer
les tors fais lesquels on nous a fais et fait encoires tous les jours, par la

14. Kervyn XVI, p. 1-2 ; Buchon III, Livre IV, chap. LVI, p. 283-284.
15. Kervyn XVI, p. 3 ; Buchon III, Livre IV, chap. LVI, p. 284.

simplesse et lâcheté de nous, et par espécial de nostre chief le roy qui s'est alyé par mariage à son adversaire : ce n'est pas signe qu'il le vueille guerroier. Nennil, non, il a le cul trop pesant, il ne demande que le boire et le mengier, le dormir, le danser et l'espringuier[16].

Et le flot se déverse jusqu'à l'apostrophe finale, sorte de distique ou de ritournelle : « Lacquingay, Lacquingay, tous ce que je vous compte, je vous dy vray. »[17]

En même temps, le danger réel que le duc de Gloucester représente pour Richard II apparaît lorsqu'il prédit, à juste titre, avec jubilation un soulèvement populaire, que de son vivant il s'emploiera au reste activement à provoquer parmi les Londoniens.

Ce discours est le premier — et sans doute, il est vrai, le plus travaillé — d'une série nombreuse et variée. Certains sont l'expression collective de la voix publique qui juge et condamne les décisions et le comportement du roi. Ce chœur rend ainsi sensible et audible la montée des murmures et le danger que la désaffection de l'opinion, s'ajoutant au mécontentement des grands, fait courir au roi. Voilà que, justifiant *post mortem* la prédiction du duc de Gloucester, les chapitres successifs commencent à tous se conclure par les plaintes menaçantes des Londoniens contre celui qu'ils appellent « Richard de Bordeaux », d'après le lieu de sa naissance — manière de signifier qu'il n'est pas né sur le sol même de l'Angleterre, qu'il est à demi français, voire — insinuation qui se précisera plus loin — que sa naissance est suspecte. Ainsi, le développement consacré à l'assemblée de Reims sur la question du schisme s'écarte des affaires d'Angleterre. Mais la fin, par un nouvel effet de transition très habile, y ramène le lecteur en montrant Richard II aligner sa position sur celle du roi de France. On entend alors la voix du clergé : « Ce roy est tous françois. Il ne vise fors à nous déshonnourer et destruire. »[18] Puis celle des Londoniens, informés par les prélats :

« Ce Richart de Bourdeaulx honnira tout, qui le laira convenir. Il est de cuer si françois qu'il ne le puet celler. Il acroit, mais il sera l'un de ces jours payé si estrangement que il ne pourra venir à temps à luy repentir ; et aussi ne feront ceulx qui le conseillent. »[19]

16. Kervyn XVI, p. 3 ; Buchon III, Livre IV, chap. LVI, p. 284.
17. Kervyn XVI, p. 5 ; Buchon III, Livre IV, chap. LVI, p. 285.
18. Kervyn XVI, p. 135 ; Buchon III, Livre IV, chap. LXVII, p. 331.
19. Kervyn. XVI, p. 135-36 ; Buchon III, Livre IV, chap. LXVII, p. 331.

Et Froissart conclut lui-même en confirmant la terrible fin qui attend le souverain :

> Et aussi aucuns accidens soudainement luy vindrent sus le col, si grans et si horribles que les pareils il n'en sont point ouys, ne les semblables tant que l'histoire dure, excepté le noble roy Pierre de Lusegnan, roy de Cyppre et de Jhérusalem, que son frère et les Cyppriens murdrirent villainement[20].

A la fin du chapitre suivant, si l'on se réfère au découpage de l'édition Buchon et du manuscrit qu'elle suit, Froissart réitère l'annonce de ce destin tragique en rappelant les prophéties qu'il a entendues à la naissance de Richard et qui prévoyaient que la couronne passerait à un Lancastre[21]. A la fin du chapitre d'après, Richard II, après avoir organisé un tournoi auquel la plus grande partie de sa noblesse s'est dispensée d'assister, part en expédition en Irlande. Les commentaires des Londoniens concluent le chapitre :

> « Or s'en va Richard de Bourdeaulx le chemin de Bristo et d'Irlande ; c'est à sa destruction. Jamais n'en retournera à joye non plus que ne fist Edouard son tayon, qui se gouverna si follement qu'il le compara, et par trop croire le seigneur Despensier. Aussi Richard de Bourdeaulx a tant creu povre conseil et mauvais que ce ne se peut celler, ne souffrir longuement et que il ne conviègne que il le compère. »[22]

Pour la première fois, le destin de Richard II est comparé à celui d'Edouard II. Ce parallèle qui s'impose avec une telle évidence, Froissart se garde bien de le prendre à son compte. Pour brouiller les pistes, et peut-être pour mettre le lecteur en appétit, il a même affirmé plus haut, on l'a vu, que le destin de Richard II est le plus terrible de toutes ses *Chroniques*, voire de l'histoire de la chrétienté, et proposer comme seul point de comparaison la mort de Pierre Ier de Lusignan, alors que le sort d'Edouard II s'en rapproche beaucoup plus, que sa déposition comme sa mort ont été à la fois plus cruelles et plus ignominieuses, et que son histoire ouvre les *Chroniques*. Au chœur des sujets révoltés devait être réservé de proclamer la ressemblance entre les deux rois indignes.

---

20. Kervyn. XVI, p. 136 ; Buchon III, Livre IV, chap. LXVII, p. 331.
21. Kervyn XVI, p. 142-143 ; Buchon III, Livre IV, fin du chapitre LXVIII, p. 333-334.
22. Kervyn XVI, p. 151-152 ; Buchon III, Livre IV, fin du chapitre LXIX, p. 336.

Enfin, dans le chapitre LXX de Buchon, la voix publique ne cesse de faire entendre ses menaces. Les Londoniens plaignent le sort du comte de Northumberland et de son fils, injustement bannis, et prédisent que le tour des mauvais conseillers du roi viendra un jour : « Si convient que les gentils chevalliers le compèrent trop chièrement, et après le comparront ceulx qui présentement les jugent. »[23]. Puis le désordre et l'insécurité croissants qui règnent dans le pays, les méfaits et les rapines des milices privées, entraînent des récriminations générales. On rappelle le règne glorieux d'Edouard III, sous lequel l'ordre régnait : « De son temps, il n'estoit homme, tant fuist hardy, qui osast prendre en Angleterre une poulle ou ung œuf sans payer. »[24]. On le compare à celui de son successeur, dont on flétrit le goût pour le luxe et les plaisirs, auquel on reproche sa francophilie, qu'on soupçonne de vouloir rendre Calais aux Français. Et pour finir, à la fin de ce chapitre, les Londoniens reprennent à leur compte, en un long discours collectif, les arguments qu'avait développés le duc de Gloucester pour le bénéfice de Lackinghay, augmentés de tous les griefs nouveaux : la mort du duc de Gloucester lui-même, celle du comte d'Arundel, le bannissement d'Henri de Lancastre, du comte de Northumberland et de son fils. La conclusion est qu'il faut rappeler Henri de Lancastre, enfermer Richard dans la tour de Londres et le déposer, le discours – et dans le manuscrit Paris BNF fr. 8329 le chapitre – s'achevant sur la mention de ses « œuvres infâmes »[25]. Alors l'action se déclenche, et l'archevêque de Canterbury part en mission secrète sur le continent pour aller chercher Henri de Lancastre – le comte Derby, comme dit Froissart, Bolingbroke, comme dit Shakespeare.

Tous ces discours, dont l'artifice se dissimule d'autant moins qu'il s'agit souvent de discours collectifs, rendent palpable la montée des périls autour du roi. Ils constituent un exposé passionné et neutre des reproches qui lui sont faits. Passionné, puisqu'ils sont supposés faire entendre la voix même des opposants. Neutre, puisqu'ils évitent à Froissart de prendre parti en son nom propre. Placés avec une habileté réfléchie aux moments importants du récit, et en particulier en fin de chapitres, ils en soulignent les enjeux et le sens, en jouant d'une symétrie répétitive, en même temps qu'ils introduisent un élément de variété. Ils constituent,

---

23. Kervyn XVI, p. 154 ; Buchon III, Livre IV, chap. LXX, p. 338.
24. Kervyn XVI, p. 157 ; Buchon III, Livre IV, chap. LXX, p. 339
25. Kervyn XVI, p. 161 ; Buchon III, Livre IV, fin du chapitre LXX, p. 340.

comme on l'a dit, des éléments de dramatisation. Mais ce sont aussi des éléments du tragique. Les erreurs de Richard II y trouvent en effet un écho, qui certes les dénonce, mais qui en même temps les amplifie et les répercute, les renvoie en direction de leur auteur, contre lequel elles se retournent et qu'elles finiront par abattre. Ils assurent le fonctionnement du piège qui fait du roi la victime de ses efforts pour se sauver.

Au dernier acte, tout se retrouve et tout se paie en une succession de scènes particulièrement oppressantes où se manifestent la lâcheté et la terreur du roi déchu, sa docilité face à un vainqueur qui le traite tantôt avec une mansuétude apparente, tantôt avec brutalité, mais toujours de la façon la plus insultante. Le repas qu'Henri lui conseille de prendre avant de se mettre en route pour Londres, que Richard fait docilement servir, dont il ne peut avaler une bouchée et qu'Henri refuse de partager sous prétexte qu'il a déjà déjeûné. Le lévrier qui abandonne son maître, qui est encore le roi, pour celui qui le sera bientôt[26]. Le discours – encore un, et le plus atroce – qu'Henri de Lancastre tient à Richard de Bordeaux, lui jetant à la tête qu'il est indigne de porter la couronne et mettant en doute la légitimité de sa naissance avec une argumentation soigneusement injurieuse : le bruit court que Richard n'est pas le fils du Prince Noir, mais « d'un clerc ou d'un chanoine français » que la princesse de Galles aurait connu à Bordeaux ; ce bruit, Richard l'a accrédité lui-même par une conduite indigne de ses ancêtres putatifs et qui n'a cessé de trahir sa naissance réelle[27]. Après avoir rappelé ses crimes, Henri conclut qu'il « allongera sa vie, en nom de pitié, tant qu'il pourra » en demandant pour lui la vie sauve aux Londoniens et aux héritiers de ceux qu'il a fait mourir. A tout ce discours outrageant, à cette pitié méprisante, Richard répond seulement, s'adressant à l'homme qu'il a naguère banni et déshérité, et qui est en train de le détrôner – bien plus, à qui il offre sa couronne dans l'espoir de sauver sa vie :

> « Grant merchis, cousin, dist le roy Richart, je me confie plus en vous que en tout le demourant d'Angleterre. »[28]

26. Kervyn XVI, p. 184-188 ; Buchon III, Livre IV, chap. LXXV, p. 349-350.

27. Kervyn XVI, p. 200 ; Buchon III, Livre IV, chap. LXXVII, p. 354-355. Contrairement à ce qu'écrit Peter Ainsworth, le témoignage de Froissart ne dément nullement cette accusation. Il déclare bien, et à plusieurs reprises, qu'il était présent à Bordeaux lors de la naissance de Richard, mais non qu'il a assisté à sa conception (*Jean Froissart and the Fabric of History*, Oxford, 1990, p. 213) !

28. *Ibid.*, p. 355. Kervyn XVI p. 201.

Ce n'était donc pas innocemment que, de discours en discours, les Londoniens appelaient leur roi « Richard de Bordeaux », tandis qu'on répétait à Henri de Lancastre qu'il était « du droit estoc et génération du roy saint Edouard qui fut roy d'Angleterre »[29]. Mais tout cela n'apparaît au grand jour qu'au dernier moment, et dans la bouche du nouveau roi, soucieux de légitimer son usurpation.

Je me suis laissé entraîner par ce récit saisissant au point d'en être plus qu'il ne faudrait l'esclave. Mais j'en viens à son épilogue et à celui des *Chroniques* de Froissart. Car leur rencontre et leur double suspens sont d'une force suffisante pour me ramener à ma démonstration trop longtemps oubliée.

Henri de Lancastre avait déclaré à celui qui était encore le roi Richard II qu'il « allongerait sa vie tant qu'il pourrait ». Le roi Henri IV n'a pas « allongé » bien longtemps la vie de Richard de Bordeaux. L'ultime soulèvement des partisans de ce dernier, les préparatifs militaires des Français irrités par la déposition du gendre francophile de leur roi ne l'y incitaient guère, et ses conseillers le poussaient à faire bon marché de sa promesse. Froissart est sur ce point d'une éloquente discrétion :

> Si fut dit au roy : « Sire, tant que Richart de Bourdeaulx vive, vous ne le pays ne serés à seur estat. » Respondy le roy : « Je croy bien que vous dittes vérité ; mais, tant que à moy, je ne le feray jà morir, car je l'ay pris sus. Se luy tenray son convenant, tant que apparant me sera que fait il me ara trahison. » Si respondirent les chevaliers : « Il vous vauldra mieulx mort que vif ; car tant que les François le sçauront en vie, ils s'efforcheront tousjours de vous guerroier ; et auront espoir de le retourner encoires en son estat, pour la cause de ce que il a la fille du roy de France. »
> Le roi d'Angleterre ne respondy point à ce propos ; et se départy de là et les laissa en la chambre, et il entendy à ses faulconniers ; et mist ung faulcon sur son poing, et ainsi il se oublia à le paistre[30].

Ainsi s'achève l'avant-dernier chapitre des *Chroniques* de Froissart. Le dernier s'ouvre sur ces mots :

> Depuis ne demourèrent gaires de jours que renommée couru parmy Londres que Richart de Bourdeaulx estoit mort. La cause comment ce fut, ne par quelle incidence, point je ne le sçavoie au jour que je escripvy ces

---

29. Kervyn XVI, p. 166 ; Buchon III, Livre IV, chap. LXXI, p. 342.
30. Kervyn XVI, p. 232 ; Buchon III, Livre IV, chap. LXXXI, p. 366-367.

chroniques. Le roy Richart de Bourdeaulx mort, il fut couchié sus une littière sur ung chariot couvert de baudequin tout noir...[31]

Mais le récit des obsèques, qui commence alors, s'interrompt bientôt. Froissart tire du destin de Richard II une leçon à l'usage des princes sur les retournements de fortune et rappelle les circonstances dans lesquelles son propre destin a croisé celui du roi Richard. Il achève ensuite le récit des obsèques, mentionne le renouvellement des trèves entre la France et l'Angleterre, signale la fin misérable du comte Maréchal, l'ancien familier de Richard II, observe les autres bouleversements qui se sont produits – dit-il – à la même époque (déposition de l'empereur Wenceslas et du pape Benoît XIII), et son récit s'arrête court, semble-t-il, sur la soustraction d'obédience des Liégeois à l'anti-pape Boniface.

L'impression que le lecteur retire de tous les éléments réunis dans ce chapitre ultime est que Froissart réunit et noue les divers fils de ses *Chroniques*, mais qu'il en laisse, une fois le nœud fait, les extrémités pendantes, qu'il dote son œuvre d'une conclusion, sans pour autant clore le récit.

La façon dont il traite la fin de Richard II est emblématique de ce mélange du conclu et du suspendu. Suspens de la décision du roi Henri IV, qui refuse d'ordonner l'assassinat de son prédécesseur et même d'y consentir explicitement, mais qui donne clairement à entendre qu'il laissera faire et qu'il fermera les yeux, en les détournant au moment où on le lui conseille et en se laissant ostensiblement absorber par une occupation à la fois passionnante et futile. Suspens du récit qui s'interrompt sur cette image et reprend, au chapitre suivant et quelques jours plus tard, alors que Richard II est déjà mort. Suspens, ostentatoire lui aussi, de l'information et du jugement de l'auteur sur les conditions de cette mort : la rumeur en circule dans Londres, et cette rumeur est véridique, mais Froissart déclare ne rien savoir de plus sur ses circonstances. Ou plus exactement n'en avoir rien su quand il écrivait ses *Chroniques*, comme si maintenant, dans un temps ultérieur, il le savait, mais hors du cadre de son œuvre, *off record*, et avec une contradiction flagrante : que fait-il d'autre qu'écrire ses *Chroniques* à l'instant où il prétend qu'au moment où il écrivait ses *Chroniques* il n'était pas informé des événements ? Silence si criant que dans la marge du manuscrit Paris BNF fr. 8323 un annotateur, peu sensible à ces effets littéraires, le reproche

---

31. Kervyn XVI, p. 233 ; Buchon III, Livre IV, chap. LXXXII, p. 367.

à Froissart et donne longuement sa version des derniers moments du roi déchu, dont il est un partisan (le texte même du manuscrit contient d'ailleurs plusieurs ajouts favorables à Richard II et hostiles à ses adversaires).

Au récit escamoté de la mort de Richard, Froissart substitue celui, détaillé, de ses obsèques. C'est la conclusion la plus radicale qui soit – « on jette un peu de terre sur la tombe et en voilà pour jamais » –, mais c'est une conclusion décevante, au sens ancien comme au sens moderne du mot, une information qui est de toutes les façons un leurre : les funérailles de Richard II sont celles du roi qu'il n'était plus et tous les détails fournis sur elles n'apprennent rien de plus sur sa mort. C'est un nuage de fumée pour gazer mais aussi pour mettre en évidence ce blanc, ce silence sur les conditions de la mort du roi. La gratuité même du récit des funérailles montre que Froissart n'est plus ébloui par les fastes des cours et qu'il sait très bien signifier que leur éclat comme la description qu'il en fait sont les masques de l'indicible. Ce récit même des funérailles, substitué ostensiblement à l'impossible récit de la mort, est interrompu, on l'a dit, par une brève moralisation appuyée sur le témoignage personnel et les souvenirs de Froissart.

Enfin, au-delà de l'épilogue du règne de Richard II, le chapitre et avec lui les *Chroniques* tout entières s'achèvent sur un suspens tel qu'elles paraissent plutôt s'interrompre. Depuis Cologne, le légat de Boniface écrit aux Liégeois pour tenter de les persuader de revenir à son obédience :

> « On lisy les lettres, et fut dit au message : « Ne retourne plus pour tels choses, sur la peyne d'estre noyé ; car autant de messages qui vendront icy pour telle matière, certes nous les jetterons en Mouse. »[32]

On n'en saura jamais plus. Ce sont les derniers mots des immenses *Chroniques* de Froissart : une menace suspendue. Est-il étonnant qu'on les juge généralement inachevées ?

Et pourtant, l'accumulation des interruptions, du suspens, du nondit, forme bien une conclusion, et même une conclusion que tous ces accidents et ces syncopes de la narration ont pour effet de rendre plus frappante. On l'a vu pour ce qui est de la fin de Richard II. Après tout, le récit en est conduit jusqu'à son terme. Bien plus, Froissart tient même

---

32. Kervyn XVI, p. 240 ; Buchon III, Livre IV, chap. LXXXII, p. 371.

.

à informer son lecteur du sort du comte Maréchal, le familier du roi déchu, l'exécuteur des basses œuvres lors de la mort du duc de Gloucester, celui qui avait tendu à Henri de Lancastre un piège qui s'était en partie retourné contre lui :

> Je ne vous ay encoires pas déclairé, ne dit que le conte Mareschal par lequel toutes ces tribulations estoient advenues en Angleterre, devint, après qu'il eut passé mer, mais je le vous diray. Il se tenoit à Venise, et quant telles nouvelles luy vindrent que Henry duc de Lancastre estoit couronné roy d'Angleterre et que le roy Richart de Bourdeaulx estoit mort, il prist ces choses en si grant desplaisance qu'il s'en accoucha au lit, dont il entra en une maladie et en hideur, et puis en frénaisie, tellement que oncques puis n'en leva, ainchois en moru tantos après [33].

On dirait l'épilogue des *Vacances* de la comtesse de Ségur. Pourquoi la fin lamentable du comte Maréchal est-elle importante ? Parce que le chapitre précédent a relaté celle des derniers partisans de Richard II et que seul celui-ci, exilé, manquait à l'appel. Le récit est traité comme une conclusion au point de vouloir mener jusqu'à son terme le destin de chacun de ses acteurs. Peut-être aussi, dans le parallèle à peine suggéré mais toujours présent entre Edouard II et Richard II, le comte Maréchal joue-t-il le rôle d'Hugues le Dépensier (Hugh Despenser), le mauvais conseiller, l'âme damnée, et qu'il fallait montrer le châtiment de l'un comme de l'autre.

Car la symétrie entre le début et la fin des *Chroniques* est, encore une fois, évidente. Symétrie entre le destin des deux misérables rois, tous deux victimes de leur brutalité et de leur faiblesse, tous deux déposés et assassinés dans leur prison, et de surcroît tous deux mariés à une fille du roi de France nommée Isabelle – bien que ces deux reines ne se ressemblent guère. Symétrie jusque dans le détail qui veut que la révolte contre Richard II éclate alors qu'il est à Bristol, où Edouard II avait été arrêté. Symétrie des deux récits, renforcée sur le tard, comme si celui de la fin de Richard II influait rétrospectivement sur celui de la fin d'Edouard II. Dans les premières rédactions du Livre I, en effet, Froissart, comme le faisait Jean le Bel, ne dit rien de la mort du roi. Pourtant, dans la version de Rome, contemporaine du Livre IV, il en fait mention, mais une mention discrète :

33. Kervyn XVI, p. 238 ; Buchon III, Livre IV, chap. LXXXII, p. 370.

Si demandai de che roi, pour justefiier mon histore, que il estoit devenus. Uns anciiens esquiers me dist que dedens le propre anee que il fu la amenés, il fu mors, car on li acourça sa vie[34].

Froissart endosse une fois de plus le rôle de l'enquêteur soucieux d'étayer ce qu'il avance, de *justifier son histoire*, en s'informant auprès d'un *ancien écuyer* – la source anonyme et commode qu'il invoque chaque fois qu'il s'agit de secrets d'État dangereux –, mais en même temps il se réfugie dans le vague et ne dit rien de l'atroce vérité. Il ne procède pas autrement, on l'a vu plus haut, pour signaler la mort de Richard II. Il affirme ne rien savoir de ses circonstances et transforme cette ignorance en mérite en prenant la pose de l'historien scrupuleux qui ne livre que des informations sûres. Les années passant et le métier venant, le vieux chroniqueur a appris les pouvoirs de l'euphémisme, et aussi, depuis le Livre III, le parti qu'il peut tirer de son propre personnage, mis en scène au bon moment. Ces procédés, qu'il met en œuvre dans l'épisode ultime, il y a alors aussi recours pour récrire l'épisode initial, précisément là où les deux épisodes se rejoignent et se reflètent.

Cette récriture ponctuelle, à l'échelle des microlectures de Froissart chères à George Diller, suggère que la chute de Richard II, si évidemment parallèle à celle d'Edouard II au début des *Chroniques*, a pu lui paraître digne d'en marquer la fin. Une fin capable de rehausser le début et de le charger de sens. L'entrée en matière reprise de Jean le Bel sur l'alternance en Angleterre d'un bon et d'un mauvais roi, qui visait primitivement la succession Edouard Ier – Edouard II – Edouard III, englobe désormais Richard II, successeur d'Edouard III, et trouve un écho dans le terrible discours d'Henri de Lancastre, qui voit dans l'indignité morale du roi la marque de sa bâtardise, ou au moins – mais aussi bien : plus encore – une bâtardise morale. Aux observations initiales sur les traditions de la monarchie anglaise depuis le roi Arthur répond à la fin le rappel insistant des prophéties de Merlin qui annonçaient le destin de Richard II. Au prologue, propre à Froissart, qui dans la plupart des rédactions a pour noyau une réflexion sur la prouesse, répond en conclusion la fin d'un roi lâche. L'œuvre à laquelle son prologue a fixé pour objet le récit des « guerres de France et d'Angleterre » commence par

---

34. Froissart, *Chroniques*. Dernière rédaction du premier livre. Édition du manuscrit de Rome Reg. lat. 869 par George T. Diller, Genève, Droz, 1972, chap. XIII, l. 111-114, p. 90.

l'histoire tragique d'un roi d'Angleterre qui, marié à la fille du roi de France, fournit à son fils un prétexte pour revendiquer le trône de ce pays. Elle se termine par l'histoire tragique d'un roi d'Angleterre, marié à la fille du roi de France, dont la destitution et la mort vont réveiller, on le pressent, ces guerres franco-anglaises. Enfin, le prologue nostalgique du Livre IV et l'hommage rendu, si longtemps après sa mort, à la reine Philippa ne donnent-ils pas la tonalité d'un livre largement consacré aux malheurs de la couronne d'Angleterre ?

Au fil de ses *Chroniques*, et à mesure qu'elles tendent à devenir le récit de son enquête, Froissart, disions-nous, a appris à se mettre en scène dans les moments cruciaux. L'épisode ultime lui en fournit l'occasion, et de toutes les façons. Relatant son voyage en Angleterre de 1395, au cours duquel il avait été reçu par Richard II, il n'avait pas manqué de souligner qu'il était à Bordeaux lors de la naissance du roi et qu'il était présent à son baptême[35]. Dans le dernier chapitre, il interrompt le récit de ses funérailles pour y revenir longuement et avec la plus grande solennité. Il ne s'agit plus cette fois de s'attendrir sur ses souvenirs de jeunesse, mais de méditer sur les coups de la fortune :

> Or considérés, seigneurs, roys, ducs, contes, prélats, et toutes gens de lignage et de puissance, comment les fortunes de cestuy monde sont merveilleuses et tournent diversement[36].

Froissart, se présentant de la façon la plus formelle (« moi, Jean Froissart, chanoine et trésorier de Chimay »), rappelle alors qu'il a été l'hôte de Richard II, dont il a reçu un cadeau généreux, et que, présent à Bordeaux quand il est né, il a entendu prédire qu'il serait roi ; mais aussi que la première année où il était en Angleterre, c'est-à-dire en 1361, un chevalier avait en sa présence fait état des prophéties de Merlin contenues dans le *Brut* pour prédire qu'aucun des fils d'Edouard III ne régnerait, mais que la couronne reviendrait à la maison de Lancastre. Cette dernière prophétie, il en a déjà fait état plus haut, alors qu'Henri de Lancastre est réfugié à la cour de France. Il l'introduit alors de façon analogue par un témoignage solennel (« je, Jean Froissart, auteur et chroniseur de ces chroniques, en mon jeune âge, ouïs une fois parler... ») et par des considérations sur la fortune,

---

35. Kervyn XV, p. 142 ; Buchon III, Livre IV, chap. XL, p. 198.
36. Kervyn XVI, p. 233 ; Buchon III, Livre IV, chap. LXXXII, p. 368.

particulièrement fortes, car elles montrent que Richard II a causé sa propre perte et qu'on ne peut rien contre le destin :

> « Les fortunes de ce monde sont bien merveilleuses, et la fortune fut bien terrible et merveilleuse en celle saison pour le roy d'Angleterre, et si très-dure que merveilles est à penser, et le acquist et acheta ; car bien y euist pourveu s'il voulsist, et estoit trop fort de eslongier ce qui devoit estre. » [37]

Formule frappante : le roi aurait pu se sauver s'il l'avait voulu, mais il ne pouvait le vouloir, car il ne pouvait échapper à ce qui devait être. N'est-ce pas là l'essence du tragique ?

Cependant, si Froissart se met en scène pour donner du poids à ces réflexions comme à ces prophéties, il le fait aussi pour montrer que son propre destin a croisé à plusieurs reprises celui du roi, et cela au moment où vont s'achever ces chroniques qui au fil de leur rédaction ont de plus en plus tendu à devenir ses mémoires. Il ne cesse de rôder dans les dernières pages. Il juge ainsi utile de préciser que l'archevêque de Canterbury, lors de sa mission secrète auprès d'Henri de Lancastre exilé, est passé par Valenciennes, sa ville natale :

> Et descendy à l'hostel au Cygne sur le marchié, et là s'arresta et y fut par trois jours, et s'i rafreschy. Et ne chevauchoit point comme archevesque de Cantorbie, mais comme ung moisne pélerin, et ne descouvroit à nul homme du monde son estat, ne ce que il avoit empensé à faire. Si se départy de Valenchiennes au quatriesme jour... [38].

L'incognito et le déguisement du prélat sont signalés à l'occasion de cette étape à Valenciennes, pendant cette étape. Qu'en conclure, sinon que lors de cette étape également son incognito a été percé et son identité découverte par un compatriote de Froissart ? Comment le chroniqueur serait-il sinon informé de détails sans importance pour la mission de l'archevêque, comme le nom de l'hôtel où il est descendu ? Et mentionnerait-il ce nom sans le plaisir particulier que l'on éprouve à retrouver des lieux familiers dans un contexte inattendu [39] ? Il est vrai qu'il aime

---

37. Kervyn XVI, p. 142 ; Buchon III, Livre IV, chap. LXVIII, p. 333.
38. Kervyn XVI, p. 162-163 ; Buchon III, Livre IV, chap. LXXI, p. 341.
39. Ce n'est cependant pas la seule fois où Froissart donne ce genre de détail. Ainsi, dans son récit du règlement de l'affaire de Gand en 1385, il précise que Jean Boursier, l'émissaire du roi d'Angleterre, et ses hommes « s'en vinrent en l'ostel que on dit La Valle » ; Buchon II, Livre II, chap. CCXL, p. 343, et plus loin que les ambassadeurs gantois arrivèrent « à Tournai à cinquante chevaux et se logierent tout ensemble à l'ostel au Saumon, en la rue

à citer les noms des hôtels où il descendait lui-même, comme le Livre III le montre bien : l'hôtel de l'Étoile à Tarbes, l'hôtel de la Lune à Orthez.

Mais voici autre chose : on se souvient du savant suspens ménagé lors de l'arrestation du duc de Gloucester par l'introduction à cet endroit de chapitres consacrés à l'épilogue de Nicopolis. Juste avant de « retourner aux besoingnes d'Angleterre », et sans rapport avec son sujet, Froissart signale la mort de Guy de Blois, son protecteur et son mécène, en rappelant ce qu'il lui doit et ce que lui doivent ses *Chroniques*[40]. Avec la mort du grand seigneur ruiné, dont l'héritage sera dispersé, quelque chose s'achève pour l'homme et l'écrivain Froissart, même si Guy de Blois n'était plus guère en mesure de l'aider. Et il mentionne cette mort juste avant de se plonger dans le récit de la chute de Richard II et de terminer sur lui son œuvre. La mort de Guy de Blois est comme un signe anticipé de la fin de l'œuvre.

Tous ces indices suggèrent que la mort de Richard II est une sorte de conclusion et que Froissart considérait son œuvre comme achevée. Mais ces indices, il faut le reconnaître, sont ténus et doivent beaucoup à l'interprétation. Ils se heurtent en outre à l'objection que le dernier chapitre repart sur d'autres événements et se termine abruptement. Toutefois, les événements brièvement mentionnés *in extremis*, en des termes qui ne permettent pas de supposer qu'ils devaient recevoir plus loin le développement qu'ils mériteraient, ne sont pas, dans la perspective d'une moralisation, sans rapport avec le drame qui a secoué l'Angleterre. C'est en tout cas ainsi qu'ils sont présentés :

> Comme vous povés entendre, advindrent ces meschiefs et ces tribulations sus les plus grans seigneurs d'Angleterre en l'an de grâce mil CCCC ung mains.
> Aussi fut le pape Bénédict, qui se tenoit en Avignon et que les Franchois avoient de grant voulenté mis sus et soustenu une grant espace, en ce temps déposé.
> Pareillement fut le roy d'Allemaigne déposé pour ses meffais et démérites[41].

Saint Brisse » (SHF XI, p. 298 ; Buchon II, p. 345, chap. CCXLI). Comme dans le cas qui nous occupe, il s'agit sans doute pour lui de montrer qu'il est bien informé. Quant à l'hôtel de la Lune ou à celui de l'Étoile, la mention qui en est faite relève de la complaisance aux souvenirs personnels qui marque le récit du voyage en Béarn et à partir de là toute la fin des *Chroniques*. Les deux raisons ont pu se combiner pour le pousser à faire état de l'hôtel du Cygne à Valenciennes.

40. Kervyn XVI, p. 70-71 ; Buchon III, Livre IV, chap. LIX, p. 307-308.
41. Kervyn XVI, p. 238-239 ; Buchon III, Livre IV, chap. LXXXII, p. 370.

On a observé depuis toujours que Benoît XIII n'a été chassé d'Avignon par Boucicaut qu'en 1403 et n'a été définitivement déposé qu'en 1408. On en a déduit que Froissart vivait encore à ce moment-là, bien que son récit s'arrête en 1400. On peut surtout en conclure qu'il force la chronologie de façon à rendre concomitantes les dépositions du roi d'Angleterre, de l'empereur et du pape, et à finir ainsi sur leur triple chute qui justifie son avertissement à l'adresse des princes et ses réflexions sur l'instabilité de la fortune.

Quant à la toute dernière scène et aux tous derniers mots – la réponse des Liégeois au légat du pape Boniface –, il est permis de leur trouver une double résonance. D'une part, le dernier mot de toutes ces *Chroniques*, où Froissart est si présent, est le nom de la rivière qui coule à quelques lieues de chez lui. Parti de Valenciennes sur l'Escaut, après avoir couru le monde et écrit tant de pages, il se retrouve à Chimay et met le point final sur la Meuse. D'autre part, achever, comme on l'a dit, sur le suspens d'une menace, et donc sur la perspective d'événements ultérieurs, c'est signifier que la fin des *Chroniques* n'est pas la fin de l'histoire. Car le destin symétrique d'Edouard II et de Richard II ne doit pas faire croire que la boucle est bouclée. Rien ne s'achève, rien ne recommence, tout se poursuit. Seule l'œuvre se termine. Elle construit donc les indices de sa clôture, mais elle ne veut pas laisser ignorer leur artifice. Elle dément ainsi le nœud tragique qu'elle feint d'avoir noué, mais pour susciter l'oppression d'un autre tragique : celui du « bruit et de la fureur » d'une histoire sans fin.

Froissart, cet homme aisément réputé superficiel, finit ainsi par manifester un sens profond de la dramatisation et de l'éloquence de l'histoire. Un sens du suspens et de l'euphémisme terrifiants. Un sens des situations shakespeariennes. Non pas la simplicité du nœud tragique racinien, mais le foisonnement de l'histoire, indéfiniment poursuivie de roi en roi et de succession en succession – *de rei en rei e d'eir en eir* –, comme le disait ce *Roman de Brut* dont il invoque deux fois le témoignage [42], et aussi le foisonnement trompeur du destin, qui laisse croire que les chemins et les issues sont multiples, alors qu'il n'est qu'étouffement et resserrement vers l'inévitable.

---

42. Wace, *Roman de Brut*, v. 2.

CHAPITRE VII

Roman ancien ou poème moderne*

Pourquoi Froissart a-t-il écrit *Méliador* ? Pourquoi composer un roman arthurien en vers alors qu'il ne s'en était plus fait depuis un siècle ? La question est éculée. Pourtant, plus notre connaissance de Froissart s'affine, moins la réponse traditionnelle, et apparemment convaincante, qu'on est tenté de lui donner paraît suffisante. Cette réponse se fonde plus ou moins explicitement, et quelque formulation qu'elle reçoive, sur une analyse du caractère, des opinions, des goûts, des fréquentations de Froissart : un esprit conservateur, porté à la nostalgie, admirateur un peu béat des fastes, des gloires et des valeurs chevaleresques ; un homme de lettres formé à la cour d'Angleterre, milieu qui avait cessé dans le courant du XIIIᵉ siècle de lancer ou même de suivre les modes littéraires et qui, devenu lui-même conservateur dans ce domaine, était précisément resté fidèle plus longtemps que le continent à la tradition du roman arthurien en vers, comme l'a montré Beate Schmolke-Hasselmann [1]. On a vu ici même que les *Chroniques* de Froissart s'inspirent du modèle romanesque et empruntent au roman son mode de production du sens, sa réflexion sur les valeurs chevaleresques et la prouesse [2]. Les *Chroniques* sont en prose et leur modèle

---

* Ce chapitre est pour l'essentiel la version française de mon article « *Meliador* and the Inception of a New Poetic Sentibility », à paraître dans *Froissart Across the Genres*, ed. Donald Maddox et Sara Stern-Maddox, University Press of Florida. Ce texte est repris avec l'aimable autorisation des Presses de l'Université de Floride.

1. *Der arthurische Versroman von Chrestien bis Froissart. Zur Geschichte einer Gattung*, Tübingen, Max Niemeyer, 1980 (Beihefte zur Zeitschrift für Romanische Philologie 177).

2. Voir plus haut chap. IV. Cf. « Les chroniques médiévales et le modèle romanesque », dans *Mesure* 1, 1989, p. 33-45.

immédiat dans l'ordre romanesque est le roman en prose. Il y aurait aux yeux de Froissart une sorte de translation du sens du roman en vers au roman en prose et du roman en prose à l'histoire, au terme de laquelle le roman en vers ne serait plus qu'une coquille vide de sens. D'où une certaine *insignifiance* de *Méliador* au regard des *Chroniques*. Mais pourquoi ramasser cette coquille ? Pourquoi Froissart aurait-il voulu ranimer une tradition que lui-même aurait contribué à vider de sa substance ?

Ce n'est pas la seule objection possible à l'hypothèse qui veut que *Méliador* soit l'expression d'un conservatisme nostalgique. Le roman a été écrit dans les années 1380, et peut-être remanié plus tard encore si, comme je l'ai suggéré il y a longtemps, le somnambulisme de Camel de Camois s'inspire de celui de Pierre de Béarn et n'apparaissait pas dans la version lue devant Gaston Phébus en 1388 [3]. A cette époque Froissart n'est plus le jeune homme fraîchement débarqué en Angleterre de son Hainaut natal, fasciné par la cour de sa compatriote la reine Philippa et par les récits avantageux que lui font les combattants des guerres franco-anglaises. Il ne croit plus vraiment que ces guerres marquent l'avènement de la chevalerie et sont l'occasion de vivre le rêve romanesque. Il perce à jour avec une lucidité croissante les calculs que dissimule la pose chevaleresque. Ses *Chroniques* prennent un tour de plus en plus analytique, critique, voire désabusé. Œuvre de jeunesse, *Méliador* serait en harmonie avec ce que l'on peut deviner des dispositions de Froissart dans ces années-là. Œuvre de la maturité déclinante ou du début de la vieillesse, le roman détonne davantage.

Ou plutôt il détonnerait sans les travaux qui désormais l'éclairent. Les articles déjà anciens d'Armel Diverres ont bien montré ce que la géographie de *Méliador* doit aux souvenirs personnels de Froissart, et que son univers est une élaboration imaginaire fondée sur eux plutôt qu'une transposition d'événements politiques contemporains (qui n'est cependant pas absente) ou une résurrection du monde arthurien traditionnel [4].

---

3. « Froissart et la nuit du chasseur », dans *Poétique*, 41, 1980, p. 60-77, repris dans *Les voix de la conscience. Parole du poète et parole de Dieu dans la littérature médiévale*, Caen, Paradigme, 1992, p. 117-134.

4. « Jean Froissart's Journey to Scotland », dans *Forum for Modern Language Studies* 1, 1965, p. 54-63. « The Geography of Froissart's *Meliador* », dans *Medieval Miscellany Presented to Eugène Vinaver*, New York, 1965, p. 97-112 ; « Froissart's *Meliador* and Edward III's Policy toward Scotland », dans *Mélanges Rita Lejeune*, Gembloux, 1969, t. II, p. 1399-1409 ; « The Irish Adventure in Froissart's Meliador », dans Mélanges Jean Frappier, Genève, 1970, t. I, p. 235-251. Voir aussi Emmanuèle Baumgartner, « Écosse et Écossais. L'entrelacs de la fiction et de l'histoire dans les *Chroniques* et le *Méliador* de Froissart », dans *L'image de l'autre européen*,

Observation qui s'accorde avec l'état d'esprit du Froissart vieillissant de la décennie 1385-1395, avec le prologue du livre IV des *Chroniques*, avec l'ultime voyage en Angleterre. D'autre part, Peter Dembowski, dans la première monographie consacrée à *Méliador*, a mis en évidence le rôle de la croisade, et singulièrement de la croisade de Prusse, comme justification de la chevalerie[5]. Cela aussi correspond à l'élargissement de la vision politique et stratégique de Froissart à la fin de sa carrière. Mais tout cela n'explique pas pourquoi *Méliador* est un roman arthurien en vers.

On ne peut nier que *Méliador* soit en vers. Mais est-ce un roman arthurien ? Rien n'est moins sûr. A tout le moins, l'œuvre est de telle nature qu'il n'y a pas lieu d'y voir une résurrection anachronique du roman arthurien en vers.

Commençons par le commencement : le prologue. Ou plutôt le double prologue. D'une part, Peter Dembowski a observé que les quarante-trois premiers vers du roman constituent un prologue au sens habituel du terme, qui n'avait pas été identifié comme tel parce que les grandes initiales du manuscrit ne l'isolent pas et parce que l'analyse longue et touffue que Longnon donne du roman n'en fait pas état. D'autre part, les deux mille quatre cent et quelques premiers vers peuvent être considérés comme une manière de vaste prologue, au sens où l'aventure de Calogrenant sert de prologue à celles d'Yvain, qui sont le vrai sujet du *Chevalier au Lion*. L'amour importun de Camel de Camois pour Hermondine, qui fournit la matière de cet épisode initial, conduit Florée, la cousine d'Hermondine, à imaginer le stratagème qui consiste à demander au roi Arthur d'organiser une quête de cinq ans dont le vainqueur recevra la main de la princesse d'Écosse. Cette quête est le sujet même du roman, et Camel n'y joue pratiquement aucun rôle, puisqu'il ne reparaît que pour être immédiatement tué, et cela dès les premières péripéties. De même, le vrai début du roman, et un début dans la tradition du roman arthurien, ne se trouve pas dans les premiers vers :

XV-*XVII*ᵉ siècles, éd. J. Dufournet, A. Ch. Faiorato et A. Redondo, Paris, 1992, p. 11-21 et, fondé sur les *Chroniques*, le bel article de Philippe Contamine, « Froissart et l'Écosse », dans *« Des chardons et des lys » Souvenir et présence en Berry de la vieille alliance franco-écossaise*, Bourges, Conseil général du Cher, 1992, p. 30-44.

5. *Jean Froissart and his Meliador. Context, Craft and Sense*, Lexington, Kentucky, French Forum, 1983. Faut-il relever l'assimilation de l'Écosse à la Prusse, contrée lointaine, désolée et hostile, placée dans la bouche des chevaliers que Jean de Vienne y a amenés en 1385 : « En quel Prusce nous a chis amenés li amiraus ? »

c'est le moment où le roi Arthur, tenant sa cour printanière et projetant pour la Pentecôte un tournoi à l'occasion duquel le jeune Méliador sera armé chevalier, reçoit les ambassadeurs écossais et accède à la demande de leur roi d'organiser la quête imaginée par Florée :

> Li rois Artus, qui fu toutdis
> En fais, en œvres et en dis
> Larges, courtois, et tres vaillans,
> Et en festes tenir poissans,
> En volt une en ce temps tenir. (v. 2452-2456) [6]

Voilà une entrée en matière arthurienne. Mais nous sommes au vers 2452. Revenons au vers 1. La référence arthurienne y est, certes, déjà présente, mais de façon moins traditionnelle. L'action se situe, nous dit-on, au début du règne du roi Arthur :

> En ce temps que li rois Artus
> Qui tant fu plains de grans vertus,
> De sens, d'onneur et de larghece,
> Regnoit au point de sa jonece,
> Et qu'il commençoit a tenir
> Grans festes et a retenir
> Chevaliers pour emplir ses sales... (v. 1-7)

Il n'y a rien là de bien extraordinaire. C'est un trait fréquent dans les romans tardifs que de renouveler la matière arthurienne en remontant à ses débuts : à sa préhistoire dans *Perceforest*, à la jeunesse du roi Arthur dans *Le chevalier au papegau*. Ici, nous sommes dix ans avant que s'illustrent les héros arthuriens classiques, à une époque où il y avait pourtant déjà, dit Froissart, de « belles chevaleries » :

> Environ ou .IX. ans ou .X.,
> Avant que li preus Lanselos,
> Melyadus, ne li rois Los,
> Guirons, Tristrans ne Galehaus,
> Gauwains, Yewains, ne Perchevaus,
> Ne chil de la Table Reonde
> Fuissent cogneü en ce monde,
> Ne que de Merlin on euist
> Cognissance, ne c'on seuist
> Nulle riens de ses prophesies,

---

6. Méliador, éd. Auguste Longnon, Paris, SATF, 3 volumes, 1895-1899.

Plusieurs belles chevaleries
Avinrent en la Grant Bretaigne. (v. 28-39)

Mais ces notations encadrent autre chose. Elles ne font que signaler la concomitance des débuts de l'ère arthurienne avec les événements qui vont vraiment être relatés. De la première phrase du roman, nous n'avons cité que la subordonnée temporelle sur laquelle elle s'ouvre. Reprenons :

En ce temps que li rois Artus… (*etc*)
Avoit en le marce de Galles,
Entre Escoce et Northombrelande,
Priés dou lac c'on dist de Berlande,
.I. chastiel moult fort et moult cointe
Seant doucement sus le point[e]
D'un hault rocier et d'un grant bois.
Chils castiaus fu nommés Camois
Et le sire qui le tenoit
Messires Camelz se nommoit. (v. 1-16)

De même plus loin, dans le second passage cité, l'énumération des futurs héros arthuriens n'a qu'une fonction de référence temporelle. Dix ans avant qu'ils s'illustrent, la Grande Bretagne avait déjà été le théâtre de *plusieurs belles chevaleries* (v. 38). Et Froissart enchaîne :

En ce temps avoit en Escoce
.I. roy qui fu moult vaillans homs.
Chilz rois fu appellés Hermons. (v. 44-46)

Avec ces vers, on quitte le prologue pour entrer dans le récit. Mais en réalité leur relation aux héros arthuriens en fait les symétriques de la présentation un peu plus haut de Camel de Camois en relation avec la jeunesse du roi Arthur. La référence au grand roi est une sorte de leurre qui cache un déplacement immédiat de l'attention. Arthur est mentionné dès le premier vers, mais c'est pour dire que l'histoire se passe à une époque où il n'était pas encore vraiment lui-même et où l'univers auquel il a attaché son nom n'était pas encore structuré. Cette projection dans un passé encore plus reculé que la grande époque arthurienne est renforcée par l'intéressante notation des vers 20-27, une véritable notation d'historien sur les progrès de l'agriculture et des conditions de vie depuis ces temps lointains. *Méliador* se veut donc un roman arthurien sans aucun personnage arthurien, sinon, tout à la fin, Sagremor, dont les enfances constituent une sorte de longue parenthèse dans le roman, ou de long entracte, selon l'excellente formule de Peter Dembowski.

Au reste, le cadre initial n'est pas celui de la cour ni même du royaume d'Arthur : nous sommes en Écosse et « dans la marche de Galles, entre Écosse et Northumberland ». Là non plus, rien en soi de bien nouveau : le *Conte du Graal* commence en Galles, *Lancelot* en Gaule, *Escanor*, dont on aura bien entendu à reparler, en Northumberland. Mais ici, l'éloignement du foyer arthurien durera longtemps, et même ne cessera jamais.

A cela s'ajoute ce qu'on a dit déjà : que les premiers vers introduisent le personnage de Camel mais que l'histoire commence trente vers plus loin par la présentation du roi d'Écosse Hermond. Ce n'est pas tout. Hermond disparaît aussitôt, provisoirement du moins, au profit de son beau-frère, de sa fille et de sa nièce. La suite met en présence Camel et les jeunes filles pour ce long lever de rideau de près de 2 500 vers qui précède la scène attendue à la cour du roi Arthur. On a donc au départ une sorte de mystification sur le vrai sujet du roman et ses vrais héros, une dérive, une hésitation sur le point où l'attention doit se fixer, un brouillage de la focalisation.

Quant à l'épisode initial lui-même, c'est peu de dire qu'il n'a rien d'arthurien. Il ne ressemble nullement au type de récit qu'on a l'habitude de lire dans les romans bretons. Pas de jeune chevalier dont la personnalité se forme et qui se fait un nom par les armes, pas d'errance, pas même d'aventures proprement chevaleresques. Pas de héros non plus, mais plutôt un anti-héros, qui, leurre supplémentaire, commence par attirer la sympathie du lecteur pour devenir très vite un personnage négatif. Mais quoi ? Tout cela peut se dire aussi du début du *Lancelot*. Claudas est comme Camel un personnage ambigu qui disparaît de la suite du roman.

Ce qui est en revanche très frappant, c'est que ce premier épisode ou ce long prologue de *Méliador* est proche par les situations et par le style de ce que l'on trouve ailleurs dans la poésie de Froissart. Il l'est d'abord en ce qu'il met en scène un monsieur seul face à des jeunes filles qui le tarabustent. Camel de Camois a peut-être tort d'être somnambule, et il est certain qu'il aggrave sérieusement son cas ensuite en tentant de conquérir Hermondine par la force, en s'en prenant pour cela au père de Florée et en exerçant un odieux chantage. Il n'empêche. Comment ne pas plaindre, au commencement du moins, ce malheureux, fort bien reçu d'abord, à sa grande joie, par deux ravissantes jeunes filles, éperdument amoureux de l'une d'elles, embarrassé par son infirmité inavouable, contraint par elle de décliner leur invitation à passer la nuit dans leur château, percé à jour par l'une de ses hôtesses, qui n'est pas dupe de l'excuse invoquée et qui s'empressera, à peine aura-t-il le dos tourné, de révéler son secret à celle qu'il aime et de la mettre en garde contre lui.

Froissart poète revient sans cesse à ce genre de situation à la fois troublante, excitante, gratifiante et frustrante, humiliante, où l'attention du groupe des jeunes filles converge vers le narrateur masculin, mais de façon à lui donner l'impression qu'il est la victime d'un complot moqueur. Son premier grand dit narratif, le *Paradis d'Amour*, le montre aux prises avec les deux charmantes dames rencontrées dans son rêve, Plaisance et Espérance, qui l'accablent de reproches et auxquelles il doit présenter des excuses[7]. Mais les meilleurs exemples sont peut-être dans la *Prison amoureuse*. Au cours d'une fête où les dames chantent à tour de rôle, il a le chagrin et le dépit d'entendre le virelai qu'il a composé pour celle qu'il aime, et qu'elle a appris par cœur, chanté, d'ailleurs avec succès, par une jeune fille qui lui est indifférente tandis qu'elle-même choisit de chanter autre chose (v. 273-534). Plus loin – et je cite ici l'analyse que donne Anthime Fourrier de ce passage, admirablement commenté dans une autre perspective par Jacqueline Cerquiglini-Toulet[8] :

Un jour que, pour se détendre, le poète chevauche à proximité du manoir où réside la dame de ses pensées, il apprend qu'elle est allée en promenade avec d'autres « damoiselles ». Il porte dans une petite sacoche de soie blanche attachée à sa ceinture les lettres et les poésies que lui a envoyées Rose. Arrivé à l'endroit où se délassent les jeunes filles, il est accueilli fort aimablement : on l'installe dans le groupe, on rit, on badine, et l'une d'elles,

7. Éd. Peter Dembowski, Genève, Droz, 1986. A la fin de ce poème, parmi les héros de roman que le narrateur voit danser sur la lande, figurent ceux de *Méliador* : Méliador lui-même, Tanghis et Camel de Camois (v. 985-988). Comme l'a montré P. Dembowski (*Jean Froissart and his* Meliador, *op. cit.*, p. 57-59), et comme l'avait soutenu avant lui G. L. Kittredge, ces vers sont certainement interpolés : le *Paradis d'Amour* a été composé entre 1361 et 1363, alors que *Méliador* n'a pu être entrepris que dans la décennie suivante. Au reste une légère rupture de la syntaxe en cet endroit trahit l'interpolation. Si Froissart lui-même en est le responsable (l'un des deux manuscrits, on le sait, pourrait être celui-là même qu'il a offert à Richard II), la présence de Camel (alors qu'Agamanor, curieusement, n'est pas nommé) pourrait suggérer au moins la tentation d'une identification avec ce personnage maltraité, mais qui se trouve dans une situation si proche de celle où il se place volontiers dans ses poèmes.

8. « Fullness and Emptiness : Shortages and Storehouses of Lyric Treasures in the Fourteenth and Fifteenth Centuries », dans *Contexts : Style an Values in Medieval Art and Literature*, éd. Daniel Poirion et Nancy Freeman Regalado, *Yale French Studies*, 1991, p. 224-239. Voir aussi du même auteur *La couleur de la mélancolie*, Paris, Hatier, 1994.

d'accord avec les autres, lui dérobe adroitement le contenu de son « aloiiere ». Leurs rires étouffés et leurs conciliabules les dénoncent, Froissart s'aperçoit du larcin, supplie qu'on lui rende son bien et finit par le ravoir à condition qu'en guise de rançon, elles aient les chansons pour en prendre copie, tandis qu'on lui laissera les lettres. En souvenir de ce bon moment passé auprès de sa belle, le poète compose un virelai, qu'il serre dans un coffret fabriqué de ses mains[9].

Bon moment certes[10], mais parce que le poète, trop heureux d'avoir vu sa belle, et de l'avoir vue de bonne humeur, choisit de le prendre ainsi. Tout de même, la plaisanterie était indiscrète, un peu cruelle, et la bonne humeur s'est exercée à ses dépens.

On trouverait des scènes d'un esprit analogue dans les autres dits. Ainsi dans l'*Espinette amoureuse*, où à plusieurs reprises le narrateur rencontre sa belle en société et cherche à ménager un aparté qui tournerait à son avantage. Ou plus encore vers la fin du *Joli Buisson de Jeunesse*, lors du jeu de la « pince merine », quand le narrateur est celui qui s'y colle – pour user d'une expression enfantine et désuète en harmonie avec ce jeu –, et se trouve donc en situation de héros et de victime, de point de mire et de souffre-douleur : il ne peut se résoudre à se laisser ramener au milieu du cercle des joueurs, parmi lesquels sa dame, et finit par y consentir pour être, conformément à la règle du jeu, poussé, tiraillé, houspillé en tout sens par tous – et par toutes –, à son grand plaisir[11].

Pour en revenir au début de *Méliador*, d'autres traits y rappellent la poésie de Froissart. Ainsi le motif de la chasse. Un motif qui appartient certes à l'univers romanesque. La poursuite et la rencontre à travers la forêt d'un animal qui entraîne le chasseur vers son destin – et singulièrement son destin amoureux, car tous les chasseurs ne sont pas saint Eustache – y est une situation très fréquente. Aussi bien elle apparaîtra

---

9. A. Fourrier éd., *La Prison amoureuse*, p. 9-10. Cf. v. 1053-1256.
10. ....et je,
    Esleeciés en coer de ce
    Que j'avoie a tres bon loisir
    Ceste, qui est tout mon plaisir,
    Veü et avoec li esté
    Et joliement aresté
    En solas et en esbanoi,
    Onques depuis si bon tamps n'oi. » (*Prison amoureuse*, v. 1201-1208)
11. V. 2926-4426.

plus loin dans *Méliador* même parmi les aventures de Sagremor, avec une variante surprenante, puisque Sagremor chevauche le cerf (v. 28412-28468). Quant au rapprochement entre *Méliador* et le Livre III des *Chroniques* que suggère l'association de la chasse et du somnambulisme, j'en ai parlé ailleurs[12]. Mais le traitement du motif renvoie à la poésie de Froissart. Il y renvoie à travers les réminiscences mythologiques constantes chez lui, et en la circonstance à travers le mythe d'Actéon : le cerf conduit le chasseur à la découverte fatale de la beauté féminine. L'histoire d'Actéon est mentionnée ou exploitée à plusieurs reprises dans l'œuvre de Froissart : dans les *Chroniques*, où Froissart suppose que l'ours doué de la parole rencontré par Pierre de Béarn pouvait être un chevalier victime d'une métamorphose analogue à celle d'Actéon, dans le *Joli Buisson de Jeunesse*[13], dans l'*Espinette amoureuse*[14], qui opère une curieuse confusion avec celle de Céphale et Procris. J'ai déjà signalé et brièvement commenté ces occurrences dans l'article cité plus haut. Je n'y reviens ici que pour souligner les parentés stylistiques parfois très étroites qui unissent le récit de la chasse de Camel au début de *Méliador* et celui de la chasse d'Actéon dans le *Joli Buisson de Jeunesse*. Par exemple :

Méliador, v. 127-132	*Joli Buisson de Jeunesse*, v. 2248-2253
Li cers s'en fuit, Camelz le cace,	Li cers fuit, Acteon apriés,
Qui onques n'en perdi la trace.	Qui le sieuoit bien et de priés.
Les bois passe, et apriés la lande	Il a passé les bois menus,
Et les plains de Northombrelande.	Ens es landes s'en est venus.
Courant s'en vient Camelz apr[i]és	Acteons le sieuoit encor,
Jusques a l'estanc de Montgriés.	Qui d'ivore portoit un cor.

Froissart est un versificateur remarquable. Il écrit avec une rapidité et une densité surprenantes chez un auteur si prolixe, avec fluidité et exactitude, sans effort apparent et sans chevilles. Son style est élégant, habile à donner à sentir ou à voir d'un trait rapide, sans s'embarrasser de tout l'appareil de la description : on se souvient du château de Camel, *Seant doucement sus le pointe / D'un hault rocier et d'un grant bois*. Plus loin, Méliador, soucieux de préserver son incognito au tournoi de La Garde, établit ses quartiers

---

12. Dans « Froissart et la nuit du chasseur », voir ci-dessus note 3.
13. V. 2242-2260.
14. V. 2807-2821, voir Fourrier p. 185.

En .I. bois desous le chastiel
Ou vert faisoit, ombru et biel. (v. 6565-6566)

Dieu sait que ce cadre n'a rien de nouveau dans la poésie médiévale. Mais qui d'autre sait dire « qu'il faisait vert et ombreux » ? En même temps, ce style a aussi quelque chose d'élégiaque qui même dans les parties proprement narratives s'écarte sensiblement de la manière habituelle des romans, et qui s'en écarte plus encore quand il s'agit de peindre le piteux marivaudage du pauvre Camel entre les deux cousines. C'est un style dont les antécédents et les modèles sont chez Machaut, ou auparavant chez Jean de Condé, chez Watriquet de Couvin, beaucoup plus que chez les romanciers. Un style – faut-il s'en étonner ? – qui est de son temps et qui est typiquement celui de l'écriture en vers chez les bons auteurs du XIVe siècle.

A quoi s'ajoutent les souvenirs géographiques, topographiques, toponymiques, comme le nom même du château de Camois, que Froissart tire de ses propres voyages, dont il parsème, voire nourrit son roman, et qu'il mêle à une toponymie imaginaire et proprement littéraire – ainsi les deux châteaux où résident successivement Hermondine et Florée, Montgriés (Montgrief) où elles sont menacées et Montségur où elles sont en sécurité, sans parler de Montrose dont Méliador sauve la charmante dame. Ces souvenirs mettent son univers romanesque en résonance avec sa propre sensibilité, en font une excroissance de sa propre histoire, le font participer de cette tendance autobiographique qui ne cesse de s'affirmer dans son œuvre historique et poétique et qui finit par lui donner une sorte d'unité.

Ils courent, ces souvenirs, à travers tout le roman et ne se limitent certes pas à l'épisode initial. Au reste, en mentionnant Montségur et Montrose, nous nous sommes déjà avancés bien au-delà. C'est que les remarques que je viens de faire valent pour l'œuvre entière. Bien plus, sa composition d'ensemble, telle que Peter Dembowski l'a si clairement mise en évidence, les confirme. C'est, dit Dembowski, une composition en quatre « actes » séparés par des « entractes ». Chacun des quatre actes a pour centre l'un des quatre tournois qui constituent les épreuves des la quête dont le vainqueur recevra la main d'Hermondine : le tournoi de la Garde organisé par le roi Arthur, celui de Tarbonne organisé par le duc de Cornouailles Patris, père de Méliador (mais auquel celui-ci est empêché d'assister), celui de Signaudon organisé par le roi d'Écosse Hermond, père d'Hermondine, et celui de Monchus, organisé conjointement par Arthur et Hermond. Le premier entracte est formé pour l'essentiel par les exploits de Méliador au secours de la dame de Montrose, son voyage contrarié pour se rendre au tournoi de Tarbonne et la visite qu'il rend à Hermondine et Florée sous le déguisement d'un marchand au château de Montségur. Le second entracte peint les progrès de l'amour d'Agamanor pour Phénonée et d'Hermondine pour Méliador. Le troisième voit l'épisode d'Agamanor peintre faisant le portrait de Phénonée. A ces entractes s'ajoutent au début le prologue consacré aux démêlés de Camel avec Hermondine et sa cousine et à la fin les aventures de Sagremor.

Mais cette construction, simple dans ses grandes lignes, même si les détails en sont foisonnants jusqu'à la confusion, offre un trait remarquable. C'est que les entractes, loin d'être de simples intermèdes entre les actes, sont en réalité l'essentiel et que les actes ne sont guère plus que le fil directeur qui les relie. La quête lancée par le roi Arthur à la suggestion du roi d'Écosse n'en est pas une. Elle n'exige nullement l'engagement de l'être entier : à l'exception d'Agamanor, aucun des quêteurs n'éprouve d'ailleurs le moindre sentiment pour Hermondine. Elle ne recèle rien d'inattendu ni de mystérieux : son objet est clairement désigné, ses étapes et ses épreuves bien définies. Comme je l'ai dit ailleurs, c'est un championnat par points dont le but est de dégager un vainqueur au terme d'une série de quatre tournois. Autant baptiser quête le championnat du monde de Formule 1 ou la coupe Davis. Rien là de bien excitant, rien non plus qui corresponde à l'esprit des romans arthuriens.

Est-ce le signe d'un appauvrissement du genre, auquel Froissart serait incapable d'insuffler la vie qui était la sienne cent cinquante ou deux cents ans plus tôt, le signe d'une déperdition du sens romanesque, comme je l'ai moi-même suggéré ? Peut-être, mais il faut surtout voir que cet appauvrissement et cette déperdition du sens viennent en réalité du fait que l'intérêt de Froissart est ailleurs. Il choisit une intrigue minimale, d'une limpidité insipide dès lors qu'on la réduit à ses grandes lignes. Il la traite avec une sorte de clarté mécanique : les personnages font leur entrée les uns derrière les autres et l'entrelacement permet de passer de l'un à l'autre avec une sorte d'automatisme rigide. Il viennent docilement prendre leur place au sein d'une hiérarchie sans surprise et tombent opportunément amoureux de celle qui leur est destinée, en se gardant bien de s'éprendre de celle qui est réservée à celui d'avant ou à celui d'après. Froissart décrit les combats avec une virtuosité appliquée où le sens du devoir et la science des scènes à faire sont plus perceptibles que l'enthousiasme ou l'inspiration. Il les renouvelle seulement en montrant les héros, après un affrontement traditionnel indécis, triompher à mains nues, en assommant leur adversaire à coups de poing, en le prenant à bras le corps et en l'étouffant, en l'aplatissant sur son cheval par une passe habile et sauvage, bref en se conduisant comme des champions de catch ou de sumo [15]. Ce trait, qui est peut-être le simple aboutissement de l'effort de variété et d'exactitude dans le rendu des combats observable à partir du XIIIe siècle, s'observe aussi dans d'autres romans de l'époque, mais généralement moins appuyé. Autre détail concret rarement relevé dans la tradition romanesque et qui touche aux mesures de sécurité prises dans les tournois : Froissart précise qu'à celui de la Garde les dames ont fait venir des paysans en grand nombre pour relever les chevaliers abattus [16]. Tout cela est amusant, et retenait au plus haut point l'intérêt des lecteurs de l'époque [17], mais ne rehausse que faiblement la monotonie d'une structure trop symétrique. Froissart applique avec une habileté quelque peu mécanique les lois et les recettes du genre en les pimentant çà et là de menues innovations. Cette maîtrise technique un peu desséchée, ce canevas trop satisfaisant et trop attendu justifieraient, si l'œuvre se réduisait à eux, de voir en elle un exercice de style anachronique entièrement inscrit dans le cadre de son modèle apparent, celui du roman arthurien.

---

15. Ainsi, pour venir à bout d'Agamanor, Méliador le saisit à bras le corps et le serre à l'étouffer (v. 3987-4009). De même, devant Montrose, lorsqu'il affronte Griffamon, le premier des quatre frères qui assiègent le château, il commence par esquiver le choc à la lance (« ... fait tour de Cournaille / Et se lance en tournant sans faille / Dessus le chevalier galois », v. 10590-10592). Puis il lui passe le bras autour de la nuque et lui donne des coups sur la poitrine avec le pommeau de son épée jusqu'à ce que l'autre demande grâce (v. 10593-10614).

16. Mais les dames, pour ordener
　　Le tournoi mieus a sa maniere,
　　Avoient sus la sabloniere
　　Fait la venir grant quantité
　　De païsans, pour verité,
　　Tout a piet et pour redrecier
　　Aucun mesaisiet chevalier,
　　Se cheüs estoit en peril. (v. 6608-6615)

17. Voir les remarques de P. Dembowski (*Jean Froissart and his* Meliador, p. 88) sur le jugement de B. J. Whiting (« Proverbs in the Writings of Jean Froissart », dans *Speculum* 10, 1935, p. 294 et « Froissart as Poet » dans *Medieval Studies* 8, 1946, p. 216).

Mais les entractes, c'est autre chose. C'est là que le talent et la manière originale de Froissart se révèlent. *Méliador* prend un relief nouveau si, en ajustant le regard, on les place, non en arrière-fond, mais au premier plan et si l'on considère que l'intrigue principale, loin d'être l'essentiel, n'a d'autre but que de les introduire et de les rassembler, de même que le thème général d'une revue ou d'un spectacle de music-hall ne sert que de prétexte et de fil directeur. Ce sont les actes qui constitueraient les transitions ou les sutures nécessaires, et les entractes les moments importants. Autrement dit, les actes seraient en réalité les entractes et *vice versa*.

Car, aux yeux d'un lecteur qui aborde l'œuvre sans idée préconçue et se résigne à ce que son foisonnement lui dissimule − heureusement, à tout prendre − sa construction trop simple, elle apparaît comme constituée d'une agglutination de récits dont chacun repose sur une pointe sentimentale. Certes, tous les romans arthuriens sont faits d'une agglutination de récits. Mais ici, c'est comme si tous ces récits étaient du type de l'aventure de Gauvain et de la demoiselle d'Escalot. Camel, son obscure malédiction, son amour violent et gauche, brutal et condamné ; Méliador marchand et l'anneau d'Hermondine ; Agamanor peintre et le portrait de Phénonée ; l'intérêt passionné et ambigu de cette même Phénonée pour ce héros dans lequel elle a cru reconnaître son frère, comme une ébauche de l'inavouable, finement relevée par Félix Lecoy[18] ; la navigation contrariée de Méliador, ses hasards et ses retards qui le privent de s'illustrer banalement au tournoi de Tarbonne mais lui procurent l'émotion et le piquant d'une visite incognito à Hermondine ; la rencontre onirique et merveilleuse de Sagremor et de Sibylle, dont nous ne connaîtrons, hélas, jamais la fin. Tous ces épisodes, dont le prix est dans les nuances du sentiment, dans la saveur douce-amère d'une sorte de marivaudage, dans les égarements du cœur et de l'esprit, font de *Méliador* une collection de dits. A l'inverse des recueils lyriques où la succession des poèmes s'organise en récit, ce roman se déguise en roman mais est en réalité une succession des poèmes. Non pas un roman analogue aux romans arthuriens du XIIᵉ et du XIIIᵉ siècle, mais un roman dans l'esprit des récits en vers du XIVᵉ siècle, une narration sentimentale

18. Résumé du cours de Félix Lecoy, dans *Annuaire du Collège de France*, 1970-1971, p. 514-515.

dont le fil léger coud un peu lâchement les effusions et les scènes de genre successives. Une œuvre, en un mot, qui sous son apparent anachronisme est parfaitement de son temps.

Certes, le fil conducteur y est arthurien, et non pas autobiographique. Certes, les épisodes sont rapportés à divers personnages, et non pas à l'auteur. Mais pour le reste, l'écho des poésies de Froissart est partout présent, et non pas seulement dans le prologue. Le malheureux Camel n'est pas le seul à devoir affronter la complicité de deux jeunes filles. Florée ne quitte jamais Hermondine ni Lucienne Phénonée. Méliador et Agamanor eux aussi, bien que dans des conditions plus favorables, ont toujours affaire à deux cousines, à leur entente, à leurs petites ruses, à leurs conciliabules. Le rêve de Sagremor (v. 28605-28754), dans la partie du roman qui est pourtant sans doute la plus proche des modèles arthuriens, est caractéristique de la poésie de l'époque et présente des analogies avec plusieurs passages des dits de Froissart.

Sagremor est monté sur le dos d'un cerf qui l'emporte à travers la forêt jusque dans un lac. Le manuscrit comporte à cet endroit une lacune. Quand le texte reprend, Sagremor est en train de rêver. Dans ce rêve, Sibylle, comprend-on, vient de lui chanter un virelai où les médisants sont flétris. Sagremor en profite pour protester de sa discrétion en amour, ce qui permet à la conversation littéraire de dériver vers les topiques amoureux. A la demande insistante du jeune homme, Sibylle chante ensuite un rondeau, puis le prie de chanter à son tour un virelai de sa composition, dont elle fait l'éloge. Elle disparaît alors. Sagremor en est si bouleversé qu'il s'éveille et se retrouve solitaire en un lieu inconnu.

Ne parlons même pas du rêve amoureux dans sa généralité. Si l'on tire sur ce fil, on fait venir toute la poésie de l'époque. Notons seulement que tout au long du récit de ce rêve, et non pas seulement au début (qui d'ailleurs manque) et à la fin, l'auteur prend soin de rappeler qu'il ne s'agit que d'un rêve et d'une illusion. Il le fait implicitement à travers l'usage systématique de l'imparfait (le temps de la narration des rêves) et explicitement par le retour périodique de formules comme *En dormant, ce li estoit vis* (v. 28605), *Ce li estoit avis encor* (v. 28692), *Or sambloit il a Saigremor* (v. 28734). Éveillé, Sagremor s'interroge :

« Et n'ay jou veü Sebilete
Et oÿ canter la doucete ?
Oïl voir, mais en dormant fu. » (v. 28752-28754)

L'insistance sur un rêve gratifiant, et pour cela même douloureux de n'être qu'un rêve : c'est ce qu'on trouve dans l'*Espinette amoureuse*, par la magie momentanée du portrait retrouvé : l'amant chassé, trahi, exilé, voit en rêve la cruelle si aimante, consolante, chaleureuse, qu'éveillé il décide de retourner auprès d'elle, où ne l'attendent bien sûr que des déceptions. C'est l'argument même du *Joli Buisson de Jeunesse* où le poète vieilli se retrouve jeune par la grâce du rêve et retrouve celle de ses pensées telle qu'elle était dix ans plus tôt, et la retrouve en outre dans des dispositions, certes encore indécises, mais que l'on devine plus favorables qu'elles ne l'ont jamais été, plus prometteuses – mais un rêve ne saurait tenir ses promesses et le temps du rêve n'aura été que celui d'une nuit. Alors qu'il s'agit d'un motif aussi rebattu, nul ne sait comme Froissart communiquer le sentiment d'euphorie illusoire et déchirante qui est celui du rêve.

Dans celui de Sagremor, en outre, les poèmes et les chansons jouent le rôle qui est si souvent le leur dans la poésie de Froissart : celui d'entrée en matière sentimentale, de prétexte à une conversation qu'on espère voir dévier vers l'amour. L'*Espinette amoureuse*, la *Prison amoureuse* en fournissent assez d'exemples. De plus, poèmes et chansons sont des objets, et non pas seulement dans la matérialité de l'écriture et de la copie, comme Jacqueline Cerquiglini l'a montré [19]. Ils ont une réalité, une résistance qui en font au sens propre les reliques du sentiment. Ainsi Sagremor à son réveil se souvient-il des chansons du rêve. Elles le tiennent un moment *en imagination grande*. Lucien Foulet, en se fondant sur les *Chroniques*, a montré que chez Froissart l'imagination n'a pas le vague de l'irréel, mais la précision de la projection et de la construction intellectuelles fondées sur la réalité et conformes à elle. Les chansons ne prolongent pas le rêve par la pure rêverie. Elles permettent au contraire à Sagremor de reprendre contact avec la réalité, d'en retrouver le fil et le souvenir, de juger pour ce qu'elle est l'illusion qui vient d'être la sienne. Les chansons servent à bâtir la vie :

> Et Saigremor, a son depart,
> Estoit tellement courouciés
> Que dou courous est esvilliés.

19. Voir ci-dessus note 8.

Adont regarde autour de li,
Ne nul ne nulle n'i oÿ ;
Se ne scet qu'il die ne face,
Ne apriés quoi il se solace.
Adont au devant li reviennent
Les cançons, qui .I. temps le tiennent
En imagination grande.
A par soy devise et demande :
« Et n'ay jou veü Sebilete
Et oÿ canter la doucete ?
Oïl voir, mais en dormant fu.
Maintenant ne sceit mies u
Un cers m'a mis et aporté. » (v. 28741-28756)

En choisissant d'insérer dans *Méliador* les médiocres poèmes de Wenceslas de Luxembourg plutôt que d'autres, plutôt que les siens propres, Froissart agit évidemment en courtisan. Mais dans son principe, l'insertion de pièces lyriques dans l'œuvre n'est pas un ornement superfétatoire. Les objets poèmes lestent le roman comme une sorte de noyau dur de la vie sentimentale. Ils signalent que l'imagination amoureuse, c'est-à-dire le travail concret de l'esprit autour de l'amour, est son véritable sujet et que si *Méliador* est un roman, c'est un roman des situations sentimentales. Ils font de *Méliador* un vaste dit à « farcissures » lyriques.

Je vois bien l'objection qu'on peut m'opposer. Des analyses analogues à celle que je viens d'esquisser pourraient se faire autour de certains poèmes insérés dans le *Tristan en prose*, et ailleurs encore. Le procédé est à cette époque si fréquent ! Quant à des rapprochements avec les motifs et les situations de la poésie du temps, on en trouverait dans *Ysaÿe le Triste* ou dans *Perceforest*, par exemple. Méliador se rattache donc bien par là aussi à une tradition qui appartient au roman arthurien – ou pré- ou postarthurien – en prose, tel qu'il survit et se porte même bien à la fin du Moyen Age. Mais précisément *Méliador* est en vers. Froissart, qui ne rechignait pourtant pas à écrire en prose, a choisi pour lui un mode d'expression qui rend immédiatement sensible ce qu'il doit à la poésie de son temps, bien plus qui en fait de plein droit un spécimen de cette poésie.

Si l'on voulait souligner ce que *Méliador* doit à la tradition du roman breton, on attirerait à plus juste titre l'attention sur sa parenté avec son prédécesseur arthurien immédiat, bien que plus vieux d'un siècle,

Escanor de Girart d'Amiens. Non seulement le nom sonore, à la finale identique, des deux héros éponymes, non seulement le fait qu'*Escanor* contient également des poèmes insérés, en moins grand nombre toutefois que *Méliador*, mais aussi d'autres rapprochements plus significatifs. D'abord, dans l'esprit du livre de Beate Schmolke-Hasselmann et de l'article qu'elle a consacré aux deux romans[20], la signification politique que peut revêtir dans les deux cas le roman arthurien en vers, genre, si l'on peut dire, pro-anglais. S'agissant d'*Escanor*, dédié à la reine Aliénor de Castille, épouse d'Edouard Ier, le point a été bien commenté par Richard Trachsler[21]. *Méliador* date certes d'une époque où les liens de Froissart avec la cour d'Angleterre se sont distendus. Mais le cœur de l'ancien protégé de la reine Philippa est toujours resté au pays de ses débuts heureux dans le monde et dans les lettres. Qu'il ait, au demeurant, pensé en écrivant son roman à un public anglais se voit à l'éloge appuyé qu'il fait des dames anglaises[22].

Ce point est cependant bien général. D'autres, plus menus, n'en sont que plus parlants. Le rôle joué par le Northumberland. Le goût pour une composition décalée et une certaine façon de se placer aux marges de l'univers arthurien – de même que le Northumberland est aux marches de la géographie arthurienne : Camel de Camois, qui apparaît d'abord, ne sera pas le héros de *Méliador*, et sera même un adversaire des héros, qui ne sont pas des chevaliers de la Table Ronde, car l'action se

---

20. « Ausklang der altfranzösischen Artusepik : *Escanor* und *Meliador* », dans *Spätmittelalterliche Artusliteratur*. Symposium der Görres-Gesellschaft Bonn, éd. Karl-Heinz Göller, Paderborn, 1984, p. 42.

21. Girart d'Amiens. *Escanor. Roman arthurien en vers de la fin du XIIIe siècle. Édition critique* par Richard Trachsler, 2 vol., Genève, Droz, 1994, t. I, p. 56-67.

22. Car li affaires biaus et gens
Estoit lors tels, et li usages,
Que les dames vaillans et sages
Faisoient a estragniiers
Honneur et a tous chevaliers,
Et plus en .I. païs qu'en aultre ;
Et principaulment ne voel d'autre
Païs parler que d'Engleterre.
Car, qui en vorroit bien enquerre,
La sont les dames gracïeuses,
Lies, plaisans et amoureuses,
Et qui sevent gens honnourer
Trop mieulz c'ailleurs, au vrai parler ;
En ce point sont elles nouries,
Escolees et ensegnies. (v. 9552-9566)

situe avant sa fondation. Escanor, qui donne son nom au roman, n'en est pas vraiment le héros (ce serait plutôt Keu) et est un adversaire du roi Arthur. Un tournoi doit décider de la main d'Andrivete, comme des tournois de celle d'Hermondine. Bien que Froissart soit un bien meilleur poète que Girart d'Amiens, les deux romans ont en commun un certain tour dans les dialogues amoureux. Enfin, tous deux ont un goût analogue pour les situations sentimentales et les traitent avec une complaisance élégiaque qui les place au premier plan et les fait ressortir au détriment de péripéties militaires ou chevaleresques un peu languissantes.

Mais ces derniers traits suggèrent que la dérive lyrique du roman en vers, si sensible dans *Méliador*, est déjà présente dans *Escanor*. Les ressemblances entre les deux œuvres rattachent moins *Méliador* à la vieille tradition du roman arthurien en vers, dont *Escanor* reste plus proche, qu'elles ne l'inscrivent dans cette évolution générale. De ce côté-là comme par ses analogies avec la poésie de son temps, et particulièrement avec celle de son auteur, *Méliador* est une œuvre moins singulière qu'elle ne le paraît au premier abord, à condition de ne pas voir d'abord en elle un roman breton.

Froissart présente au départ la matière de ses *Chroniques* comme le prolongement dans la réalité contemporaine des exploits chevaleresques de jadis qui fournissent la matière des romans. Dans cette perspective, *Méliador* devrait se situer dans une sorte de continuité avec les *Chroniques*, celle du récit chevaleresque. C'est bien jusqu'à un certain point le cas : permanence des références géographiques et topographiques qui fait entrer en résonance le monde arthurien avec les expéditions d'Edouard III et de Richard II en Écosse ou en Irlande ; habitude prise par le chroniqueur des citations à l'ordre de l'armée, de l'hommage rendu aux exploits des meilleurs, qui, transposée par le romancier dans ses laborieuses descriptions de tournois, donne des formules du genre :

Ce n'est pas drois que je me taise
Des proeces Melyador. (v. 6688-6689)

Ou encore :

D'autre part est Agamanor
....
De lui doient bien escriptures
Estre faites et recordees. (v. 6715-6721)

128

Mais si cette continuité avait été l'essentiel à ses yeux, *Méliador* serait un roman en prose. Poème, *Méliador*, beaucoup plus que du côté des *Chroniques*, est du côté de la poésie personnelle de Froissart ; du côté des émotions du moi mises en récit beaucoup plus que du côté du récit chevaleresque. Que le « moi » se donne pour le « je » du poème ou pour celui d'un personnage change évidemment peu de chose. Les effusions du Bleu Chevalier dans le dit qui porte ce titre, celles du Bleu Chevalier qu'est Méliador, constamment désigné de cette façon, ne se distinguent pas de celles du narrateur des grands dits personnels. La géographie elle-même est celle du monde intérieur et du souvenir autant qu'elle renvoie aux événements de l'histoire, en une sorte de débordement nostalgique et autobiographique, qui, il faut le dire, envahit d'ailleurs aussi bien la fin des *Chroniques* que les dits. Car le moi de Froissart est envahissant et ne cesse d'investir le monde.

Il reste que, s'il y a une coupure majeure dans cette œuvre plus cohérente qu'il n'y paraît, elle oppose, banalement mais certainement, la prose au vers et le monde au moi. Lorsqu'il se présente à un prince dont il veut se faire bien venir, Froissart, connu de lui comme chroniqueur, introduit auprès de lui comme tel, lui offre, non ses *Chroniques*, mais ses vers, comme une façon de s'offrir et de se révéler lui-même : *Méliador* à Gaston Phébus en 1388, le recueil de ses poésies à Richard II en 1395 : « De quoi parle ce livre ? – D'amour. »[23].

L'opposition est-elle, au demeurant, si banale au XIVe siècle ? Elle est neuve, au contraire. Elle est en train de se mettre en place. Pour la première fois le vers en tant que tel, et non pas seulement lorsqu'il est associé au chant dans les diverses formes du lyrisme, est senti comme le mode naturel de l'effusion, de l'expression du moi, d'un regard subjectif sur le monde. La notion de poésie telle que la connaîtra l'époque moderne commence à prendre corps. Aux yeux d'un auteur qui écrit en prose l'histoire de son temps et en vers son histoire personnelle, intérieure et rêvée, le roman en vers commence à être pris, du seul fait qu'il est en vers, dans la mouvance de cette notion nouvelle de poésie. *Méliador* participe d'une tendance qu'illustre plus nettement encore vers

---

23. « Donc me demanda le roi de quoi il (*i. e.* le livre que lui offre Froissart) traitoit, et je lui dis : « D'amours ! » De cette réponse fut-il tout réjoui. » (*Chroniques*, Kervyn XV, p. 167 ; Buchon III, Livre IV, chap. XLI, p. 207.)

la même époque une œuvre comme le *Roman de la Dame à la Licorne et du Beau Chevalier au Lion*[24].

Autrement dit, *Méliador* n'incarne qu'en apparence la fin d'un genre, celui du roman arthurien en vers. Il est bien plutôt du côté d'un début, celui d'une sensibilité poétique neuve et de l'association entre cette sensibilité et le vers. Ce n'est qu'un début, ce poème de plus de trente mille vers. Ce n'est qu'un début, car son prologue en donne d'entrée la tonalité et, loin d'être le hors-d'œuvre qu'il paraît être d'abord, le contient tout entier et en est totalement représentatif dans sa marginalité. Ce n'est qu'un début, car les dits sentimentaux qui s'enchaînent et qui le composent pourraient se poursuivre sans fin et reproduisent tous la perspective du prologue : la gratification amoureuse mesurée à l'aune de l'aisance sociale. Ce n'est qu'un début dans l'histoire de la poésie. Mais la suite de la formule ne serait pas dans son cas « Continuons le combat », puisqu'il dérive insidieusement loin de cet univers d'aventures et de combats chevaleresques qu'il affecte de prolonger. Ce roman si long et en apparence si lourd ne s'intéresse qu'à l'impalpable, et si Peter Dembowski, avec ses actes et ses entractes, peut servir d'entremetteur improbable entre Froissart et Virginia Woolf, c'est que la vraie nature de *Méliador* doit être cherchée *between the acts*.

---

24. Voir Michel Zink, « Le Roman », dans *La littérature française aux XIVᵉ et XVᵉ siècles*, sous la direction de Daniel Poirion, *Grundriss der Romanischen Literaturen des Mittelalters* VIII/1, Heidelberg, 1988, p. 206.

CHAPITRE VIII

Temps de la peinture, temps de la poésie. Le temps déroulé *

Agamanor est le vice-héros de *Méliador*. Il est de ceux qui entreprennent la quête ordonnée par le roi Arthur, dont le vainqueur obtiendra la main de la belle Hermondine, fille du roi d'Écosse. Mais il ne tarde pas à oublier les charmes de celle-ci, qu'il n'a au demeurant jamais vue, pour ceux de Phénonée, sœur de Méliador, le héros du roman et le futur époux de la princesse d'Écosse. A la suite du tournoi de Tarbonne, dont il a remporté le prix, Agamanor apprend que Phénonée sans le connaître et le prenant même, avant d'être détrompée, pour son frère Méliador, a admiré ses exploits. Il décide alors d'utiliser son talent de peintre pour se ménager une entrevue avec elle. Il exécute une toile représentant les scènes principales du tournoi et de la soirée qui l'a suivi, et il va la présenter à Phénonée en se faisant passer pour un peintre professionnel. Puis il récidive avec une toile où l'on voit Phénonée debout, tandis que lui-même, incliné devant elle, tient un phylactère sur lequel on peut lire un rondeau amoureux. Pressé de questions par la belle et par sa cousine Lucienne, il ne tarde pas à révéler à la fois son identité véritable et son amour [1].

Ce passage est piquant en ce qu'il met une technique alors récente de la peinture du temps au service d'une tradition déjà ancienne du

---

* Ce chapitre reprend une partie de mon article « Les toiles d'Agamanor et les fresques de Lancelot » (*Littérature* 38, mai 1980, p. 43-61). Ces extraits sont reproduits avec l'aimable autorisation des éditions Larousse.

1. *Méliador*, v. 19681-21046. Les aventures d'Agamanor et celles de Méliador sont constamment symétriques ; ainsi, Méliador s'est déguisé en joaillier pour pouvoir être mis en présence d'Hermondine (v. 12066-12616). De même, Phénonée est chaperonnée par sa cousine Lucienne comme Hermondine l'est par sa cousine Florée.

roman arthurien. Cette technique nouvelle, c'est la peinture du chevalet sur une toile qui peut être roulée autour d'un bâton, permettant ainsi de la transporter sans peine [2]. C'est aussi, en lui-même, l'art du portrait. La tradition arthurienne est celle de Lancelot dans la chambre aux images, peignant sur le mur d'une prison des fresques qui, pour son malheur, ne peuvent en être détachées. Ce passage de *Méliador* n'est donc pas sans intérêt pour l'histoire des techniques de la peinture. Mais surtout, sa comparaison avec le passé littéraire arthurien permet de voir comment l'évolution de ces techniques modifie l'utilisation littéraire qui en est faite et la signification métaphorique d'un topos romanesque, la *figuration* par l'amant de ses amours.

L'intérêt de Froissart pour la peinture apparaît d'autant mieux que l'épisode d'Agamanor peintre est un hors-d'œuvre qui ne fait guère progresser l'intrigue, un des ces entractes dont on a vu qu'ils sont l'essentiel. Phénonée était secrètement éprise du chevalier rouge avant de voir ses exploits retracés sur la toile et, d'autre part, Agamanor, prisonnier de son stratagème, ne peut lui avouer son amour et le voir à demi agréé que lorsqu'il a dépouillé son état d'emprunt et révélé son identité véritable. Il aurait donc pu, semble-t-il, commencer par là et s'éviter la peine de se déguiser en peintre. De fait, quand il porte son premier tableau au château, il reçoit le meilleur accueil, mais le meilleur accueil qu'on puisse faire à un peintre, c'est-à-dire qu'on lui fait servir un repas dans une pièce isolée, hors de la présence des deux dames du lieu, et qu'on lui fait ensuite porter par une suivante, en payement de sa toile, une grosse somme d'argent, que bien entendu, il refuse. Après quoi il ne lui reste plus qu'à partir. Se retrouvant dehors Gros-Jean comme devant, il

---

2. J'avais développé dans la version de cette étude publiée dans *Littérature* une analyse tendant à montrer que la technique de la peinture sur toile et la nature des enduits à l'époque de Froissart rendaient exceptionnelle, voire peu vraisemblable, la possibilité de rouler une toile peinte sans l'abîmer, à moins qu'il ne s'agît d'une grisaille. Ces observations ont été démenties par Colette-Anne Van Coolput et Paul Vandenbroek dans un article très informé qui soutient que cette pratique n'avait au contraire rien d'exceptionnel en Hainaut au temps de Froissart (« Art et littérature : sur la description de quelques toiles peintes dans deux textes hennuyers du XIVe siècle », *Revue du Nord* 73 (1991), p. 5-31). Peut-être certaines des toiles peintes répertoriées par les deux auteurs ne sont-elles pas exactement comparables aux tableaux décrits par Froissart (voir dans le *Lexikon des Mittelalters* l'article *Tüchleinmalerei*, sous la signature de M. Grams-Thieme). Mais C.-A. Van Coolput et P. Vandenbroek ont le grand mérite de signaler un passage de la chanson de geste de *Baudoin de Sebourg*, originaire des Pays-Bas méridionaux et antérieure à *Méliador*, où Éliénor fait peindre sur un drap qu'elle peut rouler et dérouler les aventures et les malheurs d'Ernoul de Beauvais.

se reproche alors amèrement d'avoir adopté ce stratagème : comment Phénonée l'aimerait-elle sous les traits d'un subalterne ?

> « J'ai tout perdu par ma folie
> Et desciré chevalerie
> Laidement, de quoi je vail mains.
> A painnes que je n'ars les mains
> Qui scevent telz coses ouvrer,
> Qui me font ensi abuser
> Et penser c'une tele dame
> Comme est Phenonee, par m'ame,
> S'enamourast pour mon ouvrage.
> Elle a bien plus hautain courage
> Que de mettre en .I. menestrel » (v. 20698-20708).

Il s'était imaginé, poursuit-il, que Phénonée, ayant vu son tableau, le recevrait pour lui-même et le prierait de lui tenir compagnie, sans se rendre compte qu'elle verrait en lui un simple peintre, et non un chevalier. Plus haut, lorsque Agamanor avait échafaudé le plan qu'il regrette tant à présent, Froissart s'était senti obligé de le justifier et presque de l'excuser très longuement d'avoir ce talent de peintre, suggérant qu'il est en apparence incompatible avec les vertus chevaleresques et soutenant ensuite comme un audacieux paradoxe qu'un noble peut se consacrer à un tel passe-temps sans déchoir [3] :

> Quoi qu'il fust gratïeus et gens,
> Fiers et hardis oultre mesure,
> S'estoit il enclins par nature
> Au pourtraire et imaginer
> Tout ce qu'on peuist deviser ;
> Et ne li coustoit ce plus rien
> Tant avoit il en li de bien,

---

3. Sur ce point aussi, Froissart est bien de son temps. Il témoigne de la promotion sociale qui est celle du peintre entre la fin du XIIIᵉ et la fin du XIVᵉ siècle, et qui aboutit, dans les cas les plus favorables, à faire de lui, comme d'ailleurs du poète, un membre assez bien considéré, mais sans plus, de la domesticité princière, un *ménestrel*, comme il le dit lui-même. Au XIIIᵉ siècle, le *Livre des métiers* d'Étienne Boileau ne connaît même pas le métier de peintre en tant que tel. Il l'associe toujours à un autre artisanat, soit aux imagiers, soit aux selliers. Mais au début du siècle suivant, la profession reçoit un éclat nouveau, qui semble venir d'abord des miniaturistes. En 1326, Jean Pucelle signe l'enluminure d'une Bible qu'il a exécutée. Vers la même époque, des peintres obtiennent des charges fixes dans les cours. Le titre de peintre du roi apparaît avant 1304. A la fin du XIVᵉ siècle, Charles V et ses frères les ducs de Bourgogne, d'Anjou et de Berry, créent des offices et des emplois nombreux de valet de chambre et de peintre.

Que dont qu'il fesist une lettre,
La ou cas qu'il si vosist mettre.
Mais il l'avoit entrelaiiet
Puis le temps qu'il ot chevauciet
En la queste que vous savès,
Et se merveilles en avés,
C'est un argus tout pourveüs.
J'ai bien des chevaliers veüs,
Frans, gentilz, et vaillans, et preus
Et as armes moult corageus,
Qui estoient en tel ouvrage
Enclin de sens et de corage,
Et en grant chierté le tenoient,
Et vraiement bon droit avoient,
Car c'est une science noble
Et en poet de Constantinoble
Le filz de l'empereur ouvrer,
Sans li ja noient reprouver (v. 20107-20131).

Agamanor est donc fêté par Phénonée et par Lucienne, mais comme le *ménestrel* qu'il paraît être. Il ne retiendra vraiment leur attention que lorsque son comportement étrange leur aura fait soupçonner qu'il n'est pas un vrai peintre mais un *gentilhomme : Ou il est gentilz homs ou folz*, déclare alors Lucienne (v. 20673). Et il obtiendra l'amour de sa dame non par le pinceau, mais les armes à la main, quand, ayant révélé qui il est, il aura remporté la victoire sur les deux champions que Phénonée lui oppose à titre d'épreuve.

Agamanor se transforme en peintre pour obtenir de voir celle qu'il aime. Avant lui, Lancelot s'était transformé en peintre parce que, retenu dans la prison de Morgue, il était au contraire séparé de la reine Guenièvre. On connaît cet épisode du *Lancelot* en prose. Une envoyée de Morgue attire Lancelot dans le château que la fée a bâti tout exprès dans l'espoir de l'y garder prisonnier jusqu'à son dernier jour. Endormi par un narcotique versé dans son vin, rendu malade par une poudre que Morgue lui insuffle au cerveau par un tuyau d'argent introduit dans son nez, Lancelot se rétablit contre toute attente au bout d'un mois, mais il ignore au pouvoir de qui il est tombé. Cloîtré dans sa chambre, il voit un jour par une fenêtre intérieure un peintre exécuter sur les murs du palais une fresque représentant les aventures d'Énée. Il conçoit l'idée d'en faire autant pour ses propres aventures et, s'étant fait donner par le peintre des pinceaux et des couleurs, il entreprend de peindre à fresque sur les murs de sa chambre son histoire, celle de ses amours avec la reine, celle de ses compagnons, depuis le jour où il est arrivé à la cour d'Arthur accompagné de la fée du lac. Morgue, qui chaque nuit vient le voir endormi, car elle est follement éprise de lui et le hait précisément d'avoir plusieurs fois repoussé ses avances et de lui préférer Guenièvre, Morgue, voyant ces fresques, en comprend le sujet, admire l'habileté que l'amour donne à Lancelot et comprend le parti qu'elle pourra en tirer contre lui (en effet, dans *La Mort le roi Artu*, elle fera coucher dans cette chambre Arthur, son frère, qui découvrira son infortune peinte sur tous les murs). Cependant, deux ans s'écoulent. Lancelot, chaque matin, contemple son œuvre, et l'image de la reine, devant laquelle il accomplit de véritables dévotions, le réjouit et lui arrache des larmes. Un matin de printemps, il voit sous sa fenêtre un rosier en fleurs dans le verger. L'une des roses, plus belle que les autres, lui rappelle les fraîches couleurs de la reine, mais elle est hors d'atteinte et il ne peut la cueillir. Hors de lui de désir et de colère, il arrache à mains nues les barreaux de fer de la fenêtre, saute dans le verger, les mains ensanglantées, trouve des armes et un cheval, et, apprenant du portier qu'il était prisonnier de Morgue, le charge avant de s'enfuir de lui porter sa malédiction[4].

Les fresques peintes par Lancelot ont donc pour fonction de compenser, autant que faire se peut, l'absence de la reine. Faute de la voir, il repaît ses yeux de son portrait, comme le fait aussi Tristan dans la grotte, dont il n'a cependant pas sculpté lui-même les statues[5]. De même, faute de vivre de nouvelles aventures, il peint et contemple celles qu'il a vécues et qui toutes n'ont pas eu d'autre moteur que son amour pour la reine. Au contraire, la peinture est pour Agamanor un moyen de parvenir jusqu'à Phénonée et peut-être de la conquérir. Cette opposition s'incarne dans la matérialité même de leurs œuvres.

Techniquement, les tableaux d'Agamanor présentent plusieurs caractères remarquables, soit en eux-mêmes, soit eu égard à la date du roman. Ce sont des peintures sur toile : « En une toile pourtrairai », dit, au

---

4. Alexandre Micha, *Lancelot*, t. V, Paris-Genève, Droz, 1980, p. 47-54 et 60-62.
5. Sur cet épisode du roman de Thomas, voir Aurelio Roncaglia, *La statua d'Isotta*, dans *Cultura Neolatina, anno XXXI, dedicato a Jean Frappier*, 1971, p. 41-67. Pour une comparaison avec l'épisode de Lancelot dans la chambre aux images, voir Jean Frappier, *Étude sur la Mort le roi Artu*, Paris, 1936, p. 113-114.

vers 20149, Agamanor qui expose son projet à son écuyer Bertoulet. La toile du premier tableau, dont la taille est précisée, paraît assez grande, bien que Froissart juge ses dimensions modérées :

En .I. drap non mies trop lé,
Mais environ de .V. quartiers (v. 20239-20240) [6]

Tout d'abord, Agamanor ne parle, à la suite du vers cité plus haut, que d'un tableau en noir et blanc, ou d'un dessin :

« En une toile pourtrairai
De blanc et de noir assés bien » (v. 20149-20150).

Mais il est plus tard question de couleurs :

Et fait querir tout bellement,
Ce qu'il fault, par le preudomme,
Couleurs et a oile et a gomme,
Et ce c'au mestiier apertient (v. 20233-20236)

Enfin, ces toiles peuvent se rouler pour le transport :

Tant oevre si bien et si biel
Que c'est plaisance au regarder,
Et puis le va enrondeler
Moult bellement en .I. baston (v. 20249-20252)

Ce point est de toute évidence important aux yeux de Froissart, qui ne cesse de faire jouer ses personnages de la possibilité qui leur est ainsi donnée de dérouler et d'enrouler la toile, d'en faire mystère et de la découvrir peu à peu, de ressentir une émotion soudaine à la vue du tableau inattendu qu'elle dévoile, de s'en détourner avec impatience en demandant qu'elle soit roulée à nouveau :

Agamanor, qui les doleurs
De bonne amour prent et encarge,
S'en vient, et noient ne s'atarge
Et par devant li *(Phénonée)* s'agenelle
Et puis .I. petit appareille
Le role ou les pointures sont.
.I. poi les desploie et adont

6. Le quartier est le quart de l'aune, qui mesure elle-même 1,18 m. Cinq quartiers font donc environ 1,50 m. A titre d'exemple, les dimensions du portrait de Jean le Bon mentionné plus bas sont approximativement 60 x 36 cm.

Dist ensi : « Ma tres chiere dame,
J'ai ordonné et fait par m'ame
Ce biel ouvrage ou nom de vous. »
Phenonee, qui en genous
Voit l'ouvrier, si dist : "Levés sus
Et ne vous traiiés point en sus,
Car nous le volons regarder. »
Lors le prent a desvoleper
Agamanor par petis plois,
Et la belle l'atouce as dois,
Qui grandement prise l'ouvrage (v. 20289-20306).

Après une brève conversation, Phénonée conclut :

– Or le remetés, mon ami,
Nous le verrons ja a loisir. »
Luciienne, qui grant desir
Avoit de lire .I. rondelet
Qui la estoit, dist : « Or le let
Encor .I. petit a reclore » (v. 20317-20322).

Voyant que ce poème est la déclaration d'amour d'une dame à son ami, Lucienne s'écrie :

– Or reploiiés, dist Lucilienne,
Ceste parole n'est pas mienne
Car onques n'aimai par tel art.
Et me dites, se Diex vous gart,
Biaus mestres, se ce vous feïstes,
Ou se la feste vous veïstes,
Qui fu ens ou chastiel adont,
Ou cil qui y furent vous ont
Recordé comment elle ala. »
Onques .I. seul mot ne parla
Agamanor a celle fois,
Mais remist sa cose ens es plois,
Ensi comme elle estoit devant (v. 20352-20364).

On voit que tous les mouvements qui agitent les personnages s'expriment à travers le geste ou l'intention d'enrouler ou de dérouler, un peu ou beaucoup, la toile. Agamanor, à genoux, devant la dame de ses pensées, en déroule timidement un petit morceau seulement, *.I. peu le desploie* (v. 20295), puis, invité par Phénonée à se relever et à montrer son ouvrage, il le déroule progressivement tout entier, *Lors le prent a* *desvoleper / Agamanor par petis plois* (v. 20303-20304) tandis que Phénonée l'effleure du doigt. Émue par la rencontre entre le sujet de la toile et ses propres préoccupations, elle ordonne au peintre de la cacher à ses yeux, « *Or le remetés, mon ami* » (v. 20317), tandis que Lucienne, à l'esprit curieux et précis, lui demande de suspendre un instant son geste pour lui permettre de prendre connaissance de certains détails ; puis, décontenancée par le rondeau amoureux, elle prie un peu brusquement Agamanor de rouler la toile à nouveau, mais ne peut s'empêcher de lui poser des questions sur sa source d'informations touchant le tournoi de Tarbonne. Docile, Agamanor roule la toile, mais il ne répond pas aux questions. Plus loin, quand il a eu l'audace de faire le portrait de Phénonée et de se représenter lui-même devant elle, tenant un rondeau d'amour, il remet cette seconde toile encore roulée à Phénonée, qui la déroule elle-même :

> Lors *(Phénonée)* tent la main et cilz, qui voit
> De Phenonee l'ordenance,
> Doucement en le main li lance,
> Et celle erranment le desploie (v. 20900-20903).

Si ce simple procédé de rangement et de transport des toiles revêt une telle importance, jusqu'à marquer les étapes d'une scène essentielle, jusqu'à être la pierre de touche des sentiments qu'éprouvent en secret les divers personnages, c'est qu'il devait en lui-même retenir l'attention du lecteur. Et s'il ne pouvait en effet que la retenir, c'est qu'il s'agissait à cette époque d'un procédé nouveau, moins nouveau peut-être que je ne l'ai cru, mais cependant rare en cette fin du XIVe siècle et très difficile à mettre en œuvre sans briser l'enduit qui supporte la peinture.

Agamanor peint sur une toile, la roule, la met sous son bras et va la porter à celle qu'il aime. Lancelot peint à fresque sur les murs mêmes qui le retiennent prisonnier. Dans un cas la peinture fait partie de la vie qui va et dont elle sert le mouvement, les péripéties, les rebondissements, les espoirs, de toute sa capacité d'invention et de renouvellement artistique et technique. Dans l'autre, l'art traditionnel de la fresque consacre le suspens de la vie au profit de la contemplation intériorisée d'un passé auquel on se heurte sans pouvoir lui échapper et sans que le présent puisse en prolonger le cours.

Mais la situation dans le *Lancelot* n'est pas aussi simple que le suggère cette opposition, à laquelle, de ce fait même, les rapports entre les deux passages ne se limitent pas. La chambre de Lancelot a deux fenêtres, dont l'une donne sur l'intérieur du palais, aux murs duquel on peint les aventures d'un héros du passé, Énée, l'autre sur l'extérieur, sur le verger où le rosier fleurit. La fenêtre intérieure lui donne la possibilité de tirer de sa propre intériorité l'image de la reine et celle de sa vie passée, en lui fournissant un modèle culturel, artistique et historique. La fenêtre ouverte sur l'extérieur lui offre une autre image de Guenièvre, non pas sur un portrait figé tiré de lui-même, mais le spectacle d'une créature vivante, une rose :

> Quant vint aprés la Pasque, a l'entree de may, que Lanceloz vit les arbres plains de foilles et de flors et il vit la verdor qui li faisoit son cuer resjoïr et la rose qui chascun jor espanissoit fresche et vermeille, se li souvint de sa dame la roine et de sa face clere et vermeille que la rose li amentevoit touz diz ; car quant il resgardoit la rose, il li sambloit que ce fut la coulor sa dame, si ne savoit pas laquele estoit plus vermeille, la rose ou sa dame, et ce fu la chose qui plus le dut avoir mis hors del sans. Au diemanche matin se fu Lanceloz levez si tost com il oï les oisillons chanter et vint a une fenestre de fer et s'asist por veoir la verdor et tant demora illuec que li soulaux se fu espanduz par mi le jardin. Lors resgarde le rosier et voit une rose novelement espannie qui estoit bien a double plus bele des autres. « Ausi vi je ma dame plus bele des autres au tournoiement de Kamaalot, et por ce que je ne la puis avoir, couvient il que je aie ceste rose qui de lui me fait remembrance. » Lors gete la main par mi sa fenestre et la tant por panre la rose, mes en nule manniere n'i puet avenir, car trop iert loing. Lors retrait sa main a lui et resgarde les fers de la fenestre, si les voit forz a merveilles. « Que est ce ? fait Lanceloz. Me porra dont tenir forteresce que je ne face ma volenté ? Certes nenil. » Lors prant .II. de cels fers a. II. mains et les tire si fort qu'il les a touz desronz, si les rue en mi la chambre ; mais itex est il atornez qu'il a le cuir des doiz touz escorchiez si que li sans l'en saut a terre ; mais il ne s'an sant mie granment. Atant se mist Lanceloz fors de la chambre et vet la ou il avoit veu la rose et la bese por l'amor de sa dame a cui ele ressambloit ; si l'atouche a ses ieux et a sa bouche et la met en son sain emprés sa char[7].

Puis il s'arme et quitte le château. La rose lui fait donc souvenir de la reine et lui donne ainsi la force de s'évader en brisant les barreaux de sa prison. Or, les portraits de Guenièvre qu'il avait peints ne lui avaient pas donné cette force. Bien au contraire, leur contemplation, dans laquelle

---

7. Micha, t. V, p. 61-62.

il s'abîmait chaque jour, ajoutait la prison du souvenir et de ses obsessions à la prison matérielle dont ils dissimulaient les murs sans les abattre :

> Quant il estoit levez chascun matin, si venoit a chascunne figure qui estoit pointe en leu de la roine, si les baisoit es ieux et es bouches ausi com se ce fust sa dame la roine ; si plouroit et se demantoit trop durement. Et quant il avoit grant piece dementé et plaint sa mescheance, si revenoit as ymages et les baisoit et lor faisoit la greingnor honor que il pooit et ainsi se reconfortoit par lui meismes, et ce estoit la chose qui plus li avenoit. Quand vint aprés la Pasque [8]...

Suit le passage ci-dessus. Encore une fois, la rose, objet vivant et doublement extérieur à Lancelot, parce qu'elle est hors de sa chambre et parce que ce n'est pas lui qui l'a faite, lui donne l'énergie de s'évader pour retrouver son amour, alors que les images peintes qu'il avait tirées de sa mémoire avaient sur lui un effet débilitant. Elle seule le met *hors du sens*.

C'est, dit le texte, que la rose ressemble à Guenièvre. Avant de s'interroger sur la nature de cette ressemblance, il faut noter que la rose tient la place de la reine beaucoup plus encore que le passage cité ne le suggère en lui-même. Non seulement parce que dans ce roman contemporain du *Roman de la Rose* de Guillaume de Lorris, la rose est l'image naturelle de la femme aimée. Mais surtout parce qu'une fois déjà Lancelot avait été séparé de la reine par une fenêtre grillagée dont il avait arraché les barreaux pour la rejoindre ; alors, elle était dans la chambre et lui dans le jardin. C'était lors de l'épisode de la Charrette. Comme Guenièvre l'y avait invité, Lancelot s'était trouvé le soir dans le verger sur lequel donnait la fenêtre de sa chambre ; il lui avait demandé si elle consentait à ce qu'il la rejoignit à l'intérieur. Elle avait accepté, et il avait arraché les barreaux de fer qui lui avaient déchiré les mains. Plus tard, dans leurs étreintes, Guenièvre, sentant ses mains humides, les avait cru moites d'émotion [9]. En s'évadant de la prison de Morgue, Lancelot ne fait que répéter en l'inversant la scène de son plus grand bonheur.

La rose rappelle donc à Lancelot la reine. Mais elle ne lui ressemble que métaphoriquement, parce que le teint de Guenièvre peut être dit celui d'une rose. Comment cette ressemblance peut-elle l'emporter sur celle des portraits peints par Lancelot ? C'est que ces portraits ne sont pas ressem-

---

8. *Ibid.*, p. 61.
9. Micha, t. II, p. 75-76.

blants, ne cherchent même pas, semble-t-il, la ressemblance. Dans le premier tiers du XIIIᵉ siècle, l'art du portrait n'existe pas. On se souvient que l'idée de peindre vient à Lancelot en voyant exécuter une fresque retraçant l'histoire d'Énée ; son modèle est donc celui d'une peinture narrative, décrivant les aventures d'un héros antique, et non celui d'un portrait fait d'après nature. Le texte apporte d'ailleurs la preuve que les images que Lancelot peint de Guenièvre, de lui-même, d'Arthur, ne sont pas ressemblantes ; Morgue, en effet, ne comprend le sujet de la fresque et n'identifie les divers personnages que parce qu'elle connaît l'histoire de Lancelot, et elle doit expliquer à sa suivante ce que représente chaque figure :

> Et quant (*Morgue*) vit les ymages, si connoist bien qu'eles senefioient, car bien avoit oï dire conment il ert venuz a cort et an quel vesteure. (...) Lors monstre a (*la demoiselle*) les ymages qu'il avoit faites et li devise de chascunne la senefiance et li dist : « Veez ci la roine et veez ci Lancelot et veez ci le roi Artus », tant qu'ele set bien que chascuns senefie [10].

Il y a donc plus de réalité pour les sens dans la ressemblance métaphorique qui existe entre la rose et la reine que dans le rapport purement conventionnel et symbolique qui existe entre telle figure féminine peinte sur le mur et la reine qu'elle est supposée représenter, qu'elle *signifie*, comme dit très bien le texte.

Mais dans la seconde moitié du XIVᵉ siècle, en même temps que la peinture sur toile, apparaît l'art du portrait, dont les premiers exemples datent des alentours de 1360 [11]. Et le second tableau d'Agamanor est un portrait de Phénonée, dont Froissart nous dit qu'il était ressemblant :

> .I. ymage bel et propice
> Fait au samblant et en l'espice
> De Phenonee pourtraiy. (v. 20786-20788)

Phénonée se reconnaît en effet, mais elle ne paraît pas reconnaître Agamanor dans le personnage que le tableau montre incliné devant elle, puisqu'elle demande :

---

10. Micha, t. V, p. 53.
11. Le célèbre portrait de Jean le Bon pourrait avoir été peint entre 1356 et 1359. Mais s'il représente, comme on le dit maintenant, non Jean le Bon, mais son fils Charles V, il est bien entendu un peu plus récent. Dans deux manuscrits français de l'ouvrage de Boccace *Des femmes nobles et renommées*, datant de 1403 et de 1404, une miniature représente la « peintresse » Marcia en train de faire son autoportrait en prenant pour modèle l'image que lui renvoie son miroir.

« Et que voet cilz faire
Qui telement se represente
Par ceste figure presente ? » (v. 20924-20926)

Mais Agamanor a pu se peindre dans une position qui interdit de distinguer ses traits. Peut-être est-il si bien déguisé que Phénonée ne fait pas le lien entre le peintre qui se tient devant elle et le chevalier, faucon au poing, que représente le tableau, ou qu'elle peut feindre sans invraisemblance de ne pas faire le lien, car la vérité est qu'elle commence à avoir quelques doutes. De toute façon, Froissart joue de la reconnaissance effective, ou possible, ou encore malicieusement retardée, des personnages réels comme modèles de ceux du tableau. De même que le passage de la fresque au tableau de chevalet, le passage de la représentation conventionnelle d'un personnage à son portrait ressemblant modifie l'usage que la littérature fait de la peinture. En outre, la première s'intéresse aux techniques de la seconde dès lors qu'elle les voit évoluer et progresser sous ses yeux. On a vu le parti que Froissart tire de la possibilité de rouler la toile ou de la ressemblance du portrait. On l'a vu soucieux d'expliquer qu'Agamanor sache peindre par la mention d'un talent et d'un goût anciens joints à une longue pratique, dont il s'efforce de montrer qu'ils n'ont rien de déshonorant de la part d'un chevalier. L'auteur du *Lancelot* ne s'embarrasse pas de telles considérations ; il ne mentionne pas la technique utilisée par son héros ni ne décrit l'aspect de son œuvre. Quant au talent et au savoir-faire qu'exige son exécution, et qui sont si grands, dit-il, qu'il semble n'avoir rien fait d'autre toute sa vie, Morgue, sans leur chercher d'explication rationnelle, y voit un prodige de l'amour, qui fait de Lancelot le meilleur peintre du monde comme il a fait de lui le meilleur chevalier du monde :

Si i furent les ymages si bien faites et si soltivement com s'il eust touz les jorz de sa vie fait cest mestier. (...) Lors dist Morgue a cele qui o lui estoit venue : « Par foi, merveilles poez veoir de cest chevalier qui tant est soltis et an chevalerie et an toutes choses. Voirement feroit Amors del plus dur home soutif et angingneux : si le di por cest chevalier que ja jor de sa vie ne feist si bien ymages, se ne fust destroiz d'amors qui a ce l'out mené. » [12]

12. Micha, t. V, p. 52-53.

Est-ce à dire que la peinture comme langage est différemment comprise par l'auteur du *Lancelot*, dans la première moitié du XIIIᵉ siècle, et par Froissart, à la fin du XIVᵉ siècle ? C'est à première vue une évidence que confirme tout ce qui vient d'être dit. Il faut ajouter que la fonction de communication de la peinture n'est pas la même dans les deux cas, ou plutôt qu'elle est absente du *Lancelot*. La fresque parle à Morgue, mais parce que celle-ci viole l'intimité de Lancelot, pour son malheur, en venant furtivement contempler son œuvre pendant son sommeil. Lancelot pour sa part ne peint que pour lui-même et ne cherche qu'à aviver la jouissance et la douleur du souvenir en le matérialisant. Au contraire, le tableau dans *Méliador* paraît n'être rien d'autre qu'un moyen de communication, un moyen pour Agamanor d'être mis en présence de Phénonée, de lui montrer qu'il n'ignore rien des exploits du chevalier rouge au tournoi de Tarbonne et qu'il devine l'intérêt qu'il lui inspire, un moyen enfin de lui déclarer son amour. Sur ce dernier point, cependant, c'est un demi-échec, puisque le peintre se trouve prisonnier de son état d'emprunt et ne peut parvenir à ses fins qu'en dévoilant son stratagème. Si les fresques qui entourent et emprisonnent le peintre solitaire s'opposent à la toile que le peintre de chevalet emporte pour la mettre sous les yeux de sa destinataire, tous deux ne trouvent dans la peinture qu'un mode d'expression décevant. Elle trahit doublement Lancelot, puisqu'il ne saurait en tirer l'énergie nécessaire pour s'évader, pour s'arracher au souvenir et à l'imaginaire et pour retourner au réel, et puisqu'elle livre le secret de ses amours. Elle manque au but que lui avait fixé Agamanor, puisque celui-ci, pour l'atteindre, doit reprendre son identité véritable et faire la preuve du talent qui y répond, celui des armes.

Mais il ne saurait s'agir seulement, dans un roman, de la peinture comme mode de communication, mais bien plutôt de la transposition de ce mode de communication dans un autre, celui de la littérature. Dans ce domaine, la difficulté, pour la dire en un mot, est que le tableau s'embrasse d'un coup d'œil, tandis que le langage impose de donner les informations selon une succession chronologique. On ne s'étonne donc pas que l'auteur du *Lancelot*, de toute façon peu intéressé par les techniques propres de la peinture, se contente d'énumérer l'un après l'autre les événements illustrés par Lancelot :

> Lors conmance a poindre premierement conment sa dame del Lac l'anvoia a cort por estre chevalier nouvel et conment il vint a Kamaalot et conment

il fu esbahiz de la grant biauté sa dame, quant il la vit premierement et conment il ala fere secors a la damoisele de Noant. Itex fu la jornee Lancelot.(...) Au matin, quant Lanceloz fu levez,(...) lors conmence a paindre conment il vint a la Dolerouse Garde et conment il conquist le chastel par sa prouesce. A l'autre jour aprés portraist tout ce qu'il fist jusqu'au tornoiement ou il porta les armes vermeilles, celui jor que li rois dez .C. chevaliers le navra. Aprés portraist de jor en jor toute l'estoire ne mie de lui seulement, mes des autres, si com li contes a devisé[13].

Ainsi, non seulement la succession des événements est marquée par celle des jours que Lancelot emploie à les peindre, mais encore elle se confond avec le long récit que le roman en a fait depuis le début jusqu'au point où il est parvenu. La vraisemblance même de la fresque disparaît, l'image concrète que pouvait en faire le lecteur s'évanouit. A la place de cette image surgit le récit romanesque et le souvenir de sa lecture. La peinture tout entière s'efface au profit de la littérature. On comprend dès lors que l'auteur n'a pas choisi au hasard, pour inciter son héros à peindre, de lui proposer l'exemple d'une fresque retraçant les aventures d'Énée. Car Virgile avait joué de la même façon, mais dans un ordre inverse, de la représentation picturale du récit. Au début de l'*Énéide*, Énée, arrivant à Carthage, est frappé à la vue d'un temple orné d'une fresque ou d'un bas-relief – le texte ne donne pas d'indications sur ce point – représentant la prise de Troie[14], dont le récit qu'il en fait à Didon occupe le livre suivant et fait oublier l'œuvre d'art. La différence est que la rhétorique virgilienne cherche à donner, dans son ordre, un équivalent de l'impression visuelle, alors qu'une telle préoccupation est étrangère à l'auteur médiéval. Sa fresque pâlit donc davantage encore devant la matière littéraire qu'elle rappelle.

Quant à Agamanor, il ne peint pas des fresques mais des tableaux, et on a pu mesurer l'intérêt que porte Froissart à l'art du peintre. On ne s'étonnerait donc pas qu'il cherchât à rendre sensible le caractère spécifique de l'art pictural. Or, il n'en est rien. Le premier tableau d'Agamanor offre même aux regards une succession narrative analogue à celle d'une fresque, puisqu'il représente plusieurs épisodes successifs des fêtes de Tarbonne :

Agamanor droit la se tient
Tant qu'il ot plainnement ouvré
En .I. drap non mies trop lé,

13. Micha, t. V, p. 52-54.
14. *Énéide*, I, v. 454-493.

144

Mais environ de .V. quartiers,
Comment li rouges chevaliers
Tournia par devers Tarbonne.
Le tournoy bellement ordonne
Et tout ensi qu'il se porta
Et comment le pris enporta
Par tres bonne chevalerie,
Et comment il vint la nuitie
Veoir les dames ou chastiel.
Tout oevre si bien et si biel
Que c'est plaisance au regarder (v. 20237-20250)

L'énumération des scènes représentées est marquée, exactement comme dans *Lancelot*, par l'accumulation des *et comment*, le texte ne donnant au demeurant aucun élément qui permette au lecteur de se représenter ce *comment*, en dehors de l'affirmation que le tableau est réussi. La seule différence est que Froissart précise les dimensions de la toile et que son récit du tableau, puisqu'on ne saurait parler de description, est encadré par les indications citées plus haut touchant le matériel du peintre et la façon dont il enroule la toile. Mais Froissart ne cherche ni à décrire les ressources expressives propres à la peinture ni à suggérer l'effet spécifique qu'elle produit. Bien mieux, son peintre lui-même se fie plus à la poésie qu'à la peinture pour émouvoir ceux, ou plutôt celles qui regarderont ses tableaux. Sur chacun d'eux, en effet, il a copié un rondeau sur un phylactère tenu par le personnage qui est supposé le dire. Sur le premier tableau, une dame, qui n'est pas identifiable, puisque Lucienne, qui a l'œil attiré par ce détail, ne la reconnaît pas, tient un rondeau qui assure son ami de son amour et l'exhorte à la fidélité (v. 20342-20351). Sur le second, Agamanor lui-même présente à Phénonée le rondeau suivant :

En pensant a vous me conforte,
Ma tres douce dame, tousdis.
De ma douleur qui est trop forte
En pensant, etc.
Ce doulz penser si me deporte
De tout anui, et pour ce dis :
En pensant a vous etc. (v. 20802-20808) [15]

---

15. Rappelons que les poèmes insérés dans *Méliador* sont du duc Wencelas de Luxembourg.

Ainsi, non seulement Agamanor ne parvient pas à ses fins en tant que peintre, mais encore le tableau ne paraît pas en lui-même une déclaration d'amour suffisamment claire ; il éprouve le besoin de lui adjoindre des explications. Et la mise en parallèle de ces deux échecs n'est nullement arbitraire, puisque Froissart décrit en ces termes l'auto-portrait d'Agamanor :

> Moult gente fu li pourtraiture,
> Car sus une main il tenoit
> .I. faucon qui li avenoit
> Gratïeusement a tenir ;
> En l'autre main sans point mentir
> Tenoit en .I. petit roliel
> .I. moult tres amoureus rondiel (v. 20793-20799).

Autrement dit, il tient d'une main le signe qu'il n'est pas peintre, mais chevalier, et de l'autre le signe que la peinture à elle seule est impuissante à exprimer l'amour, ou au moins que le romancier ne fait pour cela confiance qu'aux mots.

Il est donc bien vrai que les deux romans manifestent, de l'un à l'autre, un intérêt croissant pour la peinture, qu'ils s'efforcent de la faire servir à leur projet littéraire et que Froissart n'hésite pas à se fonder sur ses progrès techniques les plus récents pour renouveler un thème traditionnel de la littérature arthurienne. Mais ni l'auteur du *Lancelot* ni lui n'ont le senti-ment que la peinture peut à l'occasion leur être nécessaire, qu'elle peut relayer l'écriture pour exprimer certaines choses devant lesquelles les mots seraient impuissants, ou simplement que les effets sur lesquels elle se fonde et les impressions qu'elle produit sont d'un ordre différent et unique. Bien au contraire, l'un et l'autre la subordonnent à l'écriture, chacun à sa manière. Et chacun à sa manière en montre les limites. Pour l'auteur du *Lancelot*, la plus belle image du monde éveille moins d'émotion qu'une rose réelle et vivante. Pour Froissart, le plus beau tableau du monde est moins éloquent que les plats versiculets de son patron, le duc Wenceslas. Images décevantes, pour qui voudrait enlacer la femme aimée, images muettes, pour qui aurait tant à dire d'amour, trop sages images, qui « vivent sans vie », « par cœur », comme l'écrira bientôt Villon :

> Deux estions et n'avions qu'un cueur :
> S'il est mort, force est que desvye,
> Voirë, ou que je vive sans vie

146

Comme les ymaiges, par cueur,
      Mort![16]

Pourtant, cette peinture, dévaluée alors même que le récit paraît la valoriser, a quelque chose d'important à dire sur l'œuvre littéraire qui la traite à la fois si bien et si mal, et ce qu'elle a à dire porte sur la relation du temps et du récit. La toile déroulée soumet le récit au temps du regard qui le découvre, tandis que la fresque étalée impose au regard le temps du récit. Le portrait, le tableau de chevalet, donnent l'illusion d'être instantanément perçus dans l'immédiateté du regard. Mais le déroulement de la toile restitue le temps, toujours nécessaire, de la lecture picturale. Une lecture analogue à celle de la poésie. Une lecture qui, comme elle, prend du temps. D'une action qui prend du temps, qui occupe de la place dans le temps, on dit qu'elle se déroule – comme la toile. Et le phylactère où est inscrit le rondeau reproduit dans ses courbes celles de la toile qu'on enroule et déroule, comme si le souple parchemin était une toile peinte. De fait, il est bien vrai que le parchemin n'est qu'illusion et que le rondeau est peint sur la toile, avec le reste du tableau, comme en une composition en abyme qui, lassée d'une répétition menacée par l'insignifiance, finirait par substituer les lettres à l'image et par révéler, dans le temps de la lecture, le sens.

16. Villon, *Testament*, dans *Poésies Complètes*, éd. Claude Thiry, Paris, le Livre de Poche, Lettres gothiques, 1991, v. 985-989 (lai ou plutôt rondeau).

CHAPITRE IX

L'amour en fuite *

Froissart n'a pas de chance. Chroniqueur, on l'a accusé de trop raconter et de ne pas assez penser. Poète, on lui ferait volontiers le reproche inverse. L'histoire d'amour qui court à travers ses grands poèmes est évanescente. Il ne prétend même pas l'avoir vraiment vécue. Cette histoire se poursuit dans ses deux grands poèmes, probablement écrits à cinq ans d'intervalle (1369 et 1373), que sont l'*Espinette amoureuse* et le *Joli Buisson de Jeunesse*. Leurs titres mêmes se répondent : une espinette est un buisson d'aubépine, qui traditionnellement protège de son ombre les amours médiévales. Mais ce buisson, ce lieu de l'amour, Froissart ne l'atteint réellement dans aucun des deux poèmes, pas plus qu'il ne parvient à jouir de ses amours. Il ne visite qu'en rêve le *joli buisson de Jeunesse*, alors que sa propre jeunesse est passée. Et qu'est-ce que cette *espinette amoureuse* dont le poème parle à peine ? Sans doute l'*espinette / Qui florie estoit toute blance* (v. 3659-3660) sous laquelle le poète et sa belle échangent des promesses, hélas sans lendemain. L'expression même d'*espinette amoureuse* n'apparaît, quant à elle, qu'au dernier vers de ce poème auquel elle fournit à la fois un titre et une chute. Si le poète espère parvenir jusqu'à cette *espinette amoureuse* quand il plaira à sa dame et y connaître le bonheur, rien ne dit que ce souhait se réalisera :

---

* Ce chapitre reprend et développe mon article « L'amour en fuite. L'*Espinette amoureuse* et *Le Joli Buisson de Jeunesse* de Froissart, ou la poésie comme histoire sans objet », *Musique naturele. Interpretationen zur französischen Lyrik des Spätmittelalters*, éd. Wolf-Dieter Stempel, Munich, Wilhelm Fink, 1995 (Romanistisches Kolloquium Band 7), p. 195-209. Il est reproduit avec l'aimable autorisation des éditions Wilhelm Fink.

Et quant il plaira a ma dame
Que j'aie ossi grant q'une dragme
De confort, adont resjoïs
Serai de ce dont ne joïs
Ains languis, en vie ewireuse
Dedens l'Espinette amoureuse [1].
Explicit le dittier de l'Espinete amoureuse.

Bien plus, l'absence de ponctuation dans les manuscrits médiévaux ajoute à ces vers une ambiguïté que la ponctuation introduite par Anthime Fourrier résout en contresens. En plaçant une virgule après « joïs » et en n'en plaçant pas après « languis », Fourrier oblige à comprendre que le poète ne jouit pas des faveurs de sa dame, mais qu'il « languit en vie heureuse », ce qui n'a guère de sens. Il faut évidemment rattacher « en vie ewireuse » à « resjoïs serai » et comprendre : je serai réjoui en vie heureuse de ce dont actuellement je ne jouis pas, mais dont au contraire la privation me fait languir. Mais il reste que, sans ponctuation, la coupure naturelle est celle des vers et que « languis en vie ewireuse » saute d'abord aux yeux comme un oxymore.

Une histoire d'amour évanescente. Une *espinette amoureuse* et un *joli buisson de Jeunesse* qui ne peuvent être atteints que dans la vision, le rêve, le souhait ou le regret. Cette évanescence ne doit tout de même pas nous empêcher de savoir de quoi nous parlons. Je me permets donc de résumer très brièvement les deux poèmes, ce qui est une gageure, tant l'intrigue, si l'on peut employer ce mot, est chaque fois ténue et touffue à la fois.

Dans l'*Espinette amoureuse*, le poète nous dit qu'après une enfance occupée par les jeux de son âge, mais marquée par une sorte de prescience de l'amour, il a, dans une vision, approuvé devant les trois déesses concernées le jugement de Pâris, ce qui lui a valu de la part de Vénus la promesse qu'il aimerait une femme plus belle qu'Hélène de Troie. Peu après, il rencontre une jeune fille en train de lire un roman. La littérature leur fournit un terrain d'entente. Voilà le poète amoureux, mais il n'arrive pas à percer les sentiments de la belle. Apprenant qu'elle a des projets de mariage, il tombe gravement malade, puis s'embarque pour l'étranger. Une nuit, elle lui apparaît dans le miroir qu'il a placé sous son oreiller et lui parle avec tant de douceur qu'il décide de revenir

1. *Espinette amoureuse*, v. 4193-4198.

dans son pays. Mais une fois de retour, il retrouve ses incertitudes entre-
tenues par le comportement toujours ambigu de sa dame. Le poème
s'achève sur le suspens d'une de ces ambiguïtés.

Dans le *Joli Buisson de Jeunesse*, Froissart, se souvient du temps passé :
il veut raconter comment il a été jadis au Buisson de Jeunesse. Il
emploiera ainsi les dons qu'il a reçus de Nature. Philosophie, lui rappelant
les mécènes qui l'ont couvert de leurs bienfaits, l'y incite. Mais le poète
est en peine d'un sujet. Philosophie lui conseille d'aller chercher au fond
de son coffre le portrait de sa belle qu'il y a mis il y a plus de dix ans.
La vue du portrait réveille son amour. Mais comment redevenir jeune,
lui qui a trente-cinq ans, « peu plus, peu moins » ? Pourtant la force de
ses souvenirs leur donne une sorte de réalité. Le soir du 30 novembre
1373, il se couche de bonne heure et fait un rêve. Vénus lui apparaît,
lui rappelle son ancienne promesse, l'invite à se lever, puisque l'aube va
naître et que les oiseaux chantent, et le conduit au Buisson de Jeunesse,
tout rond et d'aspect changeant. Il y rencontre un élégant jeune homme,
Jeunesse, qui, après lui avoir infligé une leçon d'astronomie, le conduit
en un lieu où s'ébattent de jeunes personnes, parmi lesquelles le poète
retrouve son aimée telle qu'elle était dix ans plus tôt. On joue à de petits
jeux dont il espère qu'ils seront l'occasion d'un rapprochement et d'un
aveu. D'ailleurs Désir le favorise et s'efforce d'écarter Danger. Mais au
moment où les choses commencent à prendre bonne tournure, le poète
se réveille. C'est l'hiver, il fait froid. Il rentre en lui-même, comprend
qu'il est temps pour lui de renoncer aux futilités de l'amour et termine
en composant un long poème à la Vierge.

On le voit, dans l'*Espinette amoureuse*, l'histoire d'amour « se termine
avant d'avoir commencé »[2]. Dans le *Joli Buisson de Jeunesse*, elle est ravivée
par le souvenir et par le rêve alors qu'elle est depuis longtemps passée.
Pourtant, d'une façon qui paraît presque absurde, le temps de cette
non-histoire, son écoulement, ses repères sont très fermement marqués
et constamment rappelés[3].

2. William Kibler, « Self-delusion in Froissart's *Espinette amoureuse* », dans *Romania* 97,
1976, p. 94 (« The affair ends before it begins »).
3. Voir Jacqueline Cerquiglini-Toulet, « Écrire le temps. Le lyrisme de la durée aux XIVᵉ
et XVᵉ siècles » dans *Le temps et la durée dans la littérature au Moyen Age et à la Renaissance*, Actes
du colloque organisé par le Centre de recherche sur la littérature du Moyen Age et de la
Renaissance de l'Université de Reims (novembre 1984) publiés sous la direction d'Yvonne
Bellenger, Paris, Nizet, 1986, p. 103-114.

Il y a là, bien sûr, la traditionnelle impossibilité de saisir « le présent de l'amour » qui sous-tend le grand chant courtois et que le *Roman de la Rose* avait mise en valeur et montée en épingle[4]. Le discours amoureux ne peut être un discours que de l'anticipation ou du souvenir. L'articuler autour des signes du temps, celui de l'écriture et celui de la vie, est un moyen de mettre ce caractère en évidence.

Si les repères du temps sont dans la poésie de Froissart fortement marqués sans être pour autant les repères d'une histoire, c'est qu'ils ont pour fonction de structurer, non pas le contenu, mais l'expérience même du temps, l'activité de l'esprit qui définit le moi comme émergence du passé dans le présent et comme une construction du passé par le présent, construction déterminée par les mouvements affectifs et qui détermine à son tour la conscience et la représentation cohérente du moi. Les poèmes construisent une représentation du moi structurée par le processus de la réminiscence, par la présence du souvenir à la conscience, cette conscience qui n'est que dans le reflet du souvenir.

Ces deux éléments – l'impossibilité de saisir le présent de l'amour d'une part et de l'autre l'expression d'une conscience de soi structurée par l'expérience du temps et par la mémoire – sont complémentaires. Le moi amoureux est un produit de la mémoire. L'exercice de la poésie est un exercice de la mémoire. Un poème d'amour est un discours sur le passé. Éprouver l'amour, c'est éprouver l'écoulement du temps par le jeu de la mémoire, celui de la réminiscence et de l'oubli, celui des collusions du passé et du présent.

De l'*Espinette amoureuse* au *Joli Buisson de Jeunesse*, c'est la même histoire sentimentale qui se poursuit. Le narrateur retrouve en rêve dans le second de ces poèmes celle dont, dix ans auparavant, il s'était épris dans le premier. Mais de cette histoire sentimentale nous ne saisissons que les prolégomènes enfantins et l'ébauche inachevée dans l'*Espinette amoureuse*, qui se clôt sur l'incertitude et le suspens, pour n'en retrouver que le souvenir et la réactualisation illusoire et onirique dans le *Joli Buisson de Jeunesse*. Le blanc entre les deux poèmes, entre le seuil de l'enfance et celui de la vieillesse, est le blanc de l'amour enfui et du temps perdu.

4. Michel Zink, « Die Liebe im Rosenroman », dans *Das Schicksal der Liebe*, éd. Dietmar Kamper et Christoph Wulf, Berlin, Quadriga, 1988, p. 130-149. Version française : « Le présent de l'amour dans le *Roman de la Rose* », dans *Les voix de la conscience. Parole du poète et parole de Dieu dans la littérature médiévale*, Caen, Paradigme, 1992, p. 33-55.

L'enracinement dans le passé est le sujet même du *Joli Buisson de Jeunesse*. Les deux premiers vers l'avouent avec une simplicité ambiguë :

> Des aventures me souvient
> Dou temps passé.

Ces aventures pourraient être celles « des guerres de France et d'Angleterre », mais ce sont les aventures intimes de l'amour. Cette formule pourrait être de la prose, mais elle forme un octosyllabe et demi. Elle pourrait définir l'activité de Froissart chroniqueur, mais elle s'applique à Froissart poète. L'expérience du souvenir est un état de conscience. Un état de conscience si éloigné de la perception du temps objectif que, dans le *Joli Buisson de Jeunesse*, le souvenir du passé est très vite supplanté par l'illusion de le vivre dans le présent et de retrouver le temps par la grâce du songe.

Mais l'enracinement dans le passé marque aussi, et auparavant, l'*Espinette amoureuse*, poème qui paraît pourtant tourné vers l'avenir de l'amour. On le voit à la façon dont Froissart signale dans les derniers vers le passage où il a dissimulé sous l'anagramme son nom (Jehan Froissart) et celui de sa dame (Marguerite, nom conventionnel de la femme aimée dans la poésie de Machaut, et par suite dans la sienne) :

> Non pour quant les lettres sont dittes
> En quatre lignes moult petites
> Entre NOUS FUMES et LE TAMPS[5].

Ces quatre lignes, ce sont les vers 3386-3389, dans un développement où le poète décrit le tapis sur lequel s'asseyait sa dame lorsqu'elle lui rendait visite, et qu'il appelait « Le Verger de ma droite Dame » (v. 3385) :

> *Je han*toie la tempre et tart,
> Dont *frois*, dont chaus, navrés du *d*art
> D'Amours, et lors de flors petites,
> Violettes et *margerites*,
> Semoie dessus le tapis
> Qui dedens le cambre estoit mis[6].

Mais la portion du poème délimitée par NOUS FUMES et LE TAMPS va du v. 3338 (« NOUS FUMES en esbatement ») au v. 3426

---

5. *Espinette amoureuse*, v. 4183-4185.
6. *Espinette amoureuse*, v. 3386-3392.

(« LE TAMPS si se passoit ensi »). Pourquoi découper ce long passage de quatre-vingt-neuf vers à l'intérieur duquel seuls quatre vers sont en cause ? Pour rendre l'énigme plus difficile à résoudre ? Mais pourquoi justement quatre-vingt-neuf vers, et non pas cinquante ou cent vingt ? Bien certainement pour mettre en valeur ces termes clés du poème : NOUS FUMES et LE TAMPS. D'un même mouvement Froissart signe son poème et en dévoile le thème central, qui est aussi le fondement de sa poétique, ce qui définit son moi en poésie, et enfin ce à quoi, historien ou poète, il a consacré sa vie.

L'*Espinette amoureuse* est un poème qui se tourne vers le passé pour anticiper l'avenir de l'amour. Voilà encore une formule qui pourrait s'appliquer au *Roman de la Rose* : l'actualité nouvelle de l'amour et ses promesses ramènent le narrateur cinq ans en arrière, à ce rêve ancien, prémonitoire mais sur le moment incompris, qu'il a fait

> Au vuintieme an de [son] aage,
> Ou point qu'amors prent le peage
> Des joenes genz[7].

Aussi bien, le début de l'*Espinette amoureuse* démarque ostensiblement ces vers :

> Pluiseurs enfant de jone eage
> Desirent forment le peage
> D'Amour paiier[8].

La différence est que le caractère universel de l'initiation sentimentale, loin d'être accusé par le recours à l'allégorie, est gazé chez Froissart par l'affectation autobiographique. Affectation qui va jusqu'à consacrer un prologue de plusieurs centaines de vers à l'enfance du poète. Ce prologue, on le sait, a depuis toujours retenu l'attention. On a vanté son charme et sa fraîcheur. On a cherché à identifier les jeux enfantins qu'il énumère avec une telle abondance[9]. On s'est moins demandé, peut-être, s'il a une nécessité au regard du poème ou s'il est un hors-d'œuvre. On s'est moins interrogé sur le sens de cette plongée dans l'enfance. Pourquoi

---

7. Le *Roman de la Rose*, éd. Armand Strubel, Paris, le Livre de Poche, Lettres gothiques, 1992, v. 21-23.

8. *Espinette amoureuse*, v. 1-3.

9. Sur les jeux du Moyen Age, voir Jean-Michel Mehl, *Les jeux au royaume de France du XIIIe au début du XVIe siècle*, Paris, Fayard, 1990.

Froissart remplace-t-il les jeunes gens de vingt ans, l'âge du tribut payé à l'amour, par des enfants d'âge tendre, impatients de payer ce tribut, mais encore trop jeunes ? Pourquoi cette préhistoire de l'amour ? On voudrait pouvoir répondre d'un mot. Mais tout ce début est si déroutant et sinueux qu'il faut le suivre dans ses détours, au risque d'être bien lourd, pour saisir sa parole légère.

Il tourne d'abord autour du mot « ébats », qui désigne à la fois les jeux de l'enfance et ceux de l'amour. La jeunesse cherche les ébats, et Amour s'abat sur ceux qui cherchent les ébats. Quand le poète était jeune, il aimait à s'ébattre ; ce goût lui est resté, mais « ce qui existait hier n'existe plus aujourd'hui »[10]. La notion et le terme d'*ébats* suggèrent une analogie entre l'amour et les jeux enfantins, chargent ces derniers d'une sorte de pré-érotisme, en font une attente et une propédeutique de l'amour, à l'âge où on le désire déjà sans l'éprouver encore, où on le perçoit de l'extérieur, où on le devine sans en acquitter encore le péage.

Tout le prologue est là. A douze ans, poursuit le poète, il aimait voir les danses et les caroles, écouter les ménestrels et les propos liés au plaisir, et Nature le poussait à aimer ceux qui aiment la chasse[11]. Des goûts précoces, ceux des ébats qu'il aimera plus tard, mais des goûts indirects, médiatisés, satisfaits par procuration – et qui rejoignent du coup l'angoisse de la marginalisation sociale qui est celle de Froissart, son désir d'être admis et introduit que nous avons commentés à la suite de Peter Ainsworth : voir danser, mais non pas danser ; écouter les ménestrels, mais non pas composer lui-même des poèmes. Plus loin dans le dit, quand il sera amoureux, il sera lui aussi danseur et poète, mais sans jamais être sûr d'être bienvenu de sa belle dans ces deux fonctions. Quant à la chasse, ni dans l'*Espinette amoureuse* ni ailleurs on ne le voit la pratiquer, mais toute son œuvre poétique, historique et romanesque montre son amour, qui est une forme de son snobisme, pour ceux qui « aiment et chiens et oiseaux » – Gaston Phébus – et qui mènent la vie noble dont la chasse est l'emblème. Il se fera leur historien. En associant la chasse à la poésie et à l'amour, il suggère qu'une seule et même vocation l'a fait historien, amoureux et poète :

10. *Espinette amoureuse*, v. 19-26.
11. *Espinette amoureuse*, v. 27-34.

Car en pluiseurs lieus on decline
Que toute joie et toute honnours
Viennent et d'armes et d'amours [12].

Ce qui s'annonce dans les premiers vers de l'*Espinette amoureuse*, c'est l'histoire amoureuse de l'historien des armes.

Quand on met le poète à l'école – à douze ans, dit-il plus loin –, il essaie de se faire bien voir des petites filles en leur faisant de menus cadeaux, et quand il y parvient, cela lui paraît « une grande prouesse » : « Et il est bien vrai que c'en est une » :

Et quant on me mist a l'escole
Ou les ignorans on escole,
Il y avoit des pucelettes
Qui de mon temps erent jonetes,
Et je, qui estoie puchiaus,
Je les servoie d'espinchiaus,
Ou d'une pomme, ou d'un poire,
Ou d'un seul anelet de voirre,
Et me sambloit, au voir enquerre,
Grant proëce a leur grasce acquerre ;
Et ossi esce vraiement,
Je ne le di pas aultrement [13].

Le voilà impatient d'aimer :

Et lors devisoie aparmi :
« Quant revenra li tamps parmi
Que par amours porai amer ? » [14]

Question inattendue, et si naturelle. L'attente de l'amour à venir, pour celui qui n'a pas encore aimé, ne peut s'exprimer que dans une formule apprise, stéréotypée (ici celle d'un refrain à danser), formule utilisée par ceux qui ont déjà l'expérience de l'amour. Et pour ceux-là, l'attente de l'amour est attente d'un retour, elle se confond avec le regret, avec la nostalgie. L'amour est tellement lié au passé que l'attente des amours futures ne peut se dire que par référence aux amours passées et à travers l'espoir d'un retour du temps.

12. *Espinette amoureuse*, v. 52-54.
13. *Espinette amoureuse*, v. 35-46.
14. *Espinette amoureuse*, v. 47-49.

Alors vient ce qui paraît devoir être la conclusion du prologue et la transition vers le sujet même du poème. Le poète a passé sa jeunesse, non pas sottement, mais de la meilleure façon qui soit : à aimer ; penser à sa jeunesse et à ses amours, s'en souvenir, en parler : voilà ce qui le maintient, ce qui le garde de « pourrir », voilà sa nourriture (v. 55-72). Nous voilà donc projetés d'un coup de l'anticipation enfantine de l'amour au souvenir de l'amour quand le temps en est passé. Après un éloge de l'amour (v. 73-108), car il faut employer le peu de temps que nous avons à vivre de la meilleure façon possible, qui est d'aimer, le poète annonce que le poème qu'il entreprend traite d'amour et est écrit pour sa dame : il doit tout à l'un et à l'autre, et s'il n'a pas progressé en proportion des biens qu'ils lui ont donnés, c'est sa faute, non la leur. Son excuse, c'est qu'il était bien jeune, ce qui n'est d'ailleurs pas un mal, peut-être, car un être jeune a plus de souplesse pour se plier à l'amour (v. 109-142). Il est en effet entré au service d'Amour à un âge si tendre qu'il se livrait encore sans se lasser aux jeux des enfants de moins de douze ans. Vient alors la longue et célèbre énumération de ces jeux (v. 143-248) :

Et premier, par quoi je m'escuse,
Je faisoie bien une escluse
En un ruissot d'une tieulette,
Et puis prendoie une esculette
Que noer je faisoie aval ;
Et s'ai souvent fait en un val
D'un ruissot ou d'un acoulin
Sus deus tieulettes un moulin ;
Et puis jeuiens aux papelotes,
Et ou ruissot laviens nos cotes,
Nos caperons et nos cemises ;
Si sont bien nos ententes mises
A faire voler aval vent
Une plume, et s'ai moult souvent
Tamisiet en une escafote
La pourrette parmi ma cote ;
Et estoie trop bon varlés
Au faire de terre boulés ;
Et pluiseurs fois me sui emblés
Pour faire des muses en blés ;
Et pour les pavellons cachier
Me vosisse bien avanchier
Et, quant atraper les pooie,
D'un filechon je les loioie,

Et puis si les laissoie aler
Ou je les faisoie voler[15].

Et de préciser qu'il ne jouait pas aux jeux des adultes (les dés, les échecs ou les tables), mais à faire des pâtés de sable (v. 177-184). L'apparente transition vers le récit de ses amours a donc fini par le ramener au temps de son enfance et à l'y plonger plus profondément que jamais. Sous la plume de Jean Froissart, le récit des amours de Jean semble devoir se dérober autant que le fera sous celle de Diderot le récit des amours de Jacques. C'est que remonter aux sources de l'amour, c'est prendre le risque de ne jamais s'évader de l'enfance :

Mais quel eage, au dire voir,
Cuidiés vous que peüisse avoir
Des lors qu'Amours par ses pointures
M'ensengna ses douces ointures ?
Jones estoie d'ans assés :
Jamais je ne fuisse lassés
A jeuer aux jeus des enfans
Tels qu'ils prendent desous .XII. ans[16].

Ambiguïté de ces vers si simples : le poète avait-il moins de douze ans quand il a découvert l'amour ? S'adonnait-il encore, bien qu'ayant atteint ou passé cet âge, aux jeux des enfants plus jeunes, en une sorte de prolongation de l'enfance par un état de latence infantilisant auquel la révélation de l'amour a mis fin ? L'expression hypothétique *Jamais je ne fuisse lassés* signifie-t-elle simplement qu'il aurait pu alors jouer à ces jeux sans jamais s'en lasser – sous-entendu : si on ne l'en avait pas empêché, si on ne l'avait pas envoyé à l'école – ou bien qu'il ne se serait jamais lassé de ces jeux sans la découverte de l'amour, qui lui en a enseigné d'autres ? Le léger tremblé du sens brouille la frontière entre les différents *ébats*.

C'est sous le signe de ce brouillage que s'inscrit l'énumération des jeux, suivie par le récit de l'apprentissage adolescent (v. 249-338). Acquisition du savoir : on met l'enfant à l'école pour y apprendre le latin. Apprentissage des contraintes et des conflits de la vie sociale : il est battu quand il n'a pas appris ses leçons, il se bat avec ses camarades, il est battu

---

15. *Espinette amoureuse*, v. 151-176.
16. *Espinette amoureuse*, v. 143-150.

lorsqu'il rentre à la maison avec des vêtements déchirés. Apprentissage sentimental : en écho au développement des vers 35-54, il se montre faisant des cadeaux aux petites filles et en même temps, vrai petit pervers polymorphe, poussé par l'élan d'une sensualité encore indistincte vers l'amour et vers les fleurs. Apprentissage littéraire et médiatisé de l'amour : l'hiver, *pour esbas eslire* (v. 313), il lit des romans d'amour.

> En ceste douce noureture
> Me nourri Amours et Nature :
> Nature me donnoit croissance
> Et Amours, par sa grant poissance,
> Me faisoit a tous deduis tendre [17].

Le voilà prêt à aimer :

> En tele fourme me fourma
> Amours et si bien m'enfourma
> Qu'il m'est tourné a grant vaillance [18].

Le voilà prêt à écrire, bien plus tard, le souvenir de l'amour :

> Et pour ce que il me souvient
> D'une aventure qui m'avint
> Quant ma jonece son cours tint,
> Onques dou coer puis ne m'issi,
> Pour che compte en voel faire ichi [19].

On note ce « il me souvient / D'une aventure » qui annonce le début du *Joli Buisson de Jeunesse* et qui, entre les deux poèmes, reviendra dans la *Prison amoureuse* (« La me souvint / D'un tamps passé » [20]). Et l'histoire peut commencer : *Ce fu ou joli mois de may...* (v. 351). Mais non, ce n'est que le début d'un second prologue, mythologique celui-là. Dans le jardin printanier, le poète trouve Mercure, Junon, Pallas et Vénus qui lui prédit son destin amoureux. Ce n'est qu'à quelque temps de là qu'il rencontre dans un jardin une jeune fille en train de lire *Cléomadès*...

Tout ce début, ces centaines de vers, ces centaines de jeux énumérés, ces faux départs, ce long, ce difficile arrachement à l'enfance, tout cela

---

17. *Espinette amoureuse*, v. 297-301.
18. *Espinette amoureuse*, v. 329-331.
19. *Espinette amoureuse*, v. 346-350.
20. V. 363-364.

est pour dire qu'on ne connaît l'amour qu'avant d'avoir pu le connaître, et qu'ensuite, quand on l'a connu, on a tout le reste de sa vie pour se remémorer et pour regretter cette enfance dont les ébats anticipaient ceux de l'amour encore inconnu. Tout cela est pour dire que les ébats de l'enfance sont les seuls vrais ébats de l'amour. Relisons les vers 19-26 qui opèrent ce glissement des ébats de l'amour à ceux de l'enfance, ce glissement régressif et non progressif du plaisir :

> Car jonece ne voelt qu'esbas,
> Et Amours, en tous ses esbas,
> Quiert cheuls trouver et soi embatre
> Entre euls, pour soi et ceuls esbatre.
> En mon jouvent tous tels estoie
> Que trop volentiers m'esbatoie,
> Et, tels que fui, encor le sui.
> Mais che qui fu hier n'est pas hui [21].

Seul l'enfant qui ne sait pas encore aimer jouit de l'amour. Seul, même, il le connaît.

On va répétant que le Moyen Age s'intéresse peu à l'enfance. Comme toutes les propositions rebattues et simplificatrices, celle-ci invite au démenti. Mais les travaux mêmes qui l'infirment en rassemblant des documents littéraires ou iconographiques la confirment aussi en partie par la maigreur relative de leur moisson [22]. L'exposition de la Bibliothèque nationale consacrée à « L'enfance au Moyen Age » et le livre de Pierre Riché et de Danièle Alexandre-Bidon [23] qui l'accompagnait auraient été minces sans la Sainte Famille – mais après tout la dévotion à l'enfant Jésus est aussi la marque d'un intérêt pour l'enfance. Dans *Raoul de Cambrai* (cette sanglante chanson de geste est particulièrement attentive à l'enfance), on trouve une formule méprisante à l'égard des bourgeois qui s'attendrissent devant les petits enfants au lieu de veiller à leur éducation – preuve cependant, s'il en était besoin, que cet attendrissement existait. Pour en revenir à l'*Espinette amoureuse*, on serait tenté de voir dans cette longue description de l'enfance, de ses activités et de ses jeux un cas unique et d'en faire gloire à Froissart. En réalité, il a bien

---

21. *Espinette amoureuse*, v. 19-26.
22. Voir par exemple, dans le domaine de la littérature française, Doris Desclais Berkvam, *Enfance et maternité dans la littérature française des XII* et *XIII* siècles*, Paris, Champion, 1981.
23. Paris, Seuil - Bibliothèque nationale de France, 1994.

un modèle, qui est le *Dit de l'alérion* de Guillaume de Machaut[24]. Il lui emprunte l'évocation de l'enfant de dix ou douze ans :

Uns enfes de petit aage
Qui a le cuer gay et volage,
Si comme de .X. ans ou douse...[25]

Il lui emprunte celle des jeux du narrateur poète et de leur importance que leur accorde son esprit enfantin :

Desormais dirai de mon estre,
Comment en juenesse jouay
Et quele enfance desnouay.
J'amay les menus oiselés,
Gens, gais, jolis et nouvelès,
Hui .I., puis un autre demain.
Quant j'en tenoie un en ma main,
Bien cuidoie valoir un roy[26].

Mais ces notations chez Machaut se bornent à quelques vers qui font remonter à l'enfance du poète sa découverte de la chasse à l'oiseau et celle de l'amour, puisque son poème est construit sur l'entrelacement un peu alambiqué de ces deux thèmes. Peut-être faut-il mettre cette association et cet entrelacement en relation avec l'image de l'enfant qui cherche à attraper un petit oiseau, image illustrée par certaines vierges à l'enfant gothiques et que Bernier de Chartres, en ce même XIVᵉ siècle, présente explicitement comme une représentation de l'amour[27]. Dans le *Dit de l'alérion*, le ton sentencieux de l'entrée en matière, les consi-

---

24. Éd. Ernest Hoepffner, Paris, SATF, t. 2, 1911, p. 240-403. A. Fourrier, qui relève soigneusement les emprunts que l'*Espinette amoureuse* fait à l'œuvre de Machaut, en particulier au *Voir dit* et à la *Fontaine amoureuse*, omet de signaler celui-là (p. 35-40). Assez souvent, dans la littérature du temps, des activités et des jeux, nobles ou rustiques, sont mentionnés dans un contexte relatif à l'éducation sans être pour autant spécifiquement enfantins (voir par exemple, au XIVᵉ siècle, les plaisirs du jeune rustre dans le *Dit du Prunier* ou, au seuil du XVIᵉ siècle, ceux de Pâris élevé parmi les bergers dans les *Illustrations de Gaule et singularités de Troie* de Jean Lemaire de Belges).
25. Guillaume de Machaut, Le *Dit de l'alérion*, v. 51-53.
26. Guillaume de Machaut, Le *Dit de l'alérion*, v. 118-125.
27. « Amours si n'est autre coze a moustrer en painture come la mere a l'enfant qui li doune un petit oizelet ; et quant il la voit, si tent la main apriés et le couvoite par nature. Et la mere si le fait dangier dou doner. Et dont fait il sen pooir de l'avoir et tant se demaine apriés que il commence a souspirer. Et dont li met le mere en la main ; et puis n'en set mieus faire fieste que il le met en son sain. Et puis apriés met ses.II. manetes sus au dehors, et puis commence a rire... » (Bernier de Chartres, *La Vraie medecine d'Amours*, cité par Christopher Lücken, *Les portes de la mémoire*, p. 342).

dérations sur les conséquences de la bonne et de la mauvaise éducation, avec les brefs portraits de l'enfant gâté et de l'enfant sage, n'annoncent à tout prendre que d'assez loin la place faite par Froissart aux jeux turbulents de l'enfance dont le bruit innocent dissimule les profondeurs immobiles et silencieuses d'un érotisme latent :

> Et moult souvent devant les filles
> Nous batïons de nos kokilles[28].

Pourquoi « de nos coquilles » (de nos bonnets) ? C'est une arme inattendue. Les deux vers précédents donnent à penser qu'il s'agissait d'affrontements tête contre tête (« Et ossi souvent fait avons / Hïaumes de nos caperons »). Mais je croirais volontiers que l'objet est surtout mentionné pour la consonance du mot, pour sa graphie et pour la *coquille* qu'elle appelle.

La vérité de l'amour, la vraie réalité de l'amour, c'étaient ces combats de jeunes coqs pas encore sortis de leur coquille. Car la découverte de l'amour, à laquelle est consacrée la suite du poème, est celle d'une réalité de moins en moins réelle et de plus en plus évanescente, au sein de laquelle les signes sont ambigus ou sur laquelle ils n'ont pas de prise. A-t-elle lu mon poème ? Qu'en a-t-elle pensé[29] ? Quand elle finit par accepter avec un petit sourire la rose que je lui offre, quelle est la portée de ce geste[30] ? Quand elle me complimente de bien lire à haute voix un roman d'aventures, ce compliment va-t-il au-delà de ce qu'il dit[31] ? Quand elle danse et que je n'y suis pas, ai-je raison de souffrir[32] ? Sa réponse évasive quand je me déclare, sa remarque qui n'engage à rien à la lecture de ma ballade, son léger changement de couleur en me revoyant, son petit rire quand je renouvelle ma déclaration, l'assurance, donnée par des tiers bien intentionnés qu'elle désire me voir : comment interpréter tous ces signes soigneusement équivoques[33] ? Si elle me déclare ouvertement son amour, c'est dans mon rêve[34]. A la fin de l'*Espinette amoureuse*, le dernier geste de

28. *Espinette amoureuse*, v. 217-218.
29. *Espinette amoureuse*, v. 960-972.
30. *Espinette amoureuse*, v. 1001-1002.
31. *Espinette amoureuse*, v. 784-785.
32. *Espinette amoureuse*, v. 3216-3244.
33. *Espinette amoureuse*, v. 1287-1298, v. 3276-3278, v. 3316-3318, v. 3247-3255.
34. *Espinette amoureuse*, v. 2744-3000.

la belle à l'égard du narrateur est, en passant, de lui tirer les cheveux[35]. Est-ce une agression ou une invitation ? Le narrateur choisit la seconde interprétation et, joyeux, en fait une ballade. Le lecteur est plus pessimiste, d'autant que les paroles dont la jeune fille accompagne son geste ne sont guère encourageantes. Le poète, qui s'est arrangé pour ménager la possibilité des deux interprétations, rend ainsi son moi-personnage déchirant et ridicule en le montrant trop enclin à prendre ses désirs pour des réalités. Le poème s'achève sans se conclure sur le suspens de cette incertitude − une incertitude redoublée par celle du vers « Ains languis en vie ewireuse », que nous avons déjà glosée.

Dix ans plus tard dans le temps poétique, la vision du *Joli Buisson de Jeunesse* recèle les mêmes ambiguïtés. La belle adresse au rêveur un sourire, mais rien de plus[36]. Elle prend sa ballade, mais elle ne la lit pas, et pourtant elle y jette tout de même un coup d'œil[37]. Elle finit par en donner lecture à haute voix, mais c'est à la requête de Jeunesse, dans le « joli buisson » de qui seul un rêve permet au poète de revenir et de la retrouver après tant d'années[38]. Une fois de plus, la réponse à la requête amoureuse est, bien que longue, évasive[39]. Et le poète comme la dame se dérobent au moment crucial où la règle du jeu leur permettrait de formuler un souhait[40].

Ainsi l'heureuse coïncidence avec le monde qui marque les activités ludiques de l'enfance, ébats où ceux de l'amour se dessinent déjà, cette coïncidence et cette harmonie disparaissent à jamais du jour où le péage de l'amour a été acquitté. Il ne reste plus que le choix entre chercher sans cesse la trace de l'amour dans sa préhistoire, dans le passé où il était anticipé, ou poursuivre, en se fiant aux promesses de Vénus, ses signes toujours fuyants et toujours incertains, sans jamais l'atteindre, jusqu'à ce qu'il soit trop tard, jusqu'à ce que même cette quête décevante ne puisse plus trouver sa place que dans l'illusion du rêve.

Pendant ce temps la vie passe, marquée par les repères du temps et les références biographiques, les uns et les autres aussi nombreux que trompeurs dans les deux poèmes. Le jeune homme de l'*Espinette amoureuse*

---

35. *Espinette amoureuse*, v. 3819-3820.
36. *Joli Buisson de Jeunesse*, v. 2919-2924.
37. *Joli Buisson de Jeunesse*, v. 3907-3910.
38. *Joli Buisson de Jeunesse*, v. 3954-3995.
39. *Joli Buisson de Jeunesse*, v. 4263-4358.
40. *Joli Buisson de Jeunesse*, v. 4992-5020.

donnerait tous les voyages qu'il a faits, à Narbonne, à Avignon, en France, pour la beauté de la jeune fille qu'il a rencontrée[41]. Tous ces voyages que Froissart fera avant d'écrire son poème[42], auxquels il accordera assez de prix pour les mettre en balance, même défavorable, avec l'amour, mais que son moi à peine sorti de l'enfance, le narrateur de l'*Espinette amoureuse*, ne peut guère avoir encore faits. Convalescent, ce narrateur, pour achever de guérir sa maladie d'amour, s'embarque pour un pays qui est, de façon transparente, l'Angleterre. Le voyage fondateur de la carrière de Froissart est ainsi évoqué dans des termes proches de ceux des *Chroniques* et en même temps sous l'éclairage bien différent de l'histoire sentimentale. Par une sorte d'inversion de la nostalgie, alors qu'en 1369, année où il écrit l'*Espinette amoureuse*, il regrette l'Angleterre et pleure la mort de la reine Philippa, il se peint dans son poème exilé en Angleterre, loin de son pays et de sa belle dont le souvenir en rêve le poursuit.

Quant au rêve du *Joli Buisson de Jeunesse*, il se date lui-même du 30 novembre 1373[43], alors que le poète a environ trente-cinq ans, *peu plus, peu mains*[44]. Mais ces notations temporelles précises sont en même temps brouillées. Le poète a trente-cinq ans au moment où Philosophie lui inspire les réflexions qui occupent le début du poème. Mais rien ne dit strictement qu'il faut les placer la même nuit que le rêve, qu'elles auraient en ce cas immédiatement précédé, soit le 30 novembre 1373. Le rêve peut avoir été plus ancien et être évoqué à titre d'exemple des pouvoirs du souvenir et comme un sujet convenable pour le poème que Philosophie engage le poète à composer. Ce poème se donne en effet comme contemporain de ces réflexions et comme leur conséquence. Et le poète dit au vers 10 qu'il entend raconter comment il fut *jadis* au Joli Buisson de Jeunesse. On ne peut donc rien tirer, même dans la fiction de la construction poétique et sentimentale, des dix ans et plus (v. 480) pendant lesquels le poète a laissé dormir dans un coffret le portrait de sa dame, dont la vue réveille ses souvenirs. On peut comprendre que ces souvenirs ainsi ravivés mettent en branle soit le rêve lui-même soit la composition poétique qui en fait le récit.

---

41. *Espinette amoureuse*, v. 794-798.
42. A. Fourrier, p. 33-34. Il s'agit du premier voyage de Froissart en Avignon vers 1360. Fourrier date l'*Espinette amoureuse* des alentours de 1369.
43. *Joli Buisson de Jeunesse*, v. 859-860.
44. *Joli Buisson de Jeunesse*, v. 794.

Le temps ne cesse en effet dans ce poème de s'abolir et de s'étirer. Il s'abolit grâce au souvenir et à la vision que le souvenir suscite et qui lui donne une manière de réalité. Il s'étire dans cette vision même, riche de longues péripéties et qui pourtant n'aura duré que le temps d'une nuit. A son réveil, le narrateur tâte sa moustache pour vérifier si elle a changé : mais non, elle a seulement un peu poussé pendant les six heures de cette nuit, comme un signe tangible du temps réel[45]. Mais qu'attendait-il au juste ? Qu'elle eût considérablement poussé, à la mesure du temps qu'il a cru vivre en rêve ? Ou qu'elle se fût réduite au poil follet du tout jeune amoureux qu'il se croyait redevenu ?

Mais surtout, le temps qui ramène le rêveur à l'âge de l'amour le ramène du même coup à l'âge de l'enfance, confirmant la suggestion de l'*Espinette amoureuse* que c'est en réalité le même âge. Car le rêveur du *Joli Buisson de Jeunesse* retrouve les jeux de l'enfance[46]. Il joue, dans le cercle de Jeunesse, à la « pince merine », au « roi qui ne ment », au concours de souhaits. Libérés par le rêve qui triomphe des inhibitions, ces jeux sont mis au service de l'amour avec l'ingénuité perverse d'un érotisme inavoué. Ils se font l'instrument de l'aveu et de la dérobade, ils permettent d'être tout occupé par l'amour sans avoir l'air d'y toucher[47]. Ils assument avec une audace nouvelle la fonction qui n'était la leur que de façon latente dans l'univers enfantin. Mais, comme dans cet univers, ils permettent de vivre l'amour par prétérition, ce qui paraît aux yeux de Froissart la seule façon de le vivre.

L'amour par prétérition : voilà bien l'objet − ou le non-objet − de ces poèmes. Un amour projeté dans l'avenir ou rejeté dans le passé, et

---

45. *Joli Buisson de Jeunesse*, v. 5136-5143.

46. A la vérité, les jeux de société pratiqués dans le *Joli Buisson de Jeunesse* ne sont pas des jeux d'enfants (voir J.-M. Mehl, *Les jeux au royaume de France*, « L'âge des joueurs », p. 186-191). Inversement les jeux enfantins de l'*Espinette amoureuse* ne sont pas, pour la plupart, des jeux de société. Mais ceux-ci ont précisément pour effet d'introduire dans l'univers des adultes cet espace indécis où les engagements n'engagent pas.

47. Telle est le rôle des taquineries à la limite de la brutalité dont « la grosse Thomasse » poursuivra « le jeune Robin » dans le *Dom Juan* de Molière, et qui, à juste titre, paraîtront au pauvre Piarrot l'aveu même de l'amour. Que ces pratiques aient à voir avec l'amour jusqu'au moment où elles dégénèrent en brutalités réelles, c'est ce que montre au XVe siècle le 51e et dernier des *Arrêts d'Amour* de Martial d'Auvergne (éd. Jean Rychner, Paris, SATF, 1951, p. 212-219), auquel répond le v. 1734 de l'*Amant rendu cordelier à l'Observance d'Amours*, dont on ne pense plus cependant qu'il soit du même auteur (éd. A. de Montaiglon, Paris, SATF, 1881) : voir J.-M. Mehl, *Les jeux au royaume de France*, p. 111-112.

au moment où il devrait être projeté dans l'avenir, rejeté encore plus loin dans le passé, avant même sa naissance, dans les limbes de l'enfance. Un amour toujours placé dans un temps qui n'existe pas, en marge d'une vie dont le temps réel est celui des voyages, comme dans l'*Espinette amoureuse*, et celui de la carrière et de l'argent, comme dans le *Joli Buisson de Jeunesse*. Car là où le prologue du premier poème définit l'amoureux par le petit garçon qu'il a été, le prologue du second définit le poète par les mécènes qui se sont intéressés à lui et par l'aisance matérielle qu'il y a gagné. En suivant sa vocation, qui est

> ...de faire biaus dittiers,
> Qu'on list et qu'on ot volontiers[48],

en obéissant à Nature de qui il tient ce don, le poète s'est plus enrichi que dans le commerce où il s'est un moment fourvoyé[49]. *Mieuls vaut science qu'argent* (v. 85), mais sa science lui a rapporté. Quand il pense à la reine d'Angleterre Philippa, la reconnaissance l'oblige à *ses largeces escriier* (v. 236). Du roi d'Angleterre, il a reçu .*C. florins tout d'un arro*i, et *grant reconfort* du comte de Herford. Edouard Despenser ne s'est jamais lassé de lui donner chevaux et florins sans compter (v. 275). Le sire de Coucy lui a

> ...souvent le poing fouchi
> De biaus florins a rouge escaille[50] ;

Beraud, comte dauphin d'Auvergne, et son fils, le duc Louis de Bourbon, lui ont donné *pluiseurs dons* (v. 293) ; le roi Charles de France, nous dit-il,

> Grans biens me fist en mon enfance[51].

Il a éprouvé la largesse du duc et de la duchesse de Brabant (v. 297-301). Il a profité de l'accueil toujours généreux d'Aubert de Bavière, duc de Hainaut (v. 307-310). Il a été le familier de Louis, Jean et Guy de Blois, ce dernier étant son actuel protecteur (v. 311-316). A Milan, le comte de Savoie lui a donné *une bonne cote hardie* et .*XX. florins d'or* (v. 342-343). A Ferrare, le roi de Chypre lui a fait payer

---

48. *Joli Buisson de Jeunesse*, v. 37-38.
49. *Joli Buisson de Jeunesse*, v. 94-97.
50. *Joli Buisson de Jeunesse*, v. 280-281.
51. *Joli Buisson de Jeunesse*, v. 296.

...lance sus fautre,
.XL. ducas l'un sus l'autre[52].

Encore ne cite-t-on ici, dans cette longue énumération, que les noms de ceux dont les largesses sont désignées ou quantifiées.

Comme il le fera à nouveau dans le *Dit du Florin*[53], Froissart mesure son succès social à l'argent qu'il a reçu, et à cette aune il mesure sa vie. Dérouler la litanie des mécènes, c'est en retracer le cours et les étapes. Renoncer à les voir est le signe de la vieillesse et de la mort prochaine. Certes, s'il retournait en Écosse, il serait bien reçu des comtes de Mar, de March, de Sutherland, de Fife,

Mais je serai lors tous chenus,
Foibles, impotens, mas et sombres.
Mes temps s'en fuit ensi qu'uns ombres[54].

L'amour paraît bien loin au seuil de ce poème qui lui est consacré. Composer des poèmes et en tirer gloire et profit est une activité réelle qui occupe et structure le temps de la vie. L'amour ne paraît occuper que le temps du poème, temps qui cumule l'irréalité du souvenir, du passé insaisissable, du rêve et de la fiction littéraire. Il y a l'histoire d'une vie, qui est une vraie histoire, faite de voyages, de rencontres, d'argent gagné et dépensé. Et il y a l'histoire de l'amour, qui n'est pas une vraie histoire, mais l'ombre toujours fuyante d'une anticipation ou d'un regret[55].

Partout Froissart parle de lui, partout il se raconte. A cet égard ses *Chroniques* et ses poésies se confondent. Les *Chroniques* ne présentent nulle part ses différents mécènes de façon aussi circonstanciée que le *Joli Buisson de Jeunesse*. Nulle part dans ses poèmes on ne trouve d'effusion aussi intime que celle qui constitue l'admirable prologue du Livre IV des *Chroniques*. Mais pour lui qui sait mieux que personne ce qu'est une histoire et ce qu'est l'histoire, se raconter, c'est parler de tout de ce qui fait sa vie, sauf de l'amour. Il y a bien une histoire d'amour qui court à travers ses poèmes, mais c'est une histoire sans contenu, car c'est une

---

52. *Joli Buisson de Jeunesse*, v. 361-362.
53. Cf. plus loin, chap. XI.
54. *Joli Buisson de Jeunesse*, v. 374-376.
55. Toutefois, dans l'*Espinette amoureuse*, et à l'intérieur même de la fiction amoureuse, le poète souligne aussi qu'à son départ d'Angleterre la reine lui donne *dou sien grandement... / Chevaus et jeuiaus et avoir* (v. 3147-3149).

histoire qui n'a jamais eu de présent. Les jeux de l'enfance, un miroir qui a fixé le reflet aimé et le restitue dans la magie du rêve[56], un portrait retrouvé qui met en branle le souvenir et engendre le poème[57] – images perdues et retrouvées, enveloppées et dévoilées, enroulées et déroulées comme les toiles d'Agamanor : l'histoire de l'amour est l'histoire de la mémoire, l'histoire d'une illusion.

56. *Espinette amoureuse*, v. 2564-3057.
57. *Joli Buisson de Jeunesse*, v. 478-785.

CHAPITRE X

L'horloge amoureuse
ou la machine à tuer le temps [*]

Que l'un des poèmes de Froissart s'intitule l'*Orloge amoureus* attire et séduit. S'il est vrai que l'expérience intime et crucifiante de l'amour n'est vécue et perçue, selon Froissart poète, qu'à travers celle du temps, ce titre paraît à lui seul exprimer le paradoxe même du temps, à la fois objectif, mesurable, résistant, et subjectif, dénué de réalité hors de la conscience dont il est le cadre. Pourtant, ce titre qui unit le temps objectif de l'horloge et le temps subjectif de l'amour ne paraît pas, d'abord, tenir ses promesses. Décrivant le mécanisme de l'horloge comme une allégorie de l'amour, le poète semble oublier le temps. Mais c'est pour mieux le retrouver à la fin en soumettant de façon à la fois inattendue et inévitable l'instrument qui mesure le temps objectif au pouvoir discrétionnaire du temps subjectif.

A son époque, l'horloge mécanique est encore une relative nouveauté [1]. L'imaginaire poétique du Moyen Age, différent en cela de celui

---

[*] Ce chapitre reprend mon article « L'*Orloge amoureus* de Froissart ou la machine à tuer le temps », *Le Temps, sa mesure et sa perception au Moyen Age*, actes du colloque d'Orléans (12-13 avril 1991). Textes réunis par Bernard Ribémont, Caen, Paradigme, 1992, p. 269-277. Il est reproduit avec l'aimable autorisation des éditions Paradigme.

1. Elle apparaît dans le premier tiers du XIVᵉ siècle. L'échappement mécanique par roue de rencontre est une invention de la seconde moitié du même siècle (voir plus bas et note 3 l'importance de la régulation mécanique par foliot dans l'horloge décrite par Froissart). Les *Libros del Saber de Astronomia* (1276-1277), ouvrage inséré dans les *Tables alphonsines* dressées en 1272 à l'initiative du roi de Castille Alphonse X le Savant, décrivent une horloge à poids, mais dont la régulation s'opère, non par échappement, mais « par écoulement de mercure contenu dans un tambour cloisonné tournant autour d'un axe horizontal » (Pierre Mesnage, dans *Histoire générale des techniques*, t. II, Paris, PUF, 1965, p. 290 et dessin p. 291). Voir aussi

de l'âge classique et même du romantisme, ne répugne nullement à se nourrir des découvertes techniques : les lunettes avec Jean Meschinot et d'autres, l'astrolabe de Dante (par exemple *Paradis* XV, 22-23) à Jean Parmentier. L'horloge n'échappe pas à la règle : si l'auteur de *Bérinus* est surtout sensible au caractère incompréhensible de la *merveille* en montrant la chambre du roi Ysope ornée d'un automate à figure humaine qui sonne du cor toutes les heures [2], Jean de Meun ou, là encore, Dante en évoquent le fonctionnement. Quant à Froissart, on s'accorde généralement à penser qu'il s'est inspiré d'une horloge bien réelle, celle du Palais à Paris, construite par Henri de Vic sur l'ordre de Charles V et achevée en 1370. On observe qu'elle est la première horloge connue à avoir été munie d'un « foliot », tige mobile servant à la régulation de la « roue seconde », et que l'horloge décrite par Froissart comporte cette pièce, qui dans l'allégorie représente Peur [3]. Il est d'ailleurs le premier, semble-t-il, à lui donner ce nom [4]. En outre, l'*Orloge amoureus* – pièce dont

---

Jacques Attali, *Histoires du temps*, Paris, Fayard, 1982 et Le Livre de Poche, Biblio Essais, p. 86-103.

2. *Bérinus. Roman en prose du XIVᵉ siècle* publié par Robert Bossuat, t. I, Paris, SATF, 1931, § 79, p. 69. Rappelons que *Bérinus* est la mise en prose d'un roman en vers du XIIIᵉ siècle dont nous n'avons plus que des fragments. Il est impossible de savoir si cet automate figurait dans le roman primitif, mais il faut observer que, dans la réalité, les premiers automates destinés à sonner les heures ne semblent pas antérieurs au milieu du XIVᵉ siècle (Bertrand Gilles, dans *Histoire générale des techniques*, t. II, Paris, PUF, 1965, p. 36). On reconnaît dans l'automate du roi Ysope un *gaite* mécanique. La fonction du *gaite* était à la fois celle d'un musicien et celle d'un gaiteur chargé d'annoncer les heures, comme on le voit dans les chansons d'aube ou dans l'épisode tristanien de la *Continuation de Perceval* de Gerbert de Montreuil. Ce trait peut être mis en relation avec l'attention prêtée au caractère musical des horloges, qui sera souligné plus loin.

3. John Drummond Robertson, *The Evolution of the Clockwork*, Cassel, Londres, 1931, p. 52-66 et Carlo M. Cipolla, *Clocks and Culture*, 1300-1700, Collins, Londres, 1967, p. 52. (Références données par P. Dembowski dans l'introduction de son édition, p. 10-11). « Ressemblant à une sorte de fléau de balance mais qui pivoterait autour d'un axe vertical, le *foliot* est lancé alternativement à droite et à gauche par une roue dentée de forme spéciale, la « roue de rencontre » agissant sur des palettes portée par l'axe ou « verge ». Cet ensemble n'a pas de période propre et par la suite pas d'isochronie : le battement est d'autant plus rapide que le poids est plus lourd et le foliot fonctionne plus comme un ralentisseur de la chute du poids que comme un régulateur. Tel qu'il est, ce mécanisme doit être tenu pour une invention géniale, et a marqué la véritable naissance de l'horlogerie mécanique. » (Pierre Mesnage dans *Histoire générale des techniques*, t. II, Paris, PUF, 1965, p. 300-301).

4. Le mot est employé un peu avant lui par Jean Lefèvre dans sa traduction de la *Vetula* du pseudo-Ovide pour désigner un leurre fait, semble-t-il, avec des plumes et destiné à attraper les alouettes (cité par Godefroy et Tobler-Lomatzsch). La rencontre entre les deux emplois serait dans l'idée d'un petit objet très mobile « qui danse follement, qui "folie" », comme l'écrit J. Attali, qui ne mentionne toutefois ni le texte de Jean Lefèvre ni le sens que le mot y reçoit (*Histoire du temps*, Biblio Essais, p. 93).

l'attribution ne fait pas de doute, puisque Froissart la cite parmi ses poèmes au début du *Joli Buisson de Jeunesse* – ne figure pas dans le manuscrit *A*, mais seulement dans le manuscrit *B*. Peter Dembowski souligne à ce propos que si l'horloge décrite est celle du Palais, l'une des merveilles du Paris de l'époque, on comprend que le poème soit absent d'un recueil (*A*) offert au roi d'Angleterre Richard II[5]. Froissart a pu voir cette horloge en avril 1368. Il faisait alors partie de la suite de Lionel, duc de Clarence, l'un des fils d'Edouard III, qui, en route pour Milan où il devait se marier, est passé par Paris en cette période de trêves franco-anglaises. Les travaux de l'horloge pouvaient à cette époque être assez avancés pour qu'on la fît fonctionner devant des hôtes de marque[6]. Toutefois, des horloges à foliot ont peut-être existé avant celle du Palais. Froissart pourrait aussi avoir vu en Italie même une horloge à échappement mécanique analogue à celle dessinée par Dondi en 1344 et que celui-ci s'abstient de décrire en détail car, dit-il, le principe en est simple et bien connu. L'horloge de Dondi est équipée d'un foliot, pièce qui semble déjà faire partie de l'horloge du Paradis dans la *Divine Comédie*.

Quelle que soit l'horloge qu'a pu voir Froissart et dont il a examiné le mécanisme avec tant de soin, ce qu'elle lui a suggéré, c'est une réflexion sur l'amour. Il aperçoit une « similitude » (v. 4) entre l'horloge et « tout le fait d'un vrai amant » (v. 30), les « circonstances d'un loyal amour » (v. 31). L'amour dont il est lui-même la proie l'invite à décrire l'état qui est le sien en développant cette comparaison. Le corps de l'horloge, c'est le cœur de l'amant. La « roue première », ou « roue mère » – la roue du mouvement –, c'est Désir. Le contrepoids qui l'entraîne est Beauté, et il lui est relié par la corde de Plaisir (Plaisance). La « roue seconde » – la roue du foliot –, chargée de freiner la roue du mouvement, c'est Modération (Attemprance). Le foliot qui en assure la régulation est Peur. La « roue du dyal » – la roue munie de vingt-quatre chevilles qui fait son tour en un jour –, c'est Doux Penser. Le « fuiselet » – pignon reliant cette roue à la roue du mouvement – est Bon Conseil (Pourveance). Les vingt-quatre chevilles sont Loyauté, Ferme Patience, Persévérance, Diligence, Honneur, Courtoisie, Largesse, Secret, Beau Maintien, Prouesse, Renom, Réputation (ce sont les douze vertus de

5. P. Dembowski, *Le Paradis d'Amour. L'Orloge amoureus*, p. 12.
6. Dembowski, *ibid.*, p. 13-18.

l'amant), ainsi que Doux Semblant, Doux Regard, Jeunesse, Humilité, Bel Accueil, Liesse, Plaisir, Assurance de fidélité, Amour, Vénus, Noblesse et Pitié (ce sont les douze vertus de la dame). La « détente » – pièce qui descend dans une entaille de la roue de la sonnerie et la bloque –, c'est Espérance. Le mécanisme de la sonnerie consiste en deux roues et un contrepoids. La première roue, c'est Discernement (Discretion), la seconde, qu'il nomme « roue chantore », peut-être par métaphore comme l'observe Paul Zumthor[7], c'est Doux Parler. Le contrepoids, c'est Hardiesse. L'horloger, qui met l'horloge en route, la règle et l'entretient, c'est Souvenir.

On le voit, le système allégorique est – c'est le cas de le dire – à double détente. Les pièces du mécanisme de l'horloge désignent les personnifications, ou les sujets abstraits, qui depuis le *Roman de la Rose* sont les figures conventionnelles et obligées du théâtre amoureux. Ces figures servent ici de relais entre le signifiant premier qu'est l'horloge et le signifié ultime qui est le cœur de l'amant. Elle sont elles-mêmes en position de signifié par rapport à la première et de signifiant par rapport au second. C'est à partir d'elles, c'est en les désignant, en les utilisant, en les faisant jouer, que le poète s'épanche, s'adresse à sa dame, décrit ses sentiments amoureux – effusions, apostrophes, descriptions qui constituent la chair du poème autour de son squelette allégorique et qui nourrissent l'amplification rhétorique et poétique.

Mais en mettant ainsi en correspondance les pièces de l'horloge et les figures familières de l'allégorie amoureuse, en finissant par substituer les secondes aux premières, le poète semble faire bon marché du temps. La description même de l'instrument qui le mesure paraît se faire au détriment de son expérience intime, indissociable ailleurs du sentiment amoureux. L'*Orloge amoureus* serait ainsi paradoxalement le seul poème d'amour de Froissart où le temps ne tient aucune place. Tous les autres sont fondés sur la remémoration et inscrivent leur structure dans la perspective du souvenir. Souvenir d'une initiation à la société enfantine qui devient un jour une initiation sentimentale dans l'*Espinette amoureuse*. Passé redevenu présent, ramené par le rêve à l'immédiateté de la conscience dans le *Joli Buisson de Jeunesse*, qui en est la suite dix ans après,

---

7. « Un traité français d'horlogerie du XIVe siècle », dans *Zeitschrift für Romanische Philologie*, 73, 1957, p. 274-287.

à travers le déchirement des émois juvéniles retrouvés et inaccessibles, dans l'illusion délicieuse et poignante du temps arrêté et du vieillissement aboli. Temps de la captivité, temps de l'écriture, temps de l'échange épistolaire, temps de l'apprentissage amoureux, tous combinés et entrant en résonance dans la *Prison amoureuse*. Rien de tel, semble-t-il, dans l'*Orloge amoureus*.

Pour fonder l'allégorie, Froissart joue sur le sens du mot *mouvement*, à travers l'attention qu'il porte à celui de l'horloge. Mais ce mouvement, il l'associe métaphoriquement aux mouvements du cœur et non pas au mouvement du temps. Ce qui le frappe, c'est que le mot peut désigner à la fois le mécanisme de l'horloge et ce que nous désignons encore d'un mot de la famille de *movere*, les *émotions* :

Premierement je considere ensi,
Selonc l'estat de l'orloge agensi,
Que la maison qui porte et qui soustient
Les *mouvemens* qu'a l'orloge apertient
....
Proprement represente et segnefie
Le coer d'amant qui Fine Amour mestrie.
Car la façon de l'orloge m'aprent
Que coers d'amant, qui Bonne Amour esprent,
Porte et soustient les *mouvemens* d'amours
....
Que Bonne Amour li envoie et amainne[8].

Si la femme aimée à qui est destiné le poème sait le comprendre,

.....................bien pora percevoir
Comment Amours, qui m'a en son demainne,
A la façon de l'orloge me mainne,
Car de mon coer a fait loge et maison,
Et la dedens logié a grant foison
De *mouvemens* et de fais dolereus[9].

Sur quoi le poète commence la description du mécanisme par celle de la « premerainne roe » (v. 100) « qui fait mouvoir les aultres *mouvemens* » (v. 102).

8. *L'Orloge amoureus*, éd. Peter F. Dembowski, Genève, Droz, 1986, v. 51-66.
9. *L'Orloge amoureus*, v. 90-95.

Si l'horloge désigne le cœur, ce n'est donc pas pour Froissart, comme ce le serait pour nous, parce que notre cœur bat comme une horloge et qu'il nous rappelle ainsi que la fin de ses battements marquera notre fin. Le mouvement de l'horloge représente les mouvements métaphoriques du cœur, les émotions, mais non pas le mouvement du temps, bien que l'horloge mesure le temps et bien qu'Aristote définisse le temps à partir du mouvement. L'horloge n'est pas l'image du temps, mais l'image du cœur. Le mot horloge peut au Moyen Age être masculin ou féminin. Froissart l'emploie au masculin, non par hasard, mais, précisément, parce que l'horloge, c'est lui-même. Ce sont ses premiers mots :

Je me puis bien comparer a l'orloge[10].

La « similitude » qui s'impose à lui est entre l'horloge et les mouvements de son cœur. Le mécanisme compliqué de l'horloge, dans sa « soubtilleté » (v. 9), évoque pour lui celui des sentiments. Mais la capacité de l'horloge à mesurer les heures sans trêve, nuit et jour, même en l'absence du soleil (v. 8-10), n'évoque nullement à ses yeux la fuite du temps, comme si l'ostentation et la complexité de la technique triomphante, en accaparant l'attention, faisaient oublier l'angoisse métaphysique ou la simple mélancolie provoquées par cette fuite, qui est celle de la vie. Pourtant cette angoisse et cette mélancolie, ce rappel de la mort, étaient depuis toujours associés à l'heure marquée par les cadrans solaires, volontiers frappés de la devise : « Omnes vulnerant, ultima necat ». Or le cadran de l'horloge reproduit conventionnellement, et au fond sans nécessité, la forme circulaire, la disposition, la désignation des heures que le mouvement tournant de l'ombre portée imposait au cadran solaire. Il devrait donc suggérer les mêmes évocations. A lire l'*Orloge amoureus*, il n'en est rien.

On a l'impression que l'horloge était alors un objet trop nouveau et, encore une fois, trop fascinant techniquement, pour se charger tout de suite des associations affectives qu'appelait pourtant sa fonction. Pour Jean de Meun, un siècle plus tôt, elle paraissait n'évoquer que la musique. Décrivant le concert dont, dans sa folie amoureuse, Pygmalion régale la statue dont il est épris, l'auteur du *Roman de la Rose* mentionne l'horloge à la suite des instruments de musique, harpes, « gigues », rebecs, guitares, luths :

---

10. *L'Orloge amoureus*, v. 1.

> Et refait sonner ses orloges,
> Par ses sales et par ses loges,
> A roes trop soutivement,
> De pardurable mouvement[11].

Dante paraît lui aussi être surtout sensible au caractère musical de l'horloge :

> Indi, come orologio, che ne chiami
> Nell'ora che la sposa di Dio surge
> A mattinar lo Sposo perchè l'ami,
> Che l'una parte tira e urge,
> *Tin tin* sonando con si dolce nota,
> Che'l ben disposto spirto d'amor turge.

> Puis, comme une horloge qui nous appelle, à l'heure où se lève l'épouse de Dieu pour faire matine à son époux afin qu'il l'aime, tandis qu'une pièce tire et pousse l'autre, en sonnant et tintant en notes si douces que l'esprit préparé se gonfle d'amour[12].

Ailleurs, c'est seulement le mouvement des rouages, à la vitesse inégale, qui le retient et auquel il compare la ronde des âmes :

> E come cerchi in tempra d'orïuoli
> Si giran si, ce 'l primo, a chi por mente,
> Quïeto pare, e l'ultimo che voli...

> Et comme des roues en harmonie d'horloge tournent de façon que qui les contemple voit la première tranquille et la dernière qui vole[13]...

Bien vite, il est vrai, les horloges à automates souligneront, à travers les personnages qu'elles feront défiler, la marche inexorable du temps vers la mort. Mais pour le reste, et pendant très longtemps encore, c'est aux instruments les plus anciens ou sentis comme les plus traditionnels – le cadran solaire, le sablier (pourtant contemporain de l'horloge), les cloches – que les arts plastiques et la littérature confieront ce genre d'évocation ou de méditation. Il faut attendre, semble-t-il, pour que

---

11. *Roman de la Rose*, v. 21037-21040, éd. Armand Strubel, Paris, le Livre de Poche, Lettres gothiques, 1992.
12. *Paradis* X, 139-144, trad. Jacqueline Risset, dans Dante, *La Divine comédie, Le Paradis. Paradiso*, Paris, Garnier-Flammarion, 1990, p. 105.
13. *Paradis* XXIV, 13-15, *id.*, p. 225.

l'angoisse du temps et de la mort soit régulièrement associée aux montres et aux horloges, le XIXe siècle, avec *L'horloge* de Baudelaire ou celle de Théophile Gautier, traduisant *Vulnerant omnes, ultima necat* par « Chaque heure fait sa plaie et la dernière achève », et plus encore le XXe, où les exemples deviennent innombrables : horloge sans aiguilles du roman de Carson McCullers qui porte ce titre ou du début des *Fraises sauvages* de Bergman pour évoquer la certitude de la mort et l'incertitude de son heure, cadran de la vie érotique de l'un des personnages de l'*Immortalité* de Milan Kundera, montres molles de Dalí niant la rigidité du temps et le mécanisme inflexible qui le mesure, signification sexuelle et mortelle de l'horloge sous le regard de la psychanalyse. De nos jours où l'évolution rapide des sensibilités permet de saisir sur quelques années des mouvements beaucoup plus lents naguère, l'affichage digital de l'heure a d'abord été ressenti comme étranger au sentiment du temps, à la différence du cadran nommé dès lors par contraste, et de façon significative, *analogique*, avant de l'assumer avec une force nouvelle en l'associant à l'idée de compte à rebours. En témoigne au centre Pompidou le compte à rebours par affichage digital des secondes, et sur la Tour Eiffel des jours, qui nous séparent de la fin du millénaire.

Et cependant, pour en revenir à Froissart, le temps est loin d'être absent de son poème. Mais sa représentation ne s'incarne pas dans l'horloge et rien ne le désigne dans l'instrument lui-même. Il est présent à travers la figure de l'horloger, qui est Souvenir. Car, après avoir observé que l'horloge ne fonctionne pas toute seule, mais qu'il lui faut un horloger pour relever les contrepoids et effectuer tous les réglages (v. 927-948), le poète révèle que cet horloger est Souvenir et emploie la fin du poème à montrer ce que lui doivent les divers éléments de l'allégorie. A vrai dire, l'intervention de Souvenir est appelée par la logique du signifié, non par celle du signifiant. Froissart veut dire que c'est le souvenir qui met en branle et qui règle les mouvements du cœur amoureux, en particulier Doux Penser – la « roue du dyal » – et Espérance – la détente de la sonnerie, dont la musicalité se trouve ainsi malgré tout rapportée au temps. Il ne le met pas en relation avec la mesure du temps par l'horloge, mais il récapitule de son point de vue le fonctionnement du mécanisme et son sens allégorique, et ce faisant il les met en relation avec sa propre expérience amoureuse. L'effusion amoureuse, la parole amoureuse, le chant d'amour, la prière amoureuse, qui ne sont autres que le poème lui-même, prennent naissance au moment où Souvenir, par le truchement de Doux Penser, « forme » Espérance et l'émeut :

> Et par ensi dedens mon coer se fourme
> Esperance qui de tout bien m'enfourme
> Et qui me fait souvent ouvrir la bouche.
> Car si tretos que Souvenir l'atouche,
> Il me couvient en diverses manieres
> Faire mon chant et toutes mes priieres[14].

Ainsi, le temps subjectif, celui de la conscience, celui de la mémoire, celui du souvenir, gouverne à la fois le désir du poème et le désir amoureux, la parole poétique et l'imagination poétique qui décrit le cœur amoureux sous l'apparence de l'horloge et assigne au souvenir la fonction de « premier moteur », sans lequel le mécanisme de l'horloge resterait inerte. Le temps est donc bien, en définitive, l'élément essentiel de l'*Orloge amoureus*, mais ce n'est pas le temps que l'horloge mesure et le souvenir amoureux qui la règle n'a rien à voir avec le *Souviens-toi* de Baudelaire, qui est un *Memento mori*.

Pour finir, après un long épanchement à l'adresse de sa dame, le poète souhaite pouvoir être placé à l'heure de sa mort au nombre des amoureux martyrs. Son modèle est Tibulle, qui est mort d'amour, et, reprenant le propos initial du poème, il se compare une dernière fois à l'horloge, mais dans une perspective nouvelle : de même que l'horloge fonctionne jour et nuit sans jamais s'arrêter, de même les mouvements amoureux de son cœur ne connaissent pas de repos et la pensée de sa dame ne le quitte jamais, dans la veille et dans les songes qu'apporte le sommeil[15]. Voilà enfin que le temps a quelque chose à voir avec l'horloge.

---

14. *L'Orloge amoureus*, v. 1057-1062.
15. V. 1147-1161 : Car l'orloge, si com j'ai dit premiers,
>   Est de mouvoir nuit et jour coustumiers
>   Ne il ne poet ne doit arrest avoir
>   Se loyalment voelt faire son devoir.
>   Tout ensi sui gouvrenés par raison,
>   Car je suis la chambrë et la maison
>   Ou mis est li orloges amoureus,
>   Sui de mouvoir telement curïeus
>   Que n'ai aillours entente, soing et cure,
>   Ne Nature riens el ne me procure
>   Fors que tout dis mouvoir sans arrester,
>   Ne je ne puis une heure en paix ester,
>   Meïsmement quand je sommeille et dors,

Mais ce temps, c'est l'expérience de la durée du sentiment amoureux à travers l'actualisation permanente du souvenir dans la conscience.

Après tout, dira-t-on, Jean de Meun associait déjà le *pardurable mouvement* de l'horloge au caractère continuel de l'hommage amoureux que Pygmalion rendait à sa statue. Mais — différence essentielle — Froissart rapporte cette permanence au souvenir et au présent distendu qu'il fait naître dans la conscience.

Le premier vers du poème — *Je me puis bien comparer a l'orloge* — nous a paru marquer le début d'une dérive qui rapproche le mouvement de l'horloge des mouvements du cœur et l'éloigne de celui du temps. Mais on découvre *in extremis* que le mouvement de l'horloge et celui du cœur ont un trait commun qui ne relève plus de la construction allégorique, mais de l'analogie, et que ce trait commun est dans l'ordre du temps : ils sont l'un et l'autre perpétuels. Le paradoxe est que l'horloge est évoquée non pas en tant qu'elle marque l'écoulement du temps et le divise, mais pour signifier la continuité de la durée.

L'habileté de Froissart est donc de revenir pour finir sur sa proposition initiale et d'en transformer l'affirmation métaphorique — « Je suis l'horloge » — en suggestion ontologique : je suis le présent de mon être amoureux, la durée de ma conscience amoureuse, le mouvement du souvenir par lequel j'éprouve à la fois cette conscience et le mouvement du temps. A l'heure de ma mort, serai-je ce maintenant de l'amour toujours maintenu (v. 1112-1136) ? Le temps objectif mesuré par l'horloge ne joue là aucun rôle, sinon celui de « fixer durablement le maintenant »[16], ce maintenant qui échappe au temps subjectif de la conscience amoureuse et serait, s'il pouvait exister, quelque part dans le futur de l'*Espinette amoureuse* et dans le passé du *Joli Buisson de Jeunesse*.

Le titre de ce chapitre n'est donc que partiellement vrai. Certes, la fascination qu'exerce la technique nouvelle de l'horloge, en concentrant l'attention sur son fonctionnement mécanique, la détourne de l'image du temps et, en un certain sens, tue l'imaginaire du temps. L'argument du poème de Froissart ne doit pas grand-chose au fait que l'horloge

Si n'ai je point d'arrest qu'a vo gens corps
Ne soit tout dis pensant mes esperis.

16. Martin Heidegger, « Le concept de temps », trad. Michel Haar et Marc B. de Launay, Cahier de l'Herne, 1983, rééd. Le Livre de Poche, Biblio Essais, p. 37.

mesure le temps objectif. Mais il doit beaucoup au fait que le mouvement de l'horloge est analogue à celui de la conscience qui produit l'expérience subjective du temps. C'est qu'il faudrait plus qu'une horloge pour soustraire sa poésie au sentiment du temps.

CHAPITRE XI

Le temps, c'est de l'argent *

L'argent, on le sait, peut être l'équivalent de n'importe quoi. Chez Froissart, il est l'équivalent de la mémoire et de la conscience. L'argent gagné, l'argent dépensé sont les repères de sa vie. Un jour vient où il lui consacre tout un poème, le *Dit du Florin*.

Le *Dit du Florin* est de bien des façons un poème autobiographique. Mais son intérêt est de l'être aussi dans un autre sens que celui qu'on prête d'ordinaire à ce mot.

C'est un poème autobiographique parce que c'est un poème de circonstance. Se trouvant en Avignon en mai 1389, Froissart se fait voler, pendant qu'il est à la messe, les quarante francs que lui avait donnés quelques jours plus tôt le comte de Foix, Gaston Phébus. Il décide de solliciter quatre de ses protecteurs et de leur demander dix francs à chacun pour compenser la perte qu'il a subie. Le poème tout entier est donc un placet destiné à soutenir cette requête, dont le florin rogné et dévalué qui constitue désormais toute sa fortune lui souffle le projet dans les derniers vers.

C'est un poème autobiographique, parce que l'exposé de ces circonstances comme de ce projet y est amené par un récit de son séjour à Orthez auprès de Gaston Phébus.

---

* Ce chapitre reprend mon article « Le temps, c'est de l'argent. Remarques sur le *Dit du Florin* de Jean Froissart », « *Et c'est la fin pour quoi sommes ensemble.* » *Hommage à Jean Dufournet*, Paris, Champion, 1993, t. II, p. 1455-1464. Il est reproduit avec l'aimable autorisation des éditions Champion.

C'est un poème autobiographique, parce que ce récit lui-même est précédé d'un coup d'œil rétrospectif sur sa vie tout entière.

Mais il y a plus. Le florin qui donne son titre au poème est tout au long l'interlocuteur du poète. Le *Dit du Florin* est un dialogue entre le poète et l'argent, et le thème de ce dialogue est la vie du poète. Le *Dit du Florin* porte le nom de l'argent et porte sur la vie de Froissart. De même, dans le *Joli Buisson de Jeunesse*, Froissart, se remémorant son passé, énumère ses protecteurs et précise minutieusement les sommes que chacun lui a versées (v. 230-373), façon pour lui d'estimer sa vie à ce qu'elle vaut.

Comme la vie, l'argent glisse entre les doigts, l'argent coule, l'argent passe, l'argent fuit sans jamais revenir. L'argent, c'est la vie. Ce rapprochement n'est pas une coquetterie de la lecture. Les premiers vers du poème définissent la relation de Froissart à l'argent dans les termes d'une perte irréparable :

Pour bien savoir argent desfaire
Si bien qu'on ne le scet retraire,
Rapiecier ne remettre ensamble
....
... trop bien delivrer m'en sçai [1].

Certes, l'image implicite est celle de la torture, comme le confirment les vers 4-5 :

Car tel paour *[l'argent]* a que tous tramble,
Quant il est en mes mains venus.

Plus loin, Froissart mettra son florin « a jehine » [2]. Mais l'idée de l'irrémédiable, l'idée de la perte irréparable n'en appelle pas moins celle

---

1. *Le Dit du Florin*, v. 1-11.
2. V. 110. Il s'agit à la fois d'éprouver la valeur du florin en le mordant et de le contraindre à parler. On glisse de cette façon du geste réaliste à la fantaisie :
Adonques le pris a mes dens
Et le mors dehors et dedens,
A la fin qu'il fust plus bleciés.
Et quand je me fui bien sanciés,
Sus une pierre l'estendi
Et dou poing au batre entendi.
Et puis si tirai mon coutiel
Et di : « Par ce hateriel,
Je t'esboulerai, crapeaudeaus ! » (v. 119-127)

du temps. Et le départ subreptice des pièces de monnaie fuyant le poète tel que l'évoquent les vers 135-138

> Di moi quel part s'en sont alé
> Ceulz qui n'ont chanté ne parlé,
> Mes sont partis lance sus fautre
> Tout ensamble, l'un avec l'autre,

n'annonce-t-il pas celui du temps de la jeunesse de Villon ?

> Il ne s'en est a pié alé
> Në à cheval :las ! comment don ?
> Soudainement s'en est vollé[3].

Quant à la moralité qui conclut le poème, elle est que l'argent n'aura plus nulle valeur quand la vie elle-même sera consommée :

> « Autant vaudront au Jugement
> Estront de chien que marq d'argent ! »[4]

Encore épargne-t-on ici au lecteur le couplet attendu sur l'équivalence de l'excrément et de l'argent.

Le *Dit du Florin*, le dit de l'argent, c'est le dit de la vie. Et le florin qui aura accompagné Froissart tout au long de sa vie, le florin resté obstinément au fond de sa bourse, alors que tous les autres s'enfuyaient comme le temps, le florin qui se souvient du temps passé, qui raconte au poète sa propre vie et lui en offre un reflet, ce florin-là joue dans le poème le personnage de la mémoire et de la conscience du poète. Mais la vie qui passe est « monnoye qu'on descrye », dira encore Villon : ce florin-conscience est un florin raté, rogné, dévalué, décrié. C'est à cela qu'il doit de n'avoir pas été dépensé. Sa fidélité au poète est la preuve de son mauvais aloi :

> « Bien voi que tu es un hardeaus
> Taillés, rogniés et recopés.
> Pour ce n'es tu point eschapés !
> Les aultres t'ont laissié derriere !
> Se tu fuisses de leur maniere,
> De bon pois et de bon afaire,
> Tu eusses bien o eulz a faire. »[5]

---

3. François Villon, *Testament*, v. 173-175.
4. *Le Dit du Florin*, v. 491-492.
5. V. 128-134.

Il en convient lui-même, jouant du nom des monnaies pour se reconnaître vil et sans noblesse (il n'est ni un « noble » ni un « franc ») :

« Se j'euïsse esté un plus grans,
Uns bons nobles ou uns bons frans,
Uns doubles ou uns bons escus
Ou eü n'euïst nul refus,
J'euïsse ores par mille mains
Passé. »[6]

Et Froissart le gardera toujours parce qu'il est à la fois de bon conseil et de nulle valeur :

Adont di je : « Sus toute rien
Tu m'as ores conseillié bien.
Encores je te garderai
Ne point je ne t'aleuerai,
Car tu n'es mies trop prisiés,
Mes contrefés et debrisiés. »[7]

Le poème se présente comme un regard rétrospectif sur la vie du poète du point de vue de l'argent pris comme équivalent et comme incarnation de la mémoire et de la conscience de soi. Mais ce récit rétrospectif est un récit dialogué. Il se partage en plusieurs voix qui correspondent aux moments successifs du poème. Le poète fait d'abord à l'adresse du lecteur une synthèse générale de sa vie du point de vue de son caractère dépensier. Puis le florin raconte la vie du poète à l'adresse du poète lui-même de son point de vue à lui, florin. Enfin le poète fait au florin le récit de son séjour à Orthez pour terminer sur le salaire qu'il a reçu de Gaston Phébus et sur la façon dont il en a été dépossédé.

Froissart, qui a souligné d'entrée de jeu l'incompatibilité qui existe entre l'argent et lui, puisque l'argent le fuit, entretient ainsi à l'inverse dans la suite du poème une sorte de confusion entre l'argent et lui, entre les « goûts », le « caractère », le « style de vie » de l'argent et ses propres goûts, son propre caractère, son propre style de vie. Comme lui, l'argent voyage (nous disons aujourd'hui qu'il *circule*), fait aisément de nouvelles connaissances, a ainsi l'occasion d'user de « divers langages », qui dési-

6. V. 159-164.
7. V. 475-480.

gnent à la fois les langues étrangères et les façons différentes de parler selon l'interlocuteur auquel on s'adresse.

> Argent scet maint divers langage,
> Il est a toutes gens acointes[8].

Et le florin de se vanter :

> « Je sçai françois, englois et thiés. »[9]

Comme Froissart, l'argent aime la vie élégante, amoureuse, aventureuse, itinérante et ceux qui la mènent :

> Il aime les beaus et les cointes,
> Les nobles et les orfrisiés,
> Les amourous, les envoisiés,
> Les pelerins, les marchëans
> Qui sont de leurs fais bien chëans,
> Ceuls qui sieuent soit guerre ou jouste[10].

Mais ces gens-là entretiennent avec l'argent une relation qui est à la fois d'affinité et d'antinomie. L'argent les aime, mais l'argent les fuit, car ils ne sont pas prêts à en payer le prix. Ils ne mesurent pas le coût de l'argent :

> Car a telz gens argens ne couste
> Nulle chose, ce leur est vis :
> Dalés euls le voient envis[11].

De même, le poète fréquente l'argent. Il en a gagné beaucoup :

> Puis .XXV. ans, sans la cure
> De Lestines qui est grant ville,
> En ai je bien eü deus mille,
> Des frans[12].

---

8. V. 24-25.
9. V. 151.
10. V. 26-31. On note dans cette énumération la présence des pèlerins et des marchands, qui voyagent, certes, et qui font circuler l'argent, mais dont la présence parmi « les orfrisiés, les amourous, les envoisiés » pourrait surprendre. Pèlerins bons vivants, marchands fastueux : la société que laissent entrevoir ces quelques vers évoque un peu la joyeuse troupe des *Contes de Canterbury*. On sait que Froissart peut difficilement ne pas avoir rencontré Chaucer, mais qu'il n'en fait aucune mention dans les *Chroniques*.
11. V. 32-34.
12. V. 100-103.

Il aime les jeux d'argent, où l'argent circule joyeusement, les dés, les échecs, les tables et les « aultres jus delitables » (v. 15-16). Mais lui non plus n'y met pas le prix :

Mes, pour chose que argent vaille,
Non plus que ce fust une paille
De bleid, ne m'en change ne mue [13].

Du coup, l'argent le fuit et s'enfuit :

Il s'est tantost de moi emblés,
Il me defuit et je le chace :
Lors que je l'ai pris, il pourchace
Comment il soit hors de mes mains [14].

Il le dépense, mais il n'en a pas pour son argent : il n'obtient rien de solide en échange [15]. On dirait même que l'argent lui répugne, « lui pue » (v. 20).

Ainsi, ceux que l'argent aime, ceux qui lui ressemblent, sont ceux qu'il fuit. Ce sont ceux qui aiment la vie dans ce qu'elle a de plus vivant : ce qui est brillant, changeant, nouveau, ce qui brille, ce qui voyage. L'argent aussi est brillant, l'argent circule et voyage, l'argent se change : c'est au change qu'il trouve sa vraie nature, sa brillance et sa jouissance. C'est au change qu'on le fait jouir :

Change est paradys a l'argent,
Car il a la tous ses deduis,
Ses bons jours et ses bonnes nuis :
La se dort il, la se repose,
La le grate on, c'est vraie chose,

---

13. V. 17-19.
14. V. 86-89. Cf. les v. 103-106.
15. J'ai plus tos espars une livre
    Qu'uns aultres n'avroit .XX. deniers ;
    Si n'en mac je bleds en greniers,
    Avainnes, pois, feves ne orges ;
    Je n'en fais moustiers ne orloges,
    Dromons ne naves ne galees,
    Manoirs ne chambres ne alees ;
    je n'achate soiles ne lins,
    Autres grains ne fours ne moulins,
    Fuerres, gluis, estrains ne esteules,
    Haspes ne fuseaus ne keneules
    Ne faucilles pour soier bles. (v. 74-85)

La est frotés et estrillés,
Lavés et bien appareilliés.

....

Avoir li font toutes ses aises [16].

C'est là aussi qu'on jouit de sa manipulation :

Il en juent com par enfance,
Il le poisent a la balance [17].

L'argent se change, l'argent fuit, l'argent s'enfuit au change. Ainsi tout change et la vie fuit : vingt-cinq ans passés à gagner de l'argent dont il ne reste rien, comme il ne reste rien de ce quart de siècle écoulé. Ceux qui aiment l'argent le dépensent ; de même pour la vie. L'argent qui reste est du mauvais argent, et pourtant c'est tout ce qui reste du passé, c'est tout ce qui peut nous le rappeler. C'est ce qui reste de la vie : la mémoire, un peu de vie rognée, dévaluée, et qui est malgré tout ce qu'on peut trouver de mieux après la vie elle-même. La mémoire, cette chose paradoxale qui appartient au passé, qui aurait dû s'évanouir avec lui, couler avec le temps, et qui pourtant est encore là.

Tel est le florin que Froissart retrouve au fond de sa bourse vide : une certaine conscience de sa vie, sa mémoire, le paradoxe d'un passé conservé mais dévalué. Lui, le florin, a tiré profit des voyages de Froissart. Il y a acquis expérience et savoir. Il a, on le sait, appris les langues étrangères, circulé comme un voyageur, circulé comme de l'argent [18]. Mais il n'a vécu que par éclipses. Quand le poète est à sec, il va le chercher, l'utilise, l'engage, et ainsi le florin voit du monde et du pays. Quand le poète est prospère, il n'a pas besoin de cette pièce de peu de valeur et la laisse dormir au fond de sa bourse, où le florin ne peut rien voir de ce qui se passe à l'extérieur :

« Vous venez dou pays de Fois,
De Berne en la Haulte Gascongne,
Et n'avés point eü besongne
De moi, mes m'avés, sans mentir,
Tout un yver laissié dormir
En un bourselot bien cousu.
Quel chose vous est avenu ? » [19]

16. V. 38-47.
17. V. 45-46.
18. Cf. v. 152-155 et 169-173.
19. V. 168-174.

Le florin est ainsi, en un sens, la conscience malheureuse du poète, la mémoire de ses moments difficiles et non celle de ses moments heureux, bien qu'il ait été aussi le témoin de certains d'entre eux, de ces moments délicieux et éphémères où l'on goûte la vie qui passe avec l'argent qui fuit.

Au moment où se déroule le dialogue entre Froissart et son florin, celui-ci vient, comme il le dit, de dormir tout un hiver, qui a donc correspondu à une période de prospérité pour le poète. Mais le poète vient de le réveiller. C'est que la fortune a tourné. De fait, on va l'apprendre, non seulement Froissart s'est fait voler, mais encore, pendant son séjour à la cour pontificale d'Avignon, il semble avoir vu s'amenuiser ses espoirs d'obtenir un canonicat à Lille, espoirs qu'entretient encore le florin.

C'est alors que le florin lui raconte sa propre vie du point de vue de l'argent qu'il a dépensé et qu'il réveille ainsi, en même temps que la nostalgie du temps et de l'argent enfuis, la satisfaction de Froissart à se souvenir de ces dépenses qui ont enrichi sa vie. Écrire ses livres lui a coûté cher, « bien .VII^c. livres » (v. 200), mais grâce à eux il vivra dans les mémoires. Il a dépensé de l'argent (plus de cinq cents francs, v. 212) chez les taverniers d'Estinnes pendant ses périodes sédentaires. Il a dépensé de l'argent (environ mille francs, v. 217, mais le florin parle ensuite au v. 244 de deux mille francs) pour ses nombreux voyages en Écosse, en Angleterre, en Galles du Nord, à Rome, car il aime à voyager confortablement, bien équipé, bien monté, bien vêtu (v. 214-237). Ces moments de dépense ont été des moments de bonheur, car c'étaient des moments de hâte vers l'avenir, de désir. On dépense l'argent pour obtenir en échange ce qu'on désire ; on est pressé de voir le temps passer pour que vienne ce qu'on attend. On vit – c'est la conclusion du florin – de « souhedier » :

> « Si ne devés pas le temps plaindre
> Ne vous soussier ne complaindre :
> Vous avés vescu jusqu'a ci,
> Onquers ne vous vi desconfi,
> Mes plain de confort et d'emprise
> Et – c'est un point que moult je prise –,
> Je vous ai veü si joious,
> Si joli et si amourous,
> Que vous viviés de souhedier. »[20]

20. V. 245-253.

De tels propos devraient être réconfortants. Le florin ne félicite-t-il pas Froissart de ne s'être pas « bouté en grosses debtes » (v. 240) et d'avoir autant de choses avec ses deux mille francs qu'un autre n'en aurait fait avec quatre mille (v. 239-244) ? Le poète le prend bien ainsi – « Ha !, di je, tu me voels aidier » (v. 254) – et pourtant tout ce discours le rend mélancolique, car il lui rappelle la fuite de ses florins, partis il ne sait où. Dans sa plainte s'entend l'éternel *Ubi sunt...*, mais plus précisément l'écho du « Que sont mes amis devenus ? » de Rutebeuf. Les florins, ses amis, ont fui comme le temps :

> « Mais c'est trop fort que ja oublie
> La belle et bonne compagnie
> De florins que l'autrier avoie ;
> Et si s'en sont ralé leur voie,
> Je ne sçai pas en quel pays.
> Certes, je m'en tienc pour trahis. » [21]

La plainte sur ses florins envolés l'amène à évoquer son séjour à Orthez à l'intention du florin qui, au fond de sa bourse, n'en a rien vu ni rien su. Au cours de ce séjour, on le sait, Froissart a, pendant tout un hiver, soir après soir, lu à Gaston Phébus son roman de *Méliador*. L'argent que lui a donné le comte de Foix et qui lui a été peu après dérobé en Avignon était le prix de cette lecture.

Ce passage est le plus connu du poème et celui qui a été le plus étudié, puisqu'il invite, bien entendu, à une comparaison avec la version des mêmes événements qui figure dans le Livre III des *Chroniques*. D'une façon générale, le *Dit du Florin* offre un récit plus détaillé que le « voyage en Béarn », mais il est plus juste de dire qu'il ne met pas l'accent sur les mêmes points. Ce qui l'intéresse, c'est la carrière littéraire de Froissart. Il souligne, par exemple, que *Méliador* a été entrepris à la demande de Wenceslas de Luxembourg et que ses poèmes y sont enchâssés (v. 300-309). Il ne cesse de rappeler les attentions flatteuses du comte de Foix pour Froissart, dont la première est l'admiration pour son talent littéraire :

> Lequel *(roman de Méliador)* il ooit volentiers
> Et me dist : « C'est un beaus mestiers,
> Beaus maistres, de faire telz choses. » [22]

21. V. 255-260.
22. V. 297-299.

Ces attentions le consolent d'avoir dû se relever pendant toutes ces nuits d'hiver pour aller au château faire la lecture à ce Phébus qui mène une vie nocturne :

> Sis sepmainnes devant Noël
> Et quatre aprés, de mon ostel
> A mie nuit je me partoie
> Et droit au chastiel m'en aloie.
> Quel temps qu'il fesist, plueve ou vent,
> Aler m'i couvenoit. Souvent
> Estoie, je vous di, moulliés,
> Mes j'estoie bel recoeilliés
> Dou conte, et me faisoit des ris :
> Adont estoi je tous garis [23].

Sa lecture achevée (sept feuillets, précise-t-il), il avait même l'honneur de finir le vin de son hôte (v. 370-374). Enfin, Froissart ne laisse pas ignorer combien Gaston Phébus l'a payé et comment il a disposé de l'argent : le comte lui a donné quatre-vingts florins d'Aragon, dont il a changé soixante en francs, obtenant ainsi les quarante francs qu'on vient de lui voler [24].

Le *Dit du Florin* se concentre ainsi sur les relations personnelles entre Froissart et Phébus, sur l'activité littéraire de Froissart qui est au centre de ces relations, sur le payement qu'il en reçoit. Ce passage du poème est tout entier pour illustrer la vie de Froissart, ses petites peines et ses grandes satisfactions, financières et d'amour-propre – ses gratifications dans les deux sens du terme. Gaston Phébus n'est là que comme un

---

23. V. 349-358.
24. Je pris congié, et li bons contes
Me fist par la chambre des contes
Delivrer quatre vins florins
D'Arragon, tous pesans et fins,
Desquels quatre vins les soissante,
Dont j'avoie fait frans quarante,
Et mon livre qu'il m'ot laissié,
(Ne sçai se ce fu de coer lié,)
Mis en Avignon sans damage. (v. 381-389)
Que Gaston Phébus lui ait laissé son manuscrit est présenté par Froissart comme une manifestation supplémentaire de sa générosité. Il laisse entendre (v. 388) que le comte aurait sans doute préféré le garder. Mais Jacqueline Cerquiglini a finement observé que Froissart est peut-être au fond un peu dépité de ce qu'il ressent comme un manque d'intérêt pour la possession de son « livre ».

faire-valoir. Son éloge et l'éloge de sa cour sont intéressés. Ils ne servent qu'à mettre en valeur Froissart lui-même, apprécié par un homme d'une telle qualité et un si grand seigneur. Les mécènes comme le comte de Foix font vivre Froissart en lui fournissant l'argent qui lui est matériellement nécessaire mais qui est aussi un « gage d'estime », le signe qu'on a de lui une image flatteuse, le miroir qui lui renvoie cette bonne image de lui-même. Cette troisième partie du *Dit du Florin*, ce troisième témoignage sur la vie de Froissart au regard de l'argent, confirme que ce poème autobiographique est un poème narcissique où l'argent gagné et dépensé nourrit l'amour-propre.

A titre de comparaison, dans le passage correspondant du Livre III des *Chroniques* l'équilibre est bien différent et l'accent est déplacé. Le texte cherche à maintenir un équilibre entre deux éléments. D'une part, le récit personnel du voyage de Froissart, de ses expériences de ses rencontres, celle de Phébus s'inscrivant – certes à une place prééminente – parmi toutes les autres. D'autre part, la présentation de Gaston Phébus au regard de la visée générale des *Chroniques* : son physique, ses goûts, ses qualités, l'organisation financière et administrative de son gouvernement, son mode de vie, le faste et le cosmopolitisme de sa cour, tout cela est chargé d'une signification historique et politique. La mention par Froissart de la lecture qu'il a faite de *Méliador* n'intervient dans ces conditions que comme un témoignage sur ces deux aspects, ses propres aventures et le portrait de Phébus. Enfin, les informations collectées par Froissart auprès d'Espan de Lion, puis à la cour bourdonnante d'Orthez, permettent de s'écarter du canevas autobiographique du « voyage en Béarn » en y greffant d'autres récits qui éclairent d'un autre point de vue le personnage du comte et mettent ses faits et gestes en relation avec les événements contemporains. Si présent que soit Froissart dans le « voyage en Béarn », il l'est pour des raisons qui, au départ du moins, ne tiennent pas seulement à sa propre personne. Rien qui puisse se comparer avec l'enfermement sur soi-même, avec le regard sur son propre passé dans le miroir de l'argent qu'offre le *Dit du Florin*.

Ce florin, mémoire du poète, cet argent, miroir narcissique de son moi, donnent à la conclusion du poème une résonance un peu inattendue. Pour remplacer les quarante francs volés, le florin, on l'a vu, suggère à Froissart de s'adresser à quatre de ses protecteurs et de demander dix francs à chacun. C'est une fin plaisante, et qui permet au poète de solliciter tout en faisant sa cour. Mais elle prend une résonance particulière dans la perspective qui est celle du poème : la jouissance de dépenser l'argent assimilée à la saveur de la vie qui coule, la mémoire de l'argent enfui confondue avec celle du temps passé. Cette hâte à trouver beaucoup de mécènes, et des mécènes qui rapportent peu chacun, suggère que le cours de la vie s'accélère et que son *prix* diminue. Derrière la plaisanterie intéressée, derrière la vantardise d'avoir beaucoup d'amis puissants, il y a comme une mélancolie de l'argent qui passe – cet argent qui est du temps, ce temps qui est de l'argent –, une mélancolie de l'argent volé et de la vie perdue dont on ne peut plus que gratter les restes, dix francs par dix francs.

Et puis, la jouissance de l'argent, la jouissance du change n'est-elle pas celle d'un âge qui a renoncé à d'autres échanges et à d'autres jouissances ? Nul ne le sait mieux que l'auteur de l'*Espinette amoureuse* :

> D'un capelet de violettes,
> Pour donner a ces basselettes,
> Faisoie a ce dont plus grant compte
> Que maintenant dou don d'un conte
> Qui me vaudroit .XX. mars d'argent[25].

25. *Espinette amoureuse*, v. 289-293.

Pour finir

« Ce n'est pas là ce que nous croyions devenir autrefois, à Sens, quand tu voulais faire une histoire critique de la Philosophie, et moi un grand roman moyen âge sur Nogent, dont j'avais trouvé le sujet dans Froissart : Comment messire Brokars de Fénestranges et l'évêque de Troyes assaillirent messire Eustache d'Ambrecicourt [1]. Te rappelles-tu ?
Et, exhumant leur jeunesse à chaque phrase, ils se disaient :
– Te rappelles-tu ? »

« Ce n'est pas là ce que nous croyions devenir autrefois... Te rappelles-tu ? » Ainsi s'enclenche, pour Frédéric Moreau et pour Deslauriers, l'enchaînement des souvenirs, jusqu'à celui de la visite manquée à la maison de passe, d'où ils se sont sauvés à peine entrés, et jusqu'à la moralité qu'ils tirent de cette mésaventure et qui est la dernière phrase de *L'Éducation sentimentale* : « C'est peut-être ce que nous avons eu de meilleur. »

Un roman moyen âge inspiré par Froissart : tel était donc le premier des projets avortés qui auront été toute la vie de Frédéric. Un projet romanesque si enfantin qu'il avait pour cadre sa ville natale de Nogent. Un projet romanesque qui n'aboutira jamais, mais dont le souvenir, mêlé à tous les autres souvenirs, lui permet d'exhumer sa jeunesse. Un projet qui n'a pas abouti, comme la visite au bordel a tourné court :

« C'est peut-être ce que nous avons eu de meilleur. »

Ce qu'ils ont eu de meilleur, c'est cette anticipation de la vie, avant

---

1. Cf. Froissart, *Chroniques*, Livre I, chap. XCV. Flaubert a pu lire Froissart dans l'édition Buchon, où ce passage se trouve au t. I, p. 405.

d'avoir l'âge de vivre et de découvrir qu'ils n'avaient pas l'étoffe nécessaire pour vivre. Ce qu'ils ont eu de meilleur, c'est un ratage, mais si
précoce qu'il ne portait pas en lui la désillusion d'un véritable effort
infructueux. Et le meilleur est aujourd'hui le souvenir de cette impuis-
sance qui paraissait riche de promesses. Entre les deux, tout n'aura été
que déceptions et échecs : « Ce n'est pas là ce que nous croyions devenir
autrefois. » Voilà une conception que n'aurait pas reniée Froissart poète.
La seule jouissance, on l'éprouve enfant, lorsqu'on est trop jeune pour
jouir autrement que par anticipation, par procuration et par glanures. Il
faut attendre ensuite la jouissance du souvenir, lorsqu'on est trop vieux
pour jouir autrement que par réminiscence, par procuration et par glanures. Entre les deux, tout est aride : le désert de l'amour.

Le projet romanesque de Frédéric était un projet romantique. C'est
ainsi que Flaubert discrédite son personnage. Son modèle était les romans
de Walter Scott. De même le prédécesseur de Frédéric Moreau, son
double anticipé, Lucien de Rubempré, avait écrit un *Archer de Charles IX*
où l'on devine un plagiat de *Quentin Durward, l'archer de Louis XI* – un
plagiat stupide, car sous Charles IX, le corps des archers royaux n'existe
plus. C'est sous l'influence de Walter Scott que les velléités littéraires de
Frédéric tournent autour du Moyen Age et de Froissart. Froissart dont
Walter Scott admirait les *Chroniques*. Il les admirait d'être si longues,
d'être une lecture où il est possible de s'immerger interminablement.
Dans un passage de *Old Mortality* brillamment analysé par Peter F. Ainsworth[2], le terrible Cumberland déplore que son prisonnier les ignore
et s'engage à lui procurer ce plaisir en le gardant dans les fers assez
longtemps pour qu'il ait le loisir de lire jusqu'au bout cette œuvre
immense. Dans ce roman historique, le temps se mesure à la lecture des
Chroniques de Froissart.

Le prestige immense de Froissart au XIXe siècle tient, bien entendu,
à tous les matériaux qu'il fournit au bric-à-brac romantique. Mais le
romantisme a mieux compris le Moyen Age que nous le croyons. Il n'est
pas resté insensible aux représentations diverses et contradictoires du
temps qui modèlent l'œuvre de Froissart. Nerval se réfère à lui, par

---

2. Dans un exposé présenté le 27 février 1996 dans le cadre de mon séminaire du Collège
de France. Voir le résumé de cet exposé, dont on espère une publication intégrale, dans
Annuaire du Collège de France 1995-1996. Résumé des cours et travaux, Paris, 1997, p. 933-934.

exemple dans *Angélique*[3], dans les moments où il noue de la façon la plus inextricable le temps de la vie, celui de l'enquête érudite, celui de la lecture, celui du voyage à la recherche d'improbables archives, celui de la plongée dans le pays de l'enfance, celui de la rêverie, celui des dates et de l'histoire : dans les moments où il mêle tous les temps de Froissart. Temps de l'histoire, temps des histoires, temps volé, retranché du temps de la vie – temps de la prison, temps de l'âge adulte et des frustrations du réel –, temps ajouté au temps par la luxuriante générosité de la conscience – temps du livre, temps du rêve, temps de l'imagination sentimentale, temps du souvenir, temps du poème. Ils sont tous là, tous ces temps de Froissart, prêts à nous engloutir dans leur durée contradictoire quand, franchissant le seuil de son œuvre, nous nous laissons enfermer comme le prisonnier écossais dans la geôle d'une longue et délicieuse lecture.

---

3. Voir Michel Zink, « Nerval in the Library, or The Archives of the Soul », *Representations* 56, Fall 1996, p. 96-105.

Bibliographie

Œuvres de Froissart

Jean Froissart, *Les Chroniques de sire Jean Froissart...*, éd. J. A. C. Buchon (1835), nouvelle édition, Paris, F. Wattelier, 3 volumes, 1867.

—, *Œuvres*, éd. Kervyn de Lettenhove, Bruxelles, Académie Royale de Belgique, 28 volumes, 1867-1877.

—, *Poésies*, éd. Auguste Scheler, Bruxelles, 3 volumes (intégrés à l'édition Kervyn), 1870-1872.

—, *Chroniques*, éd. Siméon Luce, Gaston Raynaud, L. et A. Mirot, Paris, Société de l'Histoire de France, 15 volumes, 1869... (édition en cours, actuellement interrompue à la fin du Livre III).

—, *Méliador*, éd. Auguste Longnon, Paris, SATF, 3 volumes, 1895-1899.

—, *Voyage en Béarn*, éd. Armel H. Diverres, Manchester, 1953.

—, *Chroniques. Dernière rédaction du premier livre. Édition du manuscrit de Rome Reg. Lat. 869*, éd. George T. Diller, Genève, Droz, 1972.

—, *L'Espinette amoureuse*, éd. Anthime Fourrier, Paris, Klincksieck, 1972.

—, *La Prison amoureuse*, éd. Anthime Fourrier, Paris, Klincksieck, 1974.

—, *Le Joli Buisson de Jonece*, éd. Anthime Fourrier, Genève, Droz, 1975.

—, *Ballades et rondeaux*, éd. Rae S. Baudouin, Genève, Droz, 1978.

—, *« Dits » et « Débats »*, éd. Anthime Fourrier, Genève, Droz, 1979.

—, *Le Paradis d'Amour. L'Orloge amoureus*, éd. Peter F. Dembowski, Genève, Droz, 1986.

—, *Chroniques. Livre I. Le manuscrit d'Amiens. Bibliothèque municipale n° 486*, éd. George T. Diller, Genève, Droz, 4 volumes, 1991-1993.

Extraits traduits d'œuvres de Froissart

Bastin, Julia, *Froissart chroniqueur, romancier et poète*, Bruxelles, Office de Publicité, 2ᵉ édit. 1948.

Duby, Andrée, *Froissart. Chroniques.* Textes traduits et présentés par..., Paris, Stock Moyen Age, 1997.

Medeiros, Marie-Thérèse de, *Froissart, Chroniques. Extraits*, Paris, Le Livre de Poche, Nouvelle Approche, 1988.

Pauphilet, Albert, et Pognon, Edmond, *Historiens et chroniqueurs du Moyen Age*, Paris, Gallimard, Bibliothèque de la Pléiade, 1952, p. 369-944.

Le Joli Buisson de Jeunesse. Traduit en français moderne par Marylène Possamai-Perez, Paris, Champion, 1995.

Études sur Froissart

Ainsworth, Peter F., « Style direct et peinture des personnages chez Froissart », dans *Romania* 93, 1972, p. 498-522.

–, « Du berceau à la bière : Louis de Mâle dans le Deuxième Livre des *Chroniques* de Froissart », dans *Dies illa. Death in the Middle Ages*, éd. Jane H. M. Taylor, Liverpool, 1984, p. 125-152.

–, « The Art of Hesitation : Chrétien, Froissart and the Inheritance of Chivalry », dans *The Legacy of Chrétien de Troyes* edited by Norris J. Lacy, Douglas Kelly and Keith Busby, vol. II, Amsterdam, Rodopi, 1988, p. 187-206.

–, « Le Manteau troué. Étude littéraire des Chroniques de Jean Froissart », dans *Perspectives Médiévales* 12, p. 35-37 (présentation de sa thèse de 3ᵉ cycle soutenue en 1984).

–, « Knife, Key, Bear and Book : poisoned metonymies and the problem of *translatio* in Froissart's later *Chroniques* », dans *Medium Aevum*, 59, 1990, p. 91-113.

–, « "Ceci n'est pas un conte" : The Story of Merigot Marches in the Fourth Book of Froissart's Chroniques », dans *Fifteenth Century Studies* 16, 1990, p. 1-22.

–, *Jean Froissart and the Fabric of History. Truth, Myth, and Fiction in the Chroniques*, Oxford, Clarendon Press, 1990.

Allmand, C.T., « Historians Reconsidered : Froissart », dans *History Today*, 16, 1966, p. 91-113.

Badel, Pierre-Yves, « Par un tout seul escondire : Sur un virelai du *Buisson de Jeunesse* », dans *Romania* 107, 1986, p. 369-379.

Bradley-Cromey, Nancy, « Mythological Typology in Froissart's *Espinette Amoureuse* », dans *Res Publica Litterarum* 3, 1980, p. 207-221.

Bennett, Philip E., « The Mirage of Fiction : Narration, Narrator, and Narratee in Froissart's Lyrico-Narrative Dits », dans *The Modern Language Review* 86, 1991, p. 285-297.

Blanchard, Joël, *La pastorale en France aux XIVe et XVe siècles*, Paris, Champion, 1983.

Bouchet, Florence, « Froissart et la matière de Bretagne : une écriture "déceptive" », dans *Arturus rex*, vol. II, éd. Willy Van Hœcke, Gilbert Tournoy, Werner Verbèke, Louvain, 1991, p. 367-375.

Cartier, Normand R., « Anagrams in Froissart's Poetry », dans *Medieval Studies* 25, 1963, p. 100-108.

–, « The Lost Chronicle », dans *Speculum* 36, 1961, p. 424-434.

–, « Le *Bleu Chevalier* », dans *Romania* 87, 1966, p. 289-314.

Cerquiglini-Toulet, Jacqueline, « Écrire le temps. Le lyrisme et la durée aux XIVe et XVe siècles », dans *Le temps et la durée dans la littérature du Moyen Age et de la Renaissance*, Colloque de Reims, nov. 84, éd. Yvonne Bellenger, Paris, Nizet, 1987, p. 103-114.

–, « Fullness and Emptiness : Shortages and Storehouses of Lyric Treasures in the Fourteenth and Fifteenth Centuries », dans *Contexts : Style and Values in Medieval Art and Literature*, éd. Daniel Poirion et Nancy Freeman Regalado, *Yale French Studies*, 1991, p. 224-239 (trad. Christine Cano).

Chalon, L., « La Scène des bourgeois de Calais chez Froissart et Jean le Bel », dans *Cahiers d'analyse textuelle* 10, 1968, p. 68-94.

–, « A propos d'une expression de Froissart : "deviser et ordonner" », dans *Cahiers d'analyse textuelle* 16, 1974, p. 130-132.

Chareyron, Nicole, « Froissart le revenant », dans *Perspectives médiévales* 15, 1989, p. 66-73.

Ciurea, D., « Jean Froissart et la société franco-anglaise du XIVe siècle », dans *Le Moyen Age* 76, 1970, p. 275-284.

Contamine, Philippe, « Froissart et l'Écosse », dans « *Des chardons et des lys* ». *Souvenir et présence en Berry de la vieille alliance franco-écossaise*, Bourges, Conseil général du Cher, 1992, p. 30-44 et « Froissart and

Scotland », dans *Scotland and the Law Countries 1124-1994*, ed. G.G. Simpson, East Linton, 1996, p. 43-58.

Costes-Sodigne, Geneviève, et Ribémont, Bernard, « La mère et l'enfant dans les *Chroniques* de Jean Froissart », dans *Les Relations de parenté dans le monde médiéval, Senefiance*, Aix-en-Provence, 1989, p. 335-349.

Darmesteter, Mary, *Froissart*, Paris, Hachette, 1894.

Dembowski, Peter F., « Chivalry, Ideal and Real in the Narrative Poetry of Jean Froissart », dans *Medievalia and Humanistica* 14, p. 1-15.

–, « La position de Froissart poète dans l'histoire littéraire : bilan provisoire », dans *Mélanges... Jean Rychner, Travaux de Linguistique et de Littérature* 15, 1, 1978, p. 131-147.

–, « *Li Orloges amoureus* de Froissart », dans *L'Esprit créateur* 18, 1978, p. 19-31.

–, *Jean Froissart and his Meliador. Context, Craft and Sense*, Lexington, Kentucky, French Forum, 1983.

–, « Tradition, Dream Literature, and Poetic Craft in *Le Paradis d'Amour* of Jean Froissart », dans *Studies in the Literary Imagination* 20, 1987, p. 99-109.

Deschaux, Robert, « Le monde arthurien dans le *Méliador* de Froissart », dans *Marche Romane* 30, 1980, p. 63-67.

Diller, George T., « Robert d'Artois et l'historicité des Chroniques de Froissart », dans *Le Moyen Age* 86, 1980, p. 217-231.

–, *Attitudes chevaleresques et réalités politiques chez Froissart. Microlectures du premier livre des « Chroniques »*, Genève, Droz, 1984.

–, « Froissart's Chronicles. Knightly Adventures and Warriors Forays : Que chascun se retire en sa chascunière », dans *Fifteenth-Century Studies* 12, 1987, p. 17-26.

Diverres, Armel H., « The Geography of Britain in Froissart's "Meliador" », dans *Medieval Miscellany presented to E. Vinaver*, éd. F. Whitehead, A. H. Diverres et F. E. Sutcliffe, Manchester, 1965, p. 97-112.

–, « Jean Froissart's Journey to Scotland », dans *Forum for Modern Language Studies* 1, 1965, p. 54-63.

–, « Les aventures galloises dans *Méliador* de Froissart », dans *Marche Romane* 30, 1980, p. 73-79.

–, « The Two Versions of Froissart's *Meliador* », dans *Studies in Medieval*

French Language and Literature presented to Brian Woledge, Genève, Droz, 1988, p. 37-48.

−, « Froissart's Travels in England and Wales », dans *Fifteenth Century Studies* 15, 1989, p. 107-122.

Elze, Gunter, « Der Breslauer Froissart : Ein grosses Werk mittelalterlicher Buchkultur », dans *Schlesien : Arts, Science, Folklore* 35, 1990, p. 159-165.

Foulet, Lucien, « Études sur le vocabulaire abstrait de Froissart. Ordonnance », dans *Romania* 67, 1942-1943, p. 145-216 ; « N'avoir garde », dans *Romania* 67, 1942-1943, p. 331-359 ; « Imaginer », dans *Romania* 68, 1944-1945, p. 257-272.

Freeman, Michelle A., « Froissart's *Le Joli Buisson de Jonece* : A Farewell to Poetry ? », dans *Machault's World. Science and Art in the Fourteenth Century*, éd. Madeleine Pelner Cosman et Bruce Chandler, Annals of the New York Academy of Sciences, volume 314, New York, 1978.

Gemenne, Louis, « Froissart et le partage de minuit : chronologie symbolique dans "Le Joli Buisson de Jonece" », dans *Pris-Ma* 8, n° 2, juillet-décembre 1992, p. 175-182.

Grisward, Joël H., « Froissart et la nuit du loup-garou. La « fantaisie » de Pierre de Béarn : modèle folklorique ou modèle mythique ? » ; dans *Le Modèle à la Renaissance*, éd. J. Lafond, Paris, 1986, p. 21-34.

Harf-Lancner (Laurence), « La chasse au blanc cerf dans le *Méliador* : Froissart et le mythe d'Actéon », dans *Mélanges Charles Foulon*, t. II, Liège, 1980 (*Marche Romane* 30), p. 143-152.

−, « Chronique et roman : les contes fantastiques de Froissart », dans *Autour du roman. Études présentées à Nicole Cazauran*, Paris, Presses de l'École normale supérieure, 1990, p. 49-65.

−, « La merveille donnée à voir : la chasse fantastique et son illustration dans le Livre III des *Chroniques* de Froissart », *Revue des Langues Romanes* 100, 1996, *Merveilleux et fantastique au Moyen Age*, p. 91-110.

−, et Le Guay, Marie-Laetitia, « L'illustration du Livre IV des *Chroniques* de Froissart : les rapports entre le texte et l'image », dans *Le Moyen Age* 96, 1990, p. 93-112.

Huot, Sylvia, « The Daisy and the Laurel : Myths of Desire and Creativity in the Poetry of Jean Froissart », dans *Contexts : Style and Values in Medieval Art and Literature*, éd. Daniel Poirion et Nancy Freeman Regalado, *Yale French Studies*, 1991, p. 240-251.

Jaeger, Georg, *Aspekte des Krieges und der Chevalerie im XIV. Jahrhundert. Untersuchungen zu Jean Froissarts Chroniques*, Berne, Lang, 1981.

Kelly, Douglas, *Medieval Imagination. Rhetoric and the Poetry of Courtly Love*, Madison, U. of Wisconsin Press, 1978 (chap. 7, p. 155-176).

–, « Les inventions ovidiennes de Froissart : réflexions intertextuelles comme imagination », dans *Littérature* 41, février 1981, p. 82-92.

Kibler, William W., « Self-delusion in Froissart's "Espinette amoureuse" », dans *Romania* 97, 1976, p. 77-96.

Kurtz, Barbara E., « The Temple d'Onnour of Jean Froissart », dans *Modern Philology* 82, 1984, p. 156-166.

Lods, Jeanne, « Les poésies de Wenceslas et le *Méliador* de Froissart », dans *Mélanges Charles Foulon*, t. I, Rennes, 1980, p. 205-216.

Marchello-Nizia, Christiane, « L'Historien et son prologue : formes littéraires et stratégies discursives », dans *La Chronique et l'histoire au Moyen Age*, éd. Daniel Poirion, Paris, Presses de l'Université de Paris-Sorbonne, 1984, p. 13-25.

Medeiros, Marie-Thérèse de, *Jacques et chroniqueurs : une étude comparée de récits contemporains relatant la Jacquerie de 1358*, Paris, 1979.

–, « Le pacte encomiastique : Froissart, ses Chroniques et ses mécènes », dans *Le Moyen Age* 94, 1988, p. 237-255.

Morris, Rosemary, « Machaut, Froissart, and the Fictionalization of the Self », dans *The Modern Language Review* 83, 1988, p. 545-555.

Mullally, Robert, « Dance Terminology in the Works of Machaut and Froissart », dans *Medium Aevum*, 59, 1990, p. 248-259.

Nouvet, Claire, « La mécanique du différement lyrique : l'*Orloge amoureus* de Jean Froissart », dans *Studi Francesi* 89, p. 259-267.

–, « Pour une économie de la dé-limitation : *La Prison amoureuse* de Jean Froissart », dans *Neophilologus* 70, 1986, p. 341-356.

Paheau, Françoise, « Scientific Allusions and Intertextuality in Jean Froissart's L'Orloge amoreus », dans *Journal of Medieval and Renaissance Studies*, 20, 1990, p. 251-272.

Palmer J.J.N., éd., *Froissart : Historian*, Bury St. Edmunds, The Boydell Press, 1981 (en particulier l'article de Palmer lui-même, « Book I (1325-1378) and its sources », p. 7-24, celui de Philippe Contamine, « Froissart : art militaire, pratique et conception de la guerre », p. 132-

144, celui de George Diller, « Froissart : Patrons and Texts », p. 145-160 et celui de Pierre Tucoo-Chala, « Froissart dans le Midi pyrénéen », p. 118-131).

–, « Froissart et le Héraut Chandos », dans *Le Moyen Age* 88, 1982, p. 271-292.

Picoche, Jacqueline, *Le vocabulaire psychologique dans les Chroniques de Froissart*, 2 vol., Paris, Klincsieck, 1976 et Amiens, 1984.

–, « "Grevé", "constraint", "abstraint" et "apressé" dans les "Chroniques" de Froissart : Recherches sur les critères de la subjectivité », dans *Du Mot au texte*. Actes du IIIe Colloque international sur le moyen français, éd. P. Wunderli, *Tübinger Beiträge zur Linguistik*, 175, 1982, p. 115-123.

Planche, Alice, « Sur deux Dits de Jean Froissart. L'impossible mariage de lyrique et de roman », dans *Perspectives médiévales* 3, 1977, p. 27-30.

–, « Culture et contre-culture dans l'*Épinette amoureuse* de Jean Froissart : les écoles et les jeux », dans *Senefiance* 9, *L'enfant au Moyen Age*, Aix-en-Provence, 1980, p. 389-403.

–, « Du Joli Buisson de Jeunesse au Buisson ardent : le Lai de Notre Dame dans le Dit de Froissart, dans *Senefiance* 10, *La Prière au Moyen Age*, Aix-en-Provence, 1981, p. 395-413.

Ribémont, Bernard, « Du verger au cosmos : plantes et jardins dans la tradition médiévale », dans *Senefiance* 20, *Vergers et jardins dans l'univers médiéval*, Aix-en-Provence, 1990, p. 313-327.

–, « Froissart, le mythe et la marguerite », dans *Revue des Langues Romanes* 94, 1990, p. 129-137.

–, « Froissart et le mythe de Daphné », dans *Revue des Langues Romanes* 98, 1994, p. 189-199.

Saenger, P., « A Lost Manuscript of Froissart Refound : Newberry Library Manuscript f.37 », dans *Manuscripta* 19, 1975, p. 15-26.

Schwarze, Michael, « Das Auftreten des erzählenden Ichs in spätmittelalter Geschichtsschreibung : die "Chroniques" Jean Froissarts », dans *Individuum und Individualität im Mittelalter*, éd. Jan. A. Aertsen et Andreas Speer, *Miscellanea Mediaevalia. Veröffentlichungen des Thomas-Instituts der Universität zu Köln*, vol. 24, Berlin - New York, Walter de Gruyter, 1996, p. 550-562.

Shears, F.S., *Froissart Chronicler and Poet*, Londres, George Routledge & Sons 1930.

Schmolke-Hasselmann, Beate, « Ausklang der altfranzösischen Artusepik : *Escanor* und *Meliador* », dans *Spätmittelalterliche Artusliteratur. Symposium der Görres-Gesellschaft Bonn*, éd. Karlheinz Goller, Paderborn, Schöning, 1984, p. 41-52.

Schwam-Baird, Shira, « Sweet Dreams : The Pursuit of Youthful Love in Jean Froissart's *Joli Buisson de Jouece* and René d'Anjou's *Livre du Cuer d'Amours Espris* », dans *Le Moyen Français* 38, 1997, p. 45-60.

Thiry, Claude, « Allégorie et histoire dans la *Prison amoureuse* de Froissart », dans *Studi Francesi* 61-62, 1977, p. 15-29.

Tucoo-Chala, Pierre, « Froissart, le grand reporter du Moyen Age », dans *L'Histoire* 44, 1982, p. 52-63.

Varvaro, Alberto, « Il libro I delle *Chroniques* di Jean Froissart. Per una filologia integrata dei testi e delle immagini », dans *Medioevo Romanzo*, 19, 1994, p. 3-36.

–, « Due note sui manoscritti delle *Chroniques* di Jean Froissart », dans *Medioevo Romanzo*, 19, 1994, n° 3, p. 293-301.

Wolfzettel, Friedrich, « La poésie lyrique en France comme mode d'appréhension de la réalité : remarques sur l'invention du sens visuel chez Machaut, Froissart, Deschamps et Charles d'Orléans », dans *Mélanges Charles Foulon*, t. I, Rennes, 1980, p. 409-419.

–, « La "modernité" du *Méliador* de Froissart : plaidoyer pour une revalorisation historique du dernier roman arthurien en vers », dans *Arturus rex*, vol. II, éd. Willy Van Hœcke, Gilbert Tournoy, Werner Verbèke, Louvain, 1991, p. 376-387.

Whiting, B. J., « Froissart as Poet », dans *Medieval Studies* 8, 1946, p. 189-216.

Wilkins, Nigel, « A Pattern of Patronage : Machaut, Froissart and the Houses of Luxembourg and Bohemia in the Fourteenth Century », dans *French Studies* 37, 1983, p. 257-284.

Zink, Michel, « Froissart et la nuit du chasseur », dans *Poétique* 41, février 1980, p. 60-77.

–, « Les chroniques médiévales et le modèle romanesque », dans *Mesure* 1, juin 1989, p. 33-45.

–, « Les toiles d'Agamanor et les fresques de Lancelot », dans *Littérature* 38, mai 1980, p. 43-61.

–, « The Time of the Plague and the Order of Writing : Jean le Bel, Froissart, Machaut », dans *Contexts : Style and Values in Medieval Art and Literature*, éd. Daniel Poirion et Nancy Freeman Regalado, *Yale French Studies*, 1991, p. 269-286 (trad. Sahar Amer).

–, « L'*Orloge amoureus* de Froissart ou la machine à tuer le temps », dans *Le Temps, sa mesure et sa perception au Moyen Age. Actes du colloque d'Orléans (12-13 avril 1991)*. Textes réunis par Bernard Ribémont, Caen, Paradigme, 1992, p. 269-277.

–, « Froissart : de l'apogée mortel au déclin vivifiant », dans *Apogée et déclin*. Textes réunis par Claude Thomasset et Michel Zink, Paris, Presses de l'Université de Paris-Sorbonne, 1993, p. 125-134.

–, « Le temps, c'est de l'argent. Remarques sur le *Dit du Florin* de Jean Froissart », dans *« Et c'est la fin pour quoi sommes ensemble. » Hommage à Jean Dufournet*, Paris, Champion, 1993, t. III, p. 1455-1464.

–, « L'amour en fuite. L'*Espinette amoureuse* et le *Joli Buisson de Jeunesse* de Froissart ou la poésie comme histoire sans objet », dans *Musique naturele. Interpretationen zur französischen Lyrik des Spätmittelalters*, éd. Wolf Dieter Stempel, Munich, Wilhelm Fink, 1995 (Romanistiches Kolloquium, Band 7), p. 195-209.

–, « Le reflet du présent et l'ombre de la mémoire dans les *Chroniques* de Froissart », dans *Zeitgeschehen und seine Darstellung im Mittelalter*, éd. Christoph Cormeau, Bonn, Bouvier, 1995, p. 88-99.

–, « La fin des Chroniques de *Froissart* et le tragique de la cour », *The Court and Cultural Diversity. The International Courtly Literature Society 1995*. Edited by Evelyn Mullally and John Thompson, Cambridge, D. S. Brewer, 1997, p. 79-95.

Jean le Bel

Jean le Bel, *Chroniques*, éd. Jules Viard et Eugène Déprez, Paris, Société de l'Histoire de France, 2 volumes, 1904-1905.

Tyson, Diana, « Jean le Bel - Portrait of a Chronicler », dans *Journal of Medieval History* 12, 1986, p. 315-322.

–, « Jean le Bel, Annalist or Artist ? A Literary Appraisal », dans *Studies in Medieval French Language and Literature presented to Brian Woledge in honour of his 80th birthday*, Genève, Droz, 1988, p. 217-226.

Ouvrages historiques sur le XIVe siècle

Allmand, C.T., éd., *War, Literature and Politics in the Late Middle Ages*, Liverpool U. P., 1976.

Autrand, Françoise, *Charles VI*, Paris, Fayard, 1986.

–, *Charles V*, Paris, Fayard, 1994.

Beaune, Colette, *Naissance de la nation France*, Paris, Gallimard, 1986.

Cazelles, Raymond, *Société, politique, noblesse et couronne sous Jean le Bon et Charles V*, Genève, Droz, 1982.

Contamine, Philippe, *Guerre, état et société à la fin du Moyen Age. Études sur les armées des rois de France (1337-1394)*, Paris/La Haye, Mouton, 1972.

–, *La Vie quotidienne pendant la guerre de Cent Ans, France et Angleterre (XIVe siècle)*, Paris, Hachette, 1978.

–, *La France aux XIVe et XVe siècles. Hommes, mentalités, guerre et paix*, Londres, 1981.

–, *La Guerre de Cent Ans*, Paris, PUF, Que sais-je ? 1309, 1984.

–, *La Guerre au Moyen Age*, Paris, PUF, Nouvelle Clio, 1986.

–, *La noblesse au royaume de France de Philippe le Bel à Louis XII. Essai de synthèse*, Paris, PUF, 1997.

Demurger, Alain, *Le Temps des crises (XIVe-XVe siècles)*, Paris, Points Seuil, 1991.

Écrire l'histoire à la fin du Moyen Age. Études recueillies par Jean Dufournet et Liliane Dulac, *Revue des Langues Romanes*, 97, 1993, n° 1, p. 1-132.

Favier, Jean, *La Guerre de Cent Ans*, Paris, Fayard, 1980.

Guenée, Bernard, *L'Occident aux XIVe et XVe siècles : les États*, Paris, 1971.

–, « Histoires, annales, chroniques : Essai sur les genres historiques au Moyen Age », dans *Annales (ESC)*, 28, 1973, p. 997-1016.

–, *Histoire et Culture historique dans l'Occident médiéval*, Paris, Aubier, 1980.

Huizinga, J., *L'Automne du Moyen Age*, avec un entretien de Jacques Le Goff, Paris, Payot, 1980.

Kaeuper, Richard W., *Guerre, justice et ordre public. La France et l'Angleterre à la fin du Moyen Age* (1988), Paris, Aubier, 1994.

Krynen, J., *Idéal du prince et pouvoir royal en France à la fin du Moyen Age (1380-1440). Étude de la littérature politique du temps*, Paris, 1981.

Mollat, Michel, *Genèse médiévale de la France moderne*, Paris, Arthaud, 1977.

Raynaud, Christine, *La Violence au Moyen Age, XIIIe-XVe siècle*, Paris, Le Léopard d'Or, 1990.

Tuchman, Barbara W., *A Distant Mirror. The Calamitous 14th Century* (1978), Penguin Books, 1979.

Tucoo-Chala, Pierre, *Gaston Fébus et la vicomté de Béarn (1343-1391)*, Bordeaux, 1959.

Ouvrages généraux sur la littérature de la fin du Moyen Age

Badel, Pierre-Yves, *Le Roman de la Rose au XIVe siècle. Étude de la réception de l'œuvre*, Genève, Droz, 1980.

Cerquiglini-Toulet, Jacqueline, *La couleur de la mélancolie. La fréquentation des livres au XIVe siècle, 1300-1415*, Paris, Hatier, 1993.

Grundriss der romanischent Literaturen des Mittelalters, volume VIII/1 *La littérature française aux XIVe et XVe siècles* (dir. Daniel Poirion), Heidelberg, Carl Winter, 1988, et volume XI *La littérature historique des origines à 1500*, t. 1 en 3 vol. (dir. Hans-Ulrich Gumbrecht, Ursula Link-Heer et Peter-Michael Spangenberg), 1986-87 ; t. 2 (dir. Hans Ulrich Gumbrecht et Dagmar Tillmann-Bartylla), 1993. *Literatur in der Gesellschaft des Spätmittelalters*, éd. Hans-Ulrich Gumbrecht, Beiheftc zum GRLMA 1, 1980.

Poirion, Daniel, *Le Poète et le Prince. L'évolution du lyrisme courtois de Guillaume de Machaut à Charles d'Orléans*, Paris, PUF, 1965.

Zink, Michel, *La Subjectivité littéraire. Autour du siècle de saint Louis*, Paris, PUF, 1985.

Index des auteurs et des œuvres

Index des personnages historiques, mythologiques et littéraires

Index des lieux

Index des critiques modernes

Table des matières

Imprimé en France
Imprimerie des Presses Universitaires de France
73, avenue Ronsard, 41100 Vendôme
Mai 1998 — N° 45 295

Cet ouvrage a été composé
par I.G.S. - Charente Photogravure
à L'Isle-d'Espagnac